# 邪悪に堕ちたGAFA

ビッグテックは
素晴らしい理念と
私たちを裏切った

DON'T BE EVIL: HOW BIG TECH BETRAYED
ITS FOUNDING PRINCIPLES—AND ALL OF US

ラナ・フォルーハー 著
長谷川圭 訳

日経BP

DON'T BE EVIL
HOW BIG TECH BETRAYED
ITS FOUNDING PRINCIPLES —
AND ALL OF US

BY RANA FOROOHAR

アレックスとダリアへ

私は命をもたない体に生命を吹き込むためだけに、およそ二年ものあいだ懸命な努力を続けてきた。そのためなら、睡眠も健康も犠牲にした。並々ならぬ情熱でそれを望んでいた。でも、いざ完成してみると、美しかった夢は砕け散り、息が詰まるような恐怖と嫌悪が私の心を満たしたのだった。

メアリー・シェリー『フランケンシュタイン』

# まえがき

本というものは、大きくて抽象的な思考から生まれることもあれば、現実的な生活に根ざして書かれる場合もある。私の前回の著書『Makers and Takers（メーカーとテイカー）』は金融業界に関する高度に政策的な討論から生まれたのだった。一方、本書はテクノロジー業界が過去二〇年でもたらした経済や政治への被害、あるいは人々の意識や精神への影響について調べるのが目的で、いわば大きなレンズをもっていると言える。しかし、執筆の動機はとても個人的な出来事だった。

始まりは二〇一七年の四月が終わろうとしていたころ。ある日の午後、帰宅した私はクレジットカードの明細書を開き、大きなショックを受ける。身に覚えのない九〇〇〇ドルもの額が、アップル（Apple）のアップストアから請求されていたのだ。「ハッキングされた」が最初の考えだった。だが少し調べてみると、当時一〇歳の息子が原因だったことがわかった。大好きなオンライン・サッカーゲームの仮想選手を、息子が購入していたのだ。

当然ながら、私は息子からデバイスを取り上げて、すぐにパスワードを変更した。しかしちょうどそのころ、この出来事がきっかけとなって、より大きな問題が私の時間と関心を奪いはじめる。私は新しい仕事として、世界最大のビジネス紙として知られる『フィナンシャル・タイムズ』のグローバル・ビジネス・コラムニストとしての活動をはじめたばかりだった。任務は、その日起こった最大の出来事について、経済の観点から週に一回コラムを書くことだったのだが、ほとんどの場合で「ビッグテック」と呼ばれる現代を代表する巨大企業――グーグル（Google）、フェイスブック（Facebook）、アマゾン（Amazon）、そしてアップル――が関係していた。

過去数十年にわたって、ごく一部の企業が市場を独占するという現象が数多くの業界で観察されてきた。それが収入の不均衡や経済成長の停滞、あるいは政治の世界におけるポピュリズムの台頭など、さまざまな問題と関連していることもわかっていた。わかっていたはずなのに、それでも私は『フィナンシャル・タイムズ』紙のコラムニストとして経済関連の情報を集めはじめたとき、驚いてしまった。企業総資産のじつに八〇パーセントを、全体のわずか一〇パーセントの企業が占有していたのである［注1］。しかも、この一〇パーセントに属する会社はゼネラル・エレクトリックやトヨタ、あるいはエクソンモービルなどのような、物理的な資産や商品を有している企業ですらなかった。そうではなくて、現代の経済においてかつての〝石油〟に取って代わる存在、すなわち情報とネットワークを活用する術を見つけた企業だったのだ。

それら新星の多くはテクノロジー企業だった。現代社会において、テクノロジー業界ほど一気に独占的地位に駆け上った例はほかにない。何しろ、現在全世界で行われているウェブ検索は、たった一つの検索エンジン上で行われているのである。グーグルだ［注2］。インターネットを利用する三〇歳未満の成人の九五パーセントがフェイスブックまたは二〇一二年にフェイスブックに買収されたインスタグラム（Ｉｎｓｔａｇｒａｍ）、あるいはその両方にアカウントをもっている［注3］。ミレニアル世代の人々がネットでビデオを視聴する場合、ほとんどの時間でユーチューブ（ＹｏｕＴｕｂｅ）を利用する。ほかのストリーミングサービスを使う時間をすべて足し合わせても、ユーチューブを眺めている時間の半分にも満たない［注4］。全世界の新規広告費のおよそ九〇パーセントがグーグルとフェイスブックに集まり、携帯電話の九九パーセントにグーグルまたはアップルのオペレーティングシステム（ＯＳ）が搭載されている［注5］。デスクトップのＯＳでは、アップルとマイクロソフト（Ｍｉｃｒｏｓｏｆｔ）の二社が世界で九五パーセントのシェアを占めている［注6］。全米におけるＥコマース（電子商取引）の売上の半分がアマゾンによるものだ［注7］。以上のような項目は、挙げようと思えばまだまだ挙げることができる。ビッグテックの場合、やることなすことのすべてにおいて、大成功するか大失敗に終わるかの二通りしかないようだ。そしていったん成功すれば、どんどん大きくなっていく確率が高い。

デジタル界の巨人たちが手に入れた富は計り知れない。いわゆるＦＡＡＮＧ――フェイスブック、アップル、アマゾン、ネットフリックス（Netflix）、グーグル――の時価総額だけで、フランス一国の経済を超えるのである。ユーザー数で言うと、フェイスブックは世界最大の人口を誇る中国よりも大きい［注8］。しかし、すでに大きな企業がさらに大きくなっていく陰で、残りの経済は苦しんでいる。ビッグテックが成長を遂げた過去二〇年で、公開会社の半数以上が消滅した［注9］。経済の一極集中が進むにともない、ビジネスのダイナミズムや起業家精神が低下しつつある［注10］。

このような問題点について『フィナンシャル・タイムズ』紙に記事を書いていくうちに、私は数多くの人――労働者、消費者、親、投資家――から耳にした話に不安を覚えるようになっていった。彼らは、ビッグテックが彼らの（そして愛する人々の）生活を、いやそれどころか命までも危険にさらしていると感じているのである。テクノロジー中毒になってしまった子供を何とか救おうと奮闘する母親や父親がいる。アマゾンに立ち向かおうとしたものの、倒産してしまった会社に務めていた社員もいる。アイデアと知的財産をライバルに盗まれた起業家には、相手を裁判に訴える費用もない。不動産保険の契約を結んでもらえなかった住宅所有者もいた。保険会社が彼のことをリスクが高すぎるとみなしたのだ。もちろん純粋に、「テクノロジー業界は富を公正に分け合っていない」と考える者もいる。

それにしても、その富の大きさたるやすさまじい。現在、地球上で最も裕福で強力な会社がビッグテック企業なのだ。扱う製品やプラットフォームはどれも、それ自体が魅力的なものであることに加え、利用者が増えれば増えるほど、さらなる利用者の増加を促し、その結果としてより多くのデータを集めることができる——いわゆる「ネットワーク効果」が働く——ため、ビッグテックは想像を絶する規模に巨大化した。そしてその巨大さを利用して競合を押しつぶし、あるいは吸収し、ユーザーの個人情報を集め、さらには——グーグルとフェイスブックとアマゾンの場合は——集めた情報を利用して高度に対象を絞った広告（ターゲティング広告）を行うのである。また、彼らだけでなくほかのビッグテック企業も途方もない利益のかなりの部分を、税的に有利な外国へ持ち出している。クレディ・スイス社が二〇一九年に行った調査によると、外国へ資産を持ち出している企業のトップ10にはアップル、マイクロソフト、オラクル（Oracle）、グーグルの親会社のアルファベット（Alphabet）、クアルコム（Qualcomm）が含まれ、六〇〇〇億ドルを海外の口座で管理している[注11]。一般の人々が嫌でも受け入れなければならない法や規制を、最大級の企業は合法的に逃れているのだ。それを可能にしている税法の抜け穴を維持するために、シリコンバレーは「経済的な利害が政治を支配する文明は衰退する」という経済学者マンサー・オルソンの言葉を引用しながら、熱心にロビー活動を続けている[注12]。

確かに、公務員の多くも私と同じような懸念を口にする。結局のところ、シリコンバレーは政府が資金を提供して——要するに、国民の税金を使って——開発が進められた新技術を中心にできあがったと言えるのだから。GPSマッピング、タッチスクリーン、インターネットなど、あらゆるものが、最初は国防総省の資金で研究開発されたのである。それらがのちにシリコンバレーによって商業化された。それなのに、フィンランドやイスラエルのような繁栄している自由市場を含むほかの多くの国々とは違って、アメリカの場合は税金を使って開発された技術がもたらす利益が納税者にまったく還元されていない［注13］。その代わりに、企業は資金だけでなく労働者も外国に移管、つまり〝オフショアリング〟している。しかもそれと同時に、二一世紀の労働力をデジタルに精通させろ、そのための教育改革にもっと予算を投じろ、と政府に働きかけているのだ。これは経済だけでなく、政治にも大いに影響している。というのも、ビッグテックの態度が、資本主義やリベラルな民主主義に対するポピュリストたちの不満の火に油を注いでいるのである。

二〇〇七年以降、金融業界に注目してきた人は、当時と今の状況がとてもよく似ていることに気づくだろう。みるみるうちに、排除するには大きすぎ、管理するには複雑すぎる、新たな業界が発生した。その業界は歴史上のどの業種よりも富を集め、高い時価総額を誇る一方で、過去のどの巨大企業よりも雇用機会を減らしつづけた。私たちの経済と労働を根本からつくりかえたと言える。何しろ、人々の個人データを集めてそれを売り物にすることで、いわば人間を商品にすることに成功したのだから。それなのに、事実上まったく規制を受けずにきたのである。そして、二〇〇八年ごろの金融業界と同じで、この業界も、今の状態が続くように、政治と経済の分野に大いに口出ししているのだ。

二〇一六年の大統領選で予想外の結果が出たことをきっかけに、これらの企業に批判が集まりだした。そこで私はビッグテックについて詳しく調べてみることとした。すると、いろいろなことがわかってきた。今では誰もが知っているように、フェイスブック、グーグル、ツイッター（Twitter）をはじめとする世界最大級のテクノロジー・プラットフォーム企業が、ドナルド・J・トランプを大統領選で勝たせようとするロシアの工作員によって悪用されていたのだ。つまり、これらの企業が提供するプラットフォームは、もはや格安航空券を探したり、旅行の写真を投稿したり、離ればなれになった家族や友人と連絡したりする場所ではなくなっていた、ということだ。代わりに、国際政治を意のままに操り、国家の運命を揺さぶるための手段になっていた——しかも、そのように利用されることを通じて、経営陣や株主は財をなしていたのである。純真だった時代は過ぎ去ったのだ。

この点は大切なので忘れないでおこう。なぜならテクノロジー業界は、これまでずっと金銭的な利益だけを追求してきたというわけではないからだ。実際のところ、シリコンバレーは一九六〇年代の反体制運動の影響を大いに受けていて、事業を立ち上げた人の多くは、テクノロジーが世界をよりよく、より安全に、より豊かにする未来を夢みていたのである。デジタルの世界に理想郷を求めた人々は、自らのビジョンを人々に伝えながら、まるで福音のように、こう繰り返した。情報は無料であるべきで、インターネットは民主化を推し進める力であり、私たちのすべてにとって公平な場所だ、と。かつて、インターネットの教祖たちが『フォーブス』誌の世界で最も裕福な人物のリストに載っていない時代があった。代わりに、彼らは新興のブロゴスフィア（ブログのネットワーク）上でリナックスの、ウィキペディアの、あるいはほかのオープンソースプラットフォームの創造主として紹介されていた。欲望や利益よりも信頼や透明性が重視されるコミュニティの創始者として。

だからこそ、問わずにはいられない。どうして今のように状況になってしまったのだろうか、と。かつては野心的で、革新的で、楽観的だった業界が、わずか数十年のあいだに、欲深くて、閉鎖的で、尊大になってしまったのはなぜだろうか？　私たちはどうやって「情報は無料であるべき」だった世界を、データが金儲けの手段になった世界に変えてしまったのだろう？　情報を民主化することを目指していた運動が、民主主義の構造そのものを壊しているのはなぜ？　そして、地下室でマザーボードをいじくり回していたリーダーたちは、どんな理由があって政治経済の世界を支配する気になったのだろうか？

その答えは、ある時期を境に、最大級のテクノロジー企業と、それらが奉仕する相手である顧客や一般人の利害が一致しなくなったことにあると、私は調査を始めてまもなく確信するようになった。過去二〇年以上、検索に始まり、ソーシャルメディア、あるいは優れた演算能力をもつポータブル・デバイスなど、シリコンバレーは私たちにすばらしいモノをもたらしてくれた。現在の私たちは、一世代前なら一つの企業全体が有していたよりも優れたコンピュータ技術をポケットに入れて持ち運んでいる。ところが、便利にはなったものの、まるで中毒のようにテクノロジーにのめり込むあまりに、時間が奪われて生産性が下がってしまった。さらには誤った情報やヘイトスピーチの拡散、弱者や不利な立場にある人を食い物にしようとするアルゴリズム、個人のプライバシーの完全な喪失など、多大な代償がともなっていた。また、社会が数多くの小さなグループに分断されるため、富が国家に集中するようにもなった。

　これらの問題については、個別で論じられることは多いものの、実際にはすべてが複雑に絡み合っていて、その根底には一つの避けられない問題が潜んでいる。シリコンバレーの人々の多くは認めようとしないだろうが、「人々をできるだけ長い時間オンラインに釘付けにして、彼らの関心を利益に変える」ことがビジネスモデルになっている、という問題だ。コロンビア大学のティム・ウーはビッグテック企業を「関心の商人《アテンション・マーチャント》」と呼んだ。関心の商人は行動信念、大量の個人データ、そしてネットワーク効果を利用して、独占的な力を手に入れようとする。独占的な地位を得ることができた企業は政治的な力も手に入れ、それがまた、独占を維持する力に変わる。

　過去、フェイスブック、グーグル、アマゾンの三社が規制上〝何をやっても自由《フリー》でおとがめなし〟権を手に入れた。結局のところ、この論理の延長線上で、グーグルは検索を〝無料《フリー》〟で提供するし、フェイスブックは〝無料《フリー》〟でメンバーになれる。アマゾンは価格を切り下げ、製品を無料に近い値段でたたき売る。これは、消費者にとって〝ありがたい〟ことなのだろうか？　問題は、ここで言う「フリー」は実際にはフリーでも何でもないことだ。確かに、デジタルサービスのほとんどで私たちは現金を支払わないが、その代わりにデータや関心を大いに差し出している。〝人間〟が金儲けの手段なのだ。私たちは、自分のことを消費者だと考えている。だが実際には、私たちこそが製品なのである。

もちろん、そうした問題をシリコンバレーの大物たちの多くは隠そうとする。あまりにも多くの権力者たちが身勝手な考えを捨てようとせず、人々の正当な懸念に対して誠心誠意かつ透明に対応することを拒みつづけている。人々は、データは安全に守られているのか、人工知能と自動化によって多くの仕事がなくなるのではないか、プライバシーが失われ、位置情報が数多くのアプリを通じて一秒一秒追跡されるのではないか、選挙結果が操作されているのではないか、あるいは、私たちの生活のあらゆる側面に浸透している輝かしいデバイスが脳にどんな影響を与えているのだろうか、など数多くの不安を覚えているのである。私がハイテク関連の人々にこれらの不安について質問すると、自己弁護から知らんふりまで、さまざまな反応が返ってくるが、なかでも最もひどいのは、偉そうににやけながら、あるいは憤慨した表情で「あなたはテクノロジーのインサイダーではないから、何もわかっていない」と反論する態度だろう。

しかし、わかっていないのはテクノロジー業界の大御所たちのほうである。『ワイアード』誌の創刊を手がけたジョン・バッテルはかつて私にこう言ったことがある。「テクノロジー界は自分を高く買っていない。自分たちは人道主義者でも哲学者でもない。エンジニアだ。グーグルやフェイスブックにとって、人々はアルゴリズムなのだ」[注14]

この考え方は、意外でも何でもない。年齢的に、私はテクノロジー業界の好況も不況も経験した。一九九九年から二〇〇〇までは、ロンドンにあるハイテク関連のインキュベーター企業（訳注：ベンチャー企業に経営のノウハウなどを提供する会社）に勤めてもいた。そのときの経験については、本書内で詳しく述べるつもりだ。今と同じで、そのころも業界は閉鎖的だった。彼らの見せる不遜な態度は、ドットコムバブルの崩壊以来ずっと高まりつづけ、今や最高レベルに達している。アマゾンやアップルが基本的にアメリカの全家庭に浸透しているという事実を考えると、今の状況はかつてないほど有害だと言える。ウォール街の銀行と同じで、ビッグテック企業も莫大な資金と権力を得たことに加え、膨大な量のデータも手中に収めているのだ。しかも、ゴールドマン・サックスの最高経営責任者（訳注：二〇一八年一〇月に退任）のロイド・ブランクファインとは違って、ビッグテックは冗談抜きに本気で、自分たちは神の仕事を代行していると考えている。

テック・カンファレンスに参加すると誰もが気づくように、シリコンバレーの面々の多くはいまだに、彼らは世界をもっと自由に、もっとオープンにするために働いているのだと誇示する。実際はその逆である証拠がたくさん見つかっているにもかかわらず、だ。

ヒッピー的な起業家精神が旺盛だったシリコンバレーは、すっかり様変わりしてしまった。ビッグテックの経営者たちをたとえるなら、金融関係者と同じぐらい強欲な資本家でありながら、それに加えて自由主義的な傾向も持ち合わせている人々と言えるだろう。彼らはすべてが、政府、政治、市民社会、法律など、本当にすべてが破壊されうるし、破壊されるべきだという世界観をもっている。ビッグテック評論家のジョナサン・タプリンはかつて私にこう説明したことがある。「民衆が――社会そのものが――頻繁に〝邪魔者〟とみなされる」[注15]

それではなぜ、政治家たちはそのような欲望を抑え込むための規制を行わないのだろうか？金の流れを見てみよう。昨今、ビッグテックがウォール街や巨大製薬会社《ビッグファーマ》を政治的なロビー活動における最大の出資者とみなしているのは理由のないことではない。二〇〇八年の金融危機以前、世界の主要銀行はワシントンやロンドン、あるいはブリュッセルに代理人を送り込んでいた。銀行を規制する当事者たちの近くにいて、ロビー活動を円滑に行うためだ。それがここ一〇年で様変わりして、金融の中心地でシリコンバレーの代表者たちが見られることが日常になった。グーグルにいたっては、あまりに多くの使者をワシントンに送り込んでいるため、彼らの拠点として、ホワイトハウスと同じぐらい大きなオフィスが必要なほどだ［注16］。

しかし、シリコンバレーがどれほど多くのロビイストやPRチームを送り込んで努力させたところで、人々はテクノロジーが社会と経済に与える影響を心配しているし、その心配は減ってもいない［注17］。それどころか、技術が経済と政治と文化に深く行き渡るにつれて、不安は増すばかりだ。ビッグテックが新しいウォール街になったと言える。そしてそのような存在こそが、経済的にも社会的にもますます分断されつつある世界において、反動的なポピュリストが最も目の敵にする相手なのだ。

ビッグテックがもたらした変化が、現在の経済を圧迫する最大の要因になっている。ハーバード・ビジネス・スクールの名誉教授であるショシャナ・ズボフをはじめとして、数多くの学者が「監視資本主義」の出現を非難している。ズボフによると監視資本主義は「人の経験を隠れた商業目的のための自由素材として選別、予測、あるいは販売する新たな経済秩序」であり、デジタル監視技術を通じて「製品とサービスの創出に代わって行動変容という新しいグローバルアーキテクチャが主役の座を占める寄生経済的ロジック」を意味している［注18］。ズボフは（そして私も）、監視資本主義は現在の経済と政治にとって大きな脅威であり、社会を支配する強力な道具になっていると確信している［注19］。加えて私は、ある有力な民主党議員が話したように、シリコンバレーの悪影響の広がりを食い止めることが、「自動化が進み、シリコンバレーがほかの経済分野にも投資を行っている現状において、［立法府にとって］今後の五年間で最重要な経済課題になるだろう」と考えている。

しかし、こうした動きはビジネス紙だけの関心事にとどまらない。実際のところ、現在報道されているニュースのほとんどがビッグテックにまつわる話題だ。ビッグテックよりも頻繁に記事になっているのはドナルド・トランプぐらいだろう。とは言え、トランプ大統領はそのうちいつか去っていくが、ビッグテックは存在しつづける。技術の根を経済、政治、文化に深く食い込ませ、私たちの経験を毎日少しずつ変えていきながら。まるで錬金術だ。しかも、まだ始まったばかり。これまでの二〇年の変化は驚くべきものだったが、この歳月は今後何十年もかけて行われるであろうデジタル経済への改革の第一段階に過ぎない。その影響力はかつての産業革命に引けを取らないだろう。デジタル経済への移行が終わったとき、その影響は産業革命よりも広範囲にわたり、自由民主主義の、資本主義の、それどころか人類そのものの性質さえ変えてしまう力をもっている。

ビッグテックがやっていることは「巨大」の一言に尽きる。確かに、私はこれまで多くの点でデジタル改革に否定的な立場をとってきたが、この改革には大きな利点もあることを否定するつもりはない。シリコンバレーは歴史上、単独にして最大の企業資産の創出源として機能してきた。世界をつなぎ、圧政に抵抗する革命の火付け役になり（抑圧の手段として使われることもあったが）、発明やイノベーションの新しい方法を生み出してきた。プラットフォーム技術のおかげで、私たちはそれぞれ遠く離れた場所で仕事ができるようになったし、遠くの人々とも関係を維持できるようになった。新しい才能の発展、ビジネスのマーケティング、考え方の共有、独創的な表現の発表、全世界の人々へ向けた製品の販売なども利点に数えられる。ビッグテックのツールを使えば、食品の配達から医療介護まで、さまざまな製品やサービスを必要なときに呼び出すことができる。要するに、かつてのどの時代よりも便利に苦労なく生活できるようになった。

列挙しただけでなくほかの多くの意味でも、デジタル革命は奇跡的な発展であり、歓迎すべきことだろう。しかし、テクノロジーの恩恵を本当に幅広く受けるためには、公平な競争の場が欠かせない。それがなければ、次世代のイノベーターたちに繁栄するチャンスがなくなってしまう。

しかし、世界はそうなっていない。ビッグテックが労働市場を作り替え、所得のバランスを崩してしまった。さらには、私たちが気に入るであろう情報ばかりを選別する。言い換えれば、私たちは自分がすでにもっている意見や先入観を強める情報だけを提示するフィルターバブルに押し入れられてしまった。しかし、そのような問題に対する解決策を、ビッグテックが提案することはない。私たちを賢くするのではなく、視野を狭めている。団結をもたらす代わりに、ばらばらにしてしまった。

電話がピッと鳴るたびに、ビデオデータが自動でダウンロードされるたびに、デジタルネットワークに新規コンタクトがポップアップするたびに、私たちは広大な新世界――情報と偽情報、トレンドとツイート、そして次第に当たり前のようになりつつある高速監視技術で成り立つ、ほとんどすべての人間の理解を超える奇怪な世界――のほんの一部だけを目の当たりにする。ロシアによる選挙戦への介入《ハッキング》、悪意に満ちたツイート、個人情報の盗用、ビッグデータ、フェイクニュース、オンライン詐欺、デジタル中毒、全自動運転車の事故、ロボットの台頭、顔認証技術の不気味さ、私たちの会話のすべてを盗み聞きするアレクサ（Ａｌｅｘａ）、私たちの仕事と遊びと睡眠を監視するアルゴリズム、私たちをコントロールする企業や政府。最新技術が社会にもたらす混乱は数限りない――それらのすべてが過去わずか数年のうちに生じた問題なのである。個別に見ればどれも小さな問題に過ぎないが、それらが集まれば大吹雪になり、私たちの視界を真っ白に閉ざして感覚を鈍らせてしまう。現代は不安の霧に包まれてしまった。

問題は、技術が大きく変革する時代は大きな混乱もともなうという点にある。だからこそ、社会全体のためにうまく対処しなければならない。失敗すれば、一六世紀や一七世紀の宗教戦争のような事態につながるだろう。『スクエア・アンド・タワー』を書いた歴史家のニーアル・ファーガソンの意見に従うと、印刷機など大きな新規技術が現れなければ宗教戦争は起こっていなかったと考えられる。印刷機が古い秩序をかき乱し、結果として啓蒙時代をもたらしたのだ。それと同じように、インターネットとソーシャルメディアも現代の社会をひっくり返してしまった

［注20］。

誰にもテクノロジーの進化を止めることはできないし、止めるべきでもない。しかし、生じてしまった混乱に過去よりもうまく対処できるはずだ。そのためのツールもすでに存在している。今の私たちの課題は、国家よりも大きな力を手に入れたテクノロジー企業をどのような形で規制するか、その境界を見極めることにある。デジタル技術の暗黒面から人々を守りながらも、イノベーションをさらに促し、恩恵を広く分け合う仕組みをつくることができれば、これからの数十年は世界成長の黄金時代になるだろう。

本書の目的は、私たちを悩ませるビッグテックの問題に光を当て、それを解決する手段を探すことにある。ビッグテックの経営者や政治家だけでなく、イノベーションと技術発展が個人や社会に犠牲よりもはるかに多くの恩恵をもたらす未来を信じているすべての人に関心をもっていただくきっかけになればいいと願っている。そのような未来をつくることができると信じることは、誰にとっても有意義なはずだ。なぜなら、過去数年にわたって明らかになったように、人々が信じるのをやめたとき、体制《システム》は崩壊するのだから。

# 目次

# 第1章

# 概説

CHAPTER 1

A SUMMARY OF THE CASE

「邪悪になるな」――グーグルの行動規範の第一条として有名な一文だ。しかしこの言葉も今となっては、同社がカラフルなロゴで示すような明るくて理想主義的だった創業時代の企業精神を表す古びた遺物のように見える。同社がその理念どおりだった時代は、もうずいぶん昔のことのようだ。もちろん、グーグルが意図的に邪悪なふるまいをしていると非難するのは不公平だろう。しかし、悪いことをする者を邪悪とみなすなら、グーグルやほかのビッグテック企業が近年やってきたことは、あまり褒められたことではない。

グーグルのアイデアを最初に思いついたとき、この輝かしい〝知恵の実〟、つまり検索エンジンによって誰かが（この数年で数々のスキャンダルに巻き込まれた多くのグーグル幹部のように）楽園から追放されることになるとは、まだスタンフォード大学の大学院生だったラリー・ペイジとセルゲイ・ブリンは想像もしていなかっただろう。グーグルプレックスことグーグル本社で理想と現実のずれが数多く生じることも予想していなかったに違いない。例をいくつか挙げよう。グーグルはアルゴリズムをいじって、検索結果の一ページ目には最大のライバル会社六社が表示されないように細工している。グーグル傘下のユーチューブでは、爆弾の製造方法を示すビデオの公開が認められている。グーグルはロシアの工作員に広告を販売し、彼らが偽情報を広めたり、二〇一六年の米国大統領選挙に介入したりするためのプラットフォームを提供している。また、中国向けの強力な検索エンジンの開発に取り組んでいる。好ましくない情報を検閲しようとする中国政府の意向にそった検索エンジンだ。グーグルの元CEO（最高経営責任者）であり、グーグルの親会社にあたるアルファベットの会長に就任したエリック・シュミットは、グーグルは反競争的な行動をとっていると疑いをもったあるシンクタンクの政策アナリストをクビに追いやった（シュミットはその事実を否定している）。シュミットの家族財団とグーグルの両方がそのシンクタンクに資金を提供しているという立場を利用したのだ。『ニューヨーク・タイムズ』紙がこの事実を報道した数カ月後、シュミットは会長職を辞任し、二〇一九年の五月にはアルファベットの取締役会からも辞退すると発表した［注1］。

これらはどれも邪悪と呼べるほどひどいことではないのかもしれないが、間違いなく心配の種ではある。

しかしグーグルの本当の罪は、ほかのシリコンバレー巨大企業と同じで、不遜になってしまったことだろう。同社の幹部たちはつねに、自らルールが決められるほど巨大になることを目指してきたのだが、その反面、大きくなるにつれおごり高ぶっていったのである。この点では、ほかの多くのビッグテック企業が同じ道を歩んだ。本書はグーグルだけをテーマにしているのではない。経済を分断し、政治を腐敗させ、人々の精神を曇らせているトップ企業の数々を扱っている。業界の代表例としてグーグルに言及することが多いが、いわゆるＦＡＡＮＧ――フェイスブック、アップル、アマゾン、ネットフリックス、グーグル――に加えて、ウーバー（Ｕｂｅｒ）など、テクノロジー業界内のそれぞれの分野で中心を占める支配的なプラットフォームについても触れることになるだろう。また、ＩＢＭやゼネラルモーターズなど、新興の企業に立ち向かうために発展を続けている旧来の企業についても述べるつもりだ。さらには、ＦＡＡＮＧですら手を出そうとしない領域にまで足を踏み入れようとしている中国の新興ハイテク巨大企業も観察する。

　シリコンバレーだけでなくいたるところで、デジタルトランスフォーメーションに成功した、あるいは失敗した企業が数多く存在するが、私たちが今経験している壮大なデジタルトランスフォーメーションから最も多くの利益を上げているのは、テクノロジー・プラットフォーム関連の巨大企業だ。彼らが一九世紀と二〇世紀の産業を情報ベースの経済で置き換え、二一世紀の経済を新たに定義した。

　その影響は計り知れない。その多くを、私はおもにグーグルを例にして本書で追跡するつもりである。グーグルこそが業界全体にわたる変革の中心だからだ。とどのつまり、グーグルはビッグデータの、ターゲティング広告の、そして本書が問題とみなす種類の監視資本主義のパイオニアだと言える。何しろ、「ムーブ・ファスト・アンド・ブレーク・シングス《素早く動き、破壊せよ》」を、フェイスブックのザッカーバーグが言うずっと前から、実践してきたのだから［注2］。

　私はグーグルに二〇年以上注目してきた。同社の超有名な創業者ペイジとブリンに初めて会ったのはシリコンバレーではなくてダボスだった。世界の権力者が集まるスイスの都市だ。そこで二人は小さな山荘を借りて、メディア界からの代表者と会合を開いたのである［注3］。二〇〇七年のことだった。グーグルは数カ月前にユーチューブを買収したばかりだったので、批判的なジャーナリストたちを集めて、今回の買収は著作権や有料コンテンツの作成、あるいはジャーナリストたちが従事するさまざまな報道機関に致命傷を与えることを目的としているのではないと釈明するつもりだったのだ。

ふだんダボスの大通りを練り歩く、マッキンゼーやＢＣＧ（ボストン コンサルティング グループ）などの第一ボタンまでしっかりと閉めるコンサルティング系の大物とも、保守的な多国籍企業の幹部とも違って、フサ付きのローファーで凍った通りを歩くグーグル関係者は皆クールだった。かっこいいスニーカー、白くて飾りっ気のないおしゃれな山小屋、広間に椅子として置かれているのは大きな立方体だ。まるで、シリコンバレーから急遽やってきたデザイナーがその箱を椅子とみなそうと、その日の朝に決めたかのような様子だった。実際にそうだったのかもしれないし、もしそうだったとしても、そのような大げさな演出をするのはグーグルだけではなかった。私自身、ナップスター（Ｎａｐｓｔｅｒ）の創業者であり、フェイスブックの社長も務めていたショーン・パーカーがダボスで開いたパーティに参加したことがある。そこでは巨大な熊の剝製が客を出迎え、ジョン・レジェンドが音楽を披露した。

グーグルの山荘に話を戻そう。ブリンとペイジは若々しい真剣さをもって政府主導の中国でビジネスをする理由を説明し、そのころ横暴な独占企業として知られていたマイクロソフトのようには絶対にならないと言い切った。私たちはニュースの未来はどうなるのかと問い詰めた。ペイジはフリーのオンラインニュースしか読まないが、ブリンは『ニューヨーク・タイムズ』紙の日曜版をよく買う（「すごくいい！」と、彼は陽気に言った）と告白したあと、二人はジャーナリストたちが聞きたいと願っていたことを、まさにそのまま回答した。グーグルがジャーナリストの生活を脅かすことは決してない、と。確かに、ウェブには出版物では想像もできないぐらい精密に消費者をターゲットにした広告を載せることができる。そのため、広告主の多くが旧来の出版系報道機関からウェブに重点を移している。でも、心配はいらない。グーグルはジャーナリストも新たなデジタル世界で繁栄できるように、ビジネスモデルを大幅に見直すだろう、と。

当時の私はまだ若く、今ほど皮肉なビジネスジャーナリストではなかったのだが、それでも彼らの言う明るい「ニュースの未来」を素直に信じる気になれなかった。グーグルが本気で斬新な収益モデルをつくろうとしていたのかどうかは別として、私の心に引っかかったのは、私たちジャーナリストの誰一人として、とても大切な疑問を口にしなかった事実だ。部屋の後ろのほうに座っていた私は、ほかの先輩ジャーナリストに気が引けていたこともあって質問するのをためらっていたのだが、最後の最後になってようやく手を挙げた。

「すみません」私は言った。「私たちはずっとジャーナリズムだけを問題にして話していますが、これって本当のところは……民主主義の問題ではありませんか?」」。もしグーグルや類似企業によって新聞や雑誌が廃業に追い込まれたら、人々は世間で何が起こっているのか、どうやって知ればいいのか? そう私は問いただした。

ラリー・ペイジは、そんな素朴な質問をする人間がいるのが信じられないとでも言いたげな怪訝な表情で私を見つめて言った。「ええ、そうですね。そう考える人はたくさんいます」

心配はいらない、とでも言いたげな口調だった。グーグルのエンジニアがもう「民主主義」問題に取り組んでいるので。さて、次の質問は?

ところがどうだ。私たちは今、民主主義の存続を心配せざるをえない状況に追い込まれているではないか。特に二〇一六年の一一月以降——アメリカの大統領選挙以後——は心配する理由がさらに強くなっている。もはやこの問題を無視することはできない。テクノロジー企業が止めどなく力を増していく一方で、民主主義はどんどん不安定になっていった。グーグルとフェイスブックが二〇一八年までにインターネットの広告市場の六〇パーセントを占めたことによって、新聞や雑誌は力を失った[注4]。その影響で二〇〇四年から二〇一八年までにおよそ一八〇〇の新聞が廃刊することになった。そのため、一二〇〇の郡で新聞が一紙も発行されていないのである[注5]。民主主義にとって信頼できる情報は酸素のように重要なのに、それが行き渡っていないのだ。

しかも二〇一七年には、デジタル広告がテレビ広告よりも多くの資金を集めた。したがって、テレビニュースが間違いなく次の犠牲者になるだろう［注6］。「トランプ効果」のおかげでケーブルニュースは好調かもしれないが、長期的なトレンドは明らかで、紙媒体がそうであったように、テレビもそのうちビッグテックによって骨抜きにされるに違いない。

しかし、ビッグテックの問題は経済とビジネスだけに限られているのではない。政治にも、さらには人々の考えにも影響する。これらの要素は個別に論じられることが多いが、実際には、互いに深く結びついている。本書の目的は個別の点を結びつけること、そして各問題の総和よりもはるかに大きな問題について論じることにある。

## 世界の崩壊――ビッグテックが政治に与える影響

ロシア人工作員ならびにロシア人の代理投票人が二〇一六年の米国大統領選挙を不正に操作するために、世界最大のテクノロジー・プラットフォームを利用していたことが明るみに出たとき、最も非難を浴びたのはグーグルではなくてフェイスブックだった。CEOのマーク・ザッカーバーグは、フェイスブックがあくどい外国人工作員によってハッキングされた可能性を断固として否定したが、実際にはハッキングされていたのである。のちに『ニューヨーク・タイムズ』紙が立レポートしたように、ザッカーバーグとCOO（最高執行責任者）のシェリル・サンドバーグが立ち上げた得体の知れない右翼ＰＲ会社が怪しげな技術を用いて、ビッグテックに批判的な投資家ジョージ・ソロスの信用を落とそうとしていた。

一方のグーグルは、二〇一六年に選挙が操作されている最初の兆候が現れたとき、わずかにしか反応を見せなかったが、じつはとても大きな役割を演じていたことが明らかになった。選挙前、子会社であるユーチューブに外国の、そして国内の工作員がばらまいた数多くのヘイト・ビデオが掲載されていたのである（そのなかにはフェイスブックでも活動していたロシア人工作員も含まれていた）[注7]。

二〇一六年の大統領選挙、ブレグジット国民投票、あるいはその後のオンライン偽情報キャンペーンでもロシアが関与していたという事実が、デジタル革命によって社会の団結が脅かされていることの何よりも証拠であると言える。国家への信頼が危機に瀕している。人々は制度に、主導者に、社会の統治システムそのものに対する信頼を失ってしまった。批判の指をホワイトハウスに向けるのは容易だが、ここで問題なのは政権だけではない。研究を通じて、ソーシャルメディアが浸透するにつれ、自由民主主義への信頼が減っていったことが明らかになっている[注8]。その理由の一部として、フェイクニュースの問題を挙げることができるだろう。学術的な調査によると、フェイクニュースは本物のニュースよりも拡散・共有される確率が七〇パーセントも高いそうだ[注9]。一方、社会が操作されているという思いもまた、信頼の低下を引き起こしている。

また、人々は裕福な者とそうでない者を隔てる社会的あるいは経済的な格差が大きくなったと感じている。この感覚はウォール街だけでなくシリコンバレーからももたらされている[注10]。二〇〇八年、政府は一連の強大な銀行を危機から救ったが、金融危機の被害を受けた真面目な住宅所有者には救いの手を差し伸べなかった。この点について、経済的には正当な対処だったと論じることはできるのかもしれない。しかし、政治的に見た場合、体制はごく少数の裕福な権力者によって支配されているという印象が人々のあいだに広まってしまった。その結果、右派あるいは左派の両端にいた有権者は、共和党や民主党の中心からさらに遠くへと離れていった。

そして今、ちょうど二〇〇八年の金融危機をきっかけにウォール街で人々の怒りが爆発してポピュリストの反動につながり、結果としてドナルド・トランプが大統領になったのと同じように、工場ではなくてロボットをつくり、雇用ではなく少数の億万長者だけを創出するシリコンバレーに対する反発も、政治スペクトルの左右両端で極端に強くなっている。共和党支持者の多い州、いわゆるレッド・ステートでは白人男性のあいだでファシズムが人気を集め、民主党が優勢のブルー・ステートではミレニアル世代の怒った若者たちが社会主義に傾倒している（もちろん、この傾向はまさにテクノロジー・プラットフォームを通じて拡散されることでさらに助長されていると思える）。よく考えてみると、数多くの専門家が、アメリカの重工業地帯《ラストベルト》をドナルド・トランプ支持派に変えたのは商業だけでなくテクノロジーに起因する混乱だったと考えはじめたのも不思議なことではない［注11］。

テクノロジー分野が経済に信じられないほどの分岐をもたらした事実は否定のしようがない。エコノミック・イノベーション・グループが二〇一六年に発表したレポートによると、アメリカに三千以上ある郡のうち、たった七五郡が雇用拡大の五〇パーセントを占めている。それらはどれも、サンフランシスコ、オースティン、パロアルトなど、ビッグテックが力を入れている地域だ。大規模テクノロジー企業が所在する都市は富を生むが、多くの場合、いわば塀で囲まれた庭のようになる［注12］。例えばサンフランシスコでは不動産バブルが起こり、中流階級の人々ですら家をもつことができなくなってしまった。

また、プラットフォーム技術を利用した選挙介入が世界中で大きな問題となっている一方で、ミャンマーやカメルーンなどの国では国民全体を抑圧する手段として、さらには民衆を虐殺するための道具として、グーグルとフェイスブックが利用されている［注13］。こうした技術は私たち民衆をファシズムに対して脆弱にするために開発された、と考える人もいるほどだ［注14］。オープン・ソサエティ財団を創設した投資家のジョージ・ソロスが自身の慈善活動の主要な一環としてビッグテックの調査を行っているのも、同じ理由からだ。

ソロスはハンガリーで生まれたこともあり、技術革命がもたらす政治への影響に関心が強く、かつてジョージ・オーウェルが『一九八四年』で予言したように、権力国家が民衆の個人データを集めて得た知識を悪用する可能性があると考えている。ソロスは二〇一八年の一月にダボスで行った講演で、ビッグテックが人々から自治権を奪っていると指摘したうえで、かつて哲学者のジョン・スチュアート・ミルが「精神の自由」と呼んだものを主張し、「守りつづけるには真の努力が必要だ」と説明した。さらに「一度失われてしまえば、デジタル世代に育つ人々が精神の自由を取り戻すのは難しいだろう」と付け加えた。彼は「権力国家とデータを保有する巨大なIT独占企業が手を結べば、まだ初期にある企業による監視技術がすでに発展している国家による監視システムと統合してしまう」リスクを恐れていた[注15]。

ソロスが不安になるのもむりはない。中国には中国のビッグテック――バイドゥ（Baidu）、アリババ（Alibaba）、テンセント（Tencent）――があって、総称して「BAT」と呼ばれている。このBATが〝スマートシティ〟に生きる人民を日頃から監視している。スマートシティと言えば聞こえはいいが、実際には各種センサーが張り巡らされた二四時間体制の監視エリアのことだ（実際、ソロスは二〇一九年に、中国における国家による監視の危険性についてダボスで講演をしている）[注16]。ちなみに、これらスマートシティの監視に使われている技術は、ファーウェイ（Huawei）のような中国企業だけでなく、シスコ（Cisco）など、アメリカの企業も提供している。もちろん、集められた情報の一部は、中国政府によって膨大なデータを必要とする人工知能の開発のために利用されたり、同国の疑わしい「社会信用システム」に使われたりしている。中国では市民が監視され、信用度が評価されているのだ。そのスコアが、例えばローンを組む際や住居を決めるときなど、生活のあらゆる側面に影響する。中国企業から得られない情報は、パートナーシップを通じてフェイスブックなどから入手する（ファーウェイをはじめとした中国企業に、フェイスブックがユーザーの非公開情報にアクセスする権利を認めている事実が二〇一八年に明らかにされている）［注17］。

ビッグテック企業の一部は、プライバシーや反競争的なビジネス慣習に関する人々の懸念に対して、アメリカ人が抱える長年の不安――中国にどう立ち向かうか――を利用することで大きな富をなしている。グーグルやフェイスブックのような会社は規制当局や政治家に対して、自らを国を代表する大企業であるとアピールして、邪悪な中国を相手に未来のアメリカの優位を守るため、勝つか負けるかの戦いを続けているという立場をとる。まるでテレビゲームだ。二〇一八年の春、フェイスブックが選挙の不正操作に関与した件でマーク・ザッカーバーグが米国上院において集中砲火を浴びたとき、AP通信の記者がザッカーバーグのもっていたメモの写真を撮影することに成功した。そこには、フェイスブックの独占支配について質問されたときは、もし同社がつぶれたらアメリカは中国のテクノロジー大企業に太刀打ちできなくなるだろうと答える、と書かれていた。

ワシントンの議員や政治家が私に教えてくれたのだが、グーグルも提案されていた反トラスト法に抵抗するための論拠として、「アメリカ対中国」をにおわせることで国家安全保障のカードを切ったそうだ。しかし、そのグーグルも北京に研究施設をもち、現地の規則にのっとった検閲機能付きの検索エンジンをスタートさせるべきか検討を続けているのである（この計画の実現は、社内エンジニアの反発やホワイトハウスおよび議会の政治的圧力を受けて、現在のところ保留されている）［注18］。

アップルもまた、中国の〝現地ルール〟に反抗する気はあまりないようだ。同社はアメリカではユーザーのデータを守る姿勢を見せ、二〇一五年のサンバーナーディーノにおけるテロ攻撃の調査でＦＢＩに対してロックされたｉＰｈｏｎｅのデータを開示することを拒んだのだが、その一方で中国では違う態度を見せる。北京政府が中国人顧客用のｉＣｌｏｕｄデータセンターのすべてを中国本土に移管し、アメリカのデータ保護法を守る必要のない現地企業に引き渡すことを求めたとき、主要市場である中国におけるビジネスが危機に瀕していることを察したアップルは、人々の自由を守るという自らの企業理念を縮小し、すぐに要請に応じたのだった［注19］。ネットフリックスはサブスクリプション形式のビジネスモデルを敷いているため、娯楽の嗜好以外に集める個人データが少ないので批判されることは少ないが、それでも外国の検閲機関の圧力に屈している。二〇一九年の一月初め、同社は人気コメディ番組『ハサン・ミンハジ：愛国者として物申す』のエピソードの第一話をサウジアラビアで撤回していたことが明らかになった。番組出演者の一人が、同国皇太子のムハンマド・ビン・サルマーンが反体制派のジャマル・カショギの殺害やイエメンにおけるサウジアラビアの残虐行為を正当化していると批判したことに対して、政府当局者が抗議したからである［注20］。

同時に、ビッグテックはアメリカ国内でも〝ビッグブラザー〟の役割を担い、地方自治体や州あるいは国の当局と協力しながら、監視国家もどきをつくりはじめている。アマゾンは顔認証技術を警察に売り、ペイパル（ＰａｙＰａｌ）を興したピーター・ティールが共同設立したパランティア（Ｐａｌａｎｔｉｒ）――ビッグデータを扱う会社――はロサンゼルス警察と協働し、陰鬱な未来像を示した映画『マイノリティ・リポート』さながらの、極めて危険な市民監視網を敷こうとしている［注21］［注22］。集められたデータがほかにどんな目的で使われようとしているのか、本当のことは誰にもわからない。すべてが秘密であるため、追跡するのはほとんど不可能だ。しかし、少しずつ見えはじめた結果から、アメリカの民主主義がビッグテックに浸食されつつあることがわかる。

規制当局は、ようやくこの問題に関心を向けはじめたようだ。二〇一九年の夏、本書が印刷されようとしていたころ、グーグル、フェイスブック、アマゾン、アップルの四社が司法省と連邦取引委員会の調査を受けたのである。下院の反トラスト小委員会も行動を起こし、ビッグテックを数カ月にわたってヒアリングする計画を立てた[注23]。しかし私の予想では、二〇二〇年の選挙までにこの問題に決着がついているとは思えない。そもそも、決着するかどうかも疑わしい。グーグルとフェイスブックはリベラルな政治家に有利になるようにアルゴリズムを操作していると言われていて、それに対して公然と（そして政治利用目的で）怒りを示したわけだが、ほとんどの共和党員はこの問題に真剣に取り組もうとしないのだ。そんなことをしてしまえば、トランプが大統領になったことの正当性に疑問を投げかけることになってしまうだろう。ビッグテックのプラットフォームを使って、ロシアが彼のために選挙を操作したことが明らかなのだから。

一方のリベラル派、つまり民主党は、ビッグテックに対する態度が統一されていない。党の企業寄りの派閥、例えばニューヨークの上院議員チャック・シューマーなどは、彼の地元の巨大銀行と同じように、シリコンバレーにも〝自主規制〟をする力があると信じている。ここで注目すべきは、シューマーは選挙の不正操作に関与した件で被害を抑えようとしていたフェイスブックが助力を求めた政治家の一人であった事実である。この求めにシューマーは快く応じて、反フェイスブックの第一人者として知られているマーク・ワーナーなどに同社への批判を慎むよう進言したほどだ（偶然か否か、シューマーの娘はフェイスブックに就職している）[注24]。一方で、党の改革派は（トランプを拒む自由市場保守勢力として）シリコンバレーと争う姿勢を明らかにしている。加えて、二〇二〇年の大統領選における民主党候補の多くも、ビッグテックを主要問題と指摘している。

しかし、業界に変化をもたらすのは難しい。さまざまな利害関係者によって守られている（あるいは敵視されている）数多くの規則や規制を変えなければならなくなるからだ。

その背後では、ビッグテックの巨人たちが――彼らは過剰なまでにリベラルだと批判されることが多い（実際、彼らはリベラルと言うよりももっと強い意味で自由崇拝者だと呼べる）――自分たちにとって最も有利な派閥への支援を惜しまない。例えば、かつてグーグルのCEOだったエリック・シュミットは民主党と共和党の両方に資金援助を行い、トランプ政権に理解を示し、オバマ大統領時代も、トランプ大統領になってからも、国防総省のイノベーション委員会に参加していた。また、オバマとヒラリー・クリントンの選挙キャンペーンにおけるデジタル部門の主要アドバイザーを務め、オバマを大統領にするためにグーグルの力を使い、その後も少なくとも心配にならざるをえないほど政治の世界に影響を及ぼしつづけた［注25］。

シュミットのやったことは、二〇一六年のトランプの選挙戦で広められた人種差別的なデマやフェイクニュースほどひどいことではなかったと言えるが、それでもビッグテック企業が政治全体に、国民が政治への信頼を失うほどに大きな影響を及ぼしていることの証拠ではある［注26］。派閥の垣根を越えて政治界全体に影響力を行使しているのは、シュミット一人ではない。一例を挙げると、ドナルド・トランプが大統領就任後初めてシリコンバレーの重鎮たちと会合をもったとき、シェリル・サンドバーグやティム・クックなど数多くの公認民主党員が、大統領に文字どおり寄り添っていた。ＣＥＯであるジェフ・ベゾスが大統領に批判的な『ワシントン・ポスト』紙を所有しているにもかかわらず、アマゾンはＩＣＥ（米国国土安全保障省の移民税関執行局）に顔認証技術を提供した――メキシコとの国境で人々を遮断するための技術だ［注27］。

民主党員の大半がビッグテックの広範なロビー活動によって買収されている。共和党員でも買収された者の数は増えつつある。シリコンバレーはいいことをしていて、当然ながらそれを今後も続けたいと願っている――彼らがワシントンにおけるロビー活動を強化する際に公然とあるいは秘密裏に主張する建前だ。ＩＴ、電子、プラットフォーム技術のすべてを含めれば、ビッグテックはアメリカで二番目に大きなロビー活動グループになる。それよりも大きいのはビッグファーマだけだ。また、一企業としてワシントンで最も大々的にロビー活動をしているのはグーグル親会社のアルファベットだとされている［注28］。

グーグルが最も影響力の強い企業ロビイストに成長し、ほかのどの企業よりも頻繁にホワイトハウスに顔を出すようになったのは、バラク・オバマ大統領の第二期目、つまりビッグテックがちょうど犯罪捜査用語で言うところの〝関心の対象〟のような存在になりつつあった時期だ。そのころ、グーグルやフェイスブックなどのビッグテック企業が、理解に苦しむほど雑多な利害グループに金をばらまきはじめた。アメリカ図書館協会、米国障害者協会、全国ヒスパニック・メディア連合、アメリカ進歩センターなどである。どれもテクノロジー革命と関係のない存在のように思えるが、これらの組織が規制の抜け穴を用意し、ユーザーのオンライン上での発言や行動に対してビッグテックが責任をとらなくても済むようにお膳立てしている[注29]。

これらの組織は、さまざまな政策においてテクノロジー巨大企業に反対する立場をとってもおかしくないはずなのに、実際には巨額の寄付金を与えてくれるシリコンバレーの恩人たちを陰から、ときにはあからさまに、支援あるいは支持する。例えば図書館協会は、著作者や出版社の権利を代表するほかの多くに組織とは違って[注30]、グーグルを代弁して全世界のあらゆる書籍をスキャンする権利を主張しているし[注31]、ふだんは自由な弁論を支持し、書籍を万人の手に届く存在にすることを求めながら、その一方ではグーグルから資金援助を得て、数多くのインデックス化あるいはコード化計画において同社と密接に連携している。グーグルは学術界にも触手を伸ばし、ハイテクに関係する数多くの研究のスポンサーを務めている。その見返りとして、ふだんは手厳しい学者からも、自分たちに都合のいいコメントを求めるのだ[注32]。この問題について記事を書いていたとき、私は本当に独立した学者の声を見つけるのはとても難しいことに気づいた。というのも、専門家のほとんどがビッグテックから、あるいはビッグテックのライバル企業から何らかの形で援助を受けていることがわかったからだ。つまり、アメリカでは世間の議論のすべてにおいて金銭的な利害が絡んでいるのである。ビッグテックは経済や政治や社会の問題について、討論をするなら自分たちの思うように、それができないなら討論そのものを拒否しようとする。
肝心なのは、ビッグテック企業は政府からの面倒な介入を避け、今後も自由な活動が続けられるように体制を操作してきたという点だ。その結果、彼らは国境を越え、さらにはあらゆる境界を越え、いわば自分たちの宇宙に存在するかのようにふるまいはじめた。その証拠に、パランティアのピーター・ティールをはじめとしたテクノロジー業界の大物経営者や投資家たちが、カリフォルニアの合衆国からの離脱をほのめかしている。例えばティールは、アメリカ政府の支配の届かない浮島のネットワークをつくる計画に資金援助をしたことがあるし、彼をはじめとしたテクノロジー業界の億万長者たちはニュージーランドに隠れ家を所有している。

これまでずっと、ビッグテック自身が――かつてビッグファイナンスがそうであったように――自ら物語を紡ぎ、その際、複雑な言葉を用いることで物語そのものを難解にしてきた。テクノロジー関係者は早口で専門用語をまくし立てるため、話の本質が見えてこない。私自身、そのような会話を何度も体験した。しかし、そんな彼らも言葉に詰まることがある。とても単純な問いを投げかけられたときだ。私はいまだに、次の根本的な質問に対する明確な答えを待ちつづけている。「あなた方は、ほかのみんなと同じルールで闘っているのですか?　もしそうではないのなら、なぜ?」

シリコンバレーは昔からずっと、ヒッピーのような気楽さの下に、小説家アイン・ランドさながらの自由放任主義を抱え込んでいた。この自由放任主義が、自分たちの製品やサービスの欠点や欠陥を前にしても、費用のかかる社会的責任から逃れる〝自由〟を正当化する。ジョナサン・タプリンやジャロン・ラニアーなどのシリコンバレー批判家がすでに書いたように、テクノロジー界の巨人たちは左派に投票することが多いかもしれないが、デジタル文化に対して極度に自由放任主義に偏った考えはむしろ右寄りだ。政府が減税以上に野心的なことをしたのを見たことがない若い世代のCEOたちの軽蔑心に覆い隠されてはいるが、彼らが隠しもっているのは一九八〇年代さながらの「強欲は善」という精神なのだ。これらすべてが、利己的で近視眼的な「すべてを破壊せよ」精神につながっている。結局のところ、直すよりも壊すほうがはるかに簡単なのだ。

## 新たな独占：ビッグテックと経済

三〇年にわたるビジネスジャーナリストとしての活動を通じて、私は調査の鉄則を学んだ。「金の流れを追え」である。現在、ほかのどの業界よりもビッグテックが多くの金を集めている。凝りに凝った製品デザインと、攻撃的なマーケティングと、膨大な経済規模のおかげなのは確かだが、同時にシリコンバレーの富は経済界における根本的な変化による産物だとも言える。物品（およびその保守）に基盤を置く経済から、ビットとバイトの上に成り立つ経済への変化のことだ。私たちの経済において何がリアルで、何が価値を有しているか、ビッグテックが再定義した。そして彼らにとっては、人々の個人情報に、ほかの何よりも高い価値があったのである。私たちがオンライン上でキーボードをたたくたびに、あるいは最近では実世界で移動するたびに（アンドロイドのスマートフォンは所有者が今どこにいるかつねに知っているし、センサー付きの家電も物事を追跡することができる）情報が集まってくる［注33］。

私たちをデバイスにくぎ付けにするテクノロジー企業が欲しているのは私たちの考えではなく、むしろ私たちの消費者プロファイルを構成するデータのほうだ。そこには年齢、位置、婚姻関係、関心、背景、教育水準、政治傾向、購買歴などが含まれる。そうして集めたデータを、ビッグテックは第三者のマーケティング組織に売り渡す。それがさらに小売業者やロシアの選挙工作員など、個人情報を欲する一連の第三者に売られるのだ。情報は極めて精巧なターゲティング広告に使われることもあれば、買収者にとって計り知れない価値をもつ社会風潮や商売傾向などに関するとても詳細な予測を立てるために蓄積されることもある。

情報化社会においては、そのようなデータが潤滑油であり、情報を商売道具にする企業——今ではほとんどの業界のほとんどの企業——の成長促進剤でもある。ここが非常に重要な点だ。本書では、論じる問題（プライバシーの喪失、企業独占、自由民主主義の衰退など）の大半においてFAANGを例として挙げているが、彼らだけに限られた問題ではないのである。一例を挙げると、イギリスの政治コンサルティング会社であるケンブリッジ・アナリティカは二〇一六年の大統領選でトランプ陣営に雇われた際、投票人のプロファイルを作成するためにフェイスブックだけでなく、ほかにも数十の情報源を利用した。そこには教育機関や教会団体なども含まれている［注34］。目立つ存在であるためテクノロジー企業だけが注目されることが多いが、実際のところはもっと大きな意味で、あらゆる種類のビジネスや組織が参加する形で、監視資本主義体制への移行が始まろうとしている。産業時代には、機械設備の有効な使い方を見つけたビジネスが発展した。現代では、データの有効な使い方を知る企業が繁栄することになる。グーグルとフェイスブックはあらゆるデータを活用して、極めて高い精度で狙い定めた広告を打つ方法を学んだ。その精密さたるやすさまじく、午後三時一三分にシリアのどこかにあるバンカーからたばこを吸うために外に出てくるISIS司令官に攻撃を仕掛けるドローンのようだ。

これまでのところ、データはコンピュータとモバイル機器を介して集められてきた。しかし、アマゾンのアレクサ、グーグルのホーム・ミニ（Home Mini）、アップルのシリ（Siri）などのデジタル・アシスタントの流行——アメリカの世帯の三分の一で利用され、売上は年間三桁の成長率を見せている——を通じて、新しい金鉱が見つかった。人間の声だ。アレクサやシリは会話や電話通話を〝盗み聞き〟しているという記事が出るたびに、そんなことはないと反論の声は上がるものの、そうした機器に人々の言葉のすべてを聞く能力があることに異論の余地はない。能力があるのだから、そうやって集めた知識を人々の購買決定を操作することに利用するのも難しいことではないだろう。さらには、人々の政治判断を左右しはじめる日が来るのも遠い未来のことだとは思えない。すでに一部の研究者は、デジタル・アシスタントが今のソーシャルメディアよりも強力な選挙工作手段になるだろうと心配している。

確実に言えるのは、誰もその影響を逃れることができない、ということだ。決して特殊ではない例として、保険に加入するのを断られた住宅所有者を想像してみよう。昔からずっと、保険業界はリスクプーリング《集積》の基礎の上でビジネスをしてきた。特定集団の住宅、自動車、生活などを保証するコストを合計したうえで、それを個別項目に均等に分割するのである。しかし、データ社会では保険グループは個人の車の追跡装置や、自宅にある各種センサー、つまり〝スマート〟な自動温度調節装置や火災警報器、あるいは監視カメラなど——グーグル傘下のネスト・ラボ（Ｎｅｓｔ Ｌａｂｓ）はそのようなスマート・ホーム製品の市場リーダーだ——から情報を取り出し、それをもとに顧客各自の習慣や生活スタイルを見極めて、それぞれに応じた保険料を設定することができるのである。古くなった自宅の配管システムを新しいもので取り換えたり（配管がちゃんと機能しているかはセンサーが教えてくれる）、信号が黄色のときはきちんと停止したりすると、保険料が安くなるかも。そうなってくれればありがたい？

しかし、いいことばかりではない。例えばあなたの一六歳の息子が寝室で大麻を吸ったら（検知機がすぐに保険会社にメッセージを送るだろう）、あるいはあなたが家の前の道の雪かきを怠って路面に氷が張ってしまったら（通行人が足を滑らせてけがをするリスクをなくすために、あなたがいつ雪かきをやったかをセンサーが検知して、情報を保険会社に送り届ける）、保険料はすぐに引き上げられるだろう。場合によっては、そのような監視を拒否する可能性が残されているかもしれないが、簡単にはその選択肢を選べないように、保険会社はいろいろな仕組みを施すはずだ。同じように、フェイスブックやグーグルを使うとき、各種サービスを利用する権利の多くを手放すことなく、監視を拒むこともできない。

容易に想像できるように、この種のミクロターゲティングは社会的に最も弱い立場にある人々に強く影響する。例えばグーグルは数年にわたって、高利貸し業者にプラットフォームを使って広告することを許していた。業者はグーグルの情報を利用して、苦もなく金銭的に追い詰められている人々をターゲットに広告を打つことができたのである[注35]。同じように保険の例でも、かつての大集団におけるリスクの分配という原則が崩れて個人の責任が問われるようになれば、最終的には保険に加入することすらできない弱者グループができあがると考えられる。彼らが頼れるのは、サブプライム融資か国の援助ぐらいだ。ここでデジタル時代のもう一つの暗い秘密が明らかになる。最終的には国家が、民間保険業者がハイリスクとみなした人々に保険を提供することになる可能性があるのだ。つまり、そのような人々の保険料を納税者が負担するのである［注36］。

しかし、これはまだ始まりに過ぎない。人々のデータを無差別に集め、それらを強者や権力者のために活用しているのはフェイスブックとグーグルだけではない。ビッグテックのやり方を手本に、今ではさまざまな企業が独自のデータマイニング技術をひっさげてこの金鉱へやってきて、経済界全体に触手を伸ばしている。信用調査会社などのデータブローカー、ヘルスケア・データ会社、クレジットカード会社などがあらゆる種類の個人機密情報を集め、自分では情報を大規模に集められない他社や組織に売り渡している。そこには小売業者、銀行、住宅ローン会社、大学、慈善団体、さらには――決して見落とすわけにはいかない――政治団体も含まれている［注37］。

スマートフォンの電源を入れたとたん、あなたはあなたの居場所と行動を絶え間なく追跡するアプリの世界のドアを開けたことになる。それらのアプリだけでも二一〇億ドル規模のスパイ業界を構成していて、そこから恩恵を受けているのは大型のテクノロジー企業だけでなく（もちろん彼らも多大な利を得ていて、グーグルのアンドロイド・システムにはそのような追跡をするアプリが一二〇〇種も存在する）、ゴールドマン・サックスやウェザー・チャンネルなど、意外な企業も数多く含まれているのだ［注38］。しかも、これは消費者から直接集める情報に限っての話なのである。かつての商業的だったインターネットは今、産業的な〝モノのインターネット〟に切り替わり、データ収穫の場を実世界──設計会社、製造工場、保険会社、金融機関、病院、学校、さらには住宅──にまで広げようとしている。

スターバックス、ジョンソン・エンド・ジョンソン、ゴールドマン・サックスなど……成功している企業はどこも、ビジネス戦略の一環としてデータマイニングを重視していると考えて間違いない。不動産会社は、さまざまな人工知能技術を駆使して潜在的な買い手と売り手のデータを集めているだけではなく、住宅の転売を自動化するためにも応用している［注39］。電子モニターを介して集めたデータを利用して従業員の仕事ぶりを評価し、上司のためにつねに最新の業績ランキング・リストを作成している会社もある。アスレチック会社は製品のランニング・シューズにGPSを仕込んで、顧客がどこでどのぐらいジョギングしているかを追跡し、グッドイヤーはタイヤにセンサーを取り付け、性能データをエンジニアに届けている。

これらの企業は、グーグルやフェイスブックのような〝関心の商人〟ではないし、データの販売による収益化をビジネスの基盤にしているわけでもないが、投資への見返りを大きくするためにデータを活用している。わずか一〇パーセントの企業が、企業すべての総資産の八〇パーセントを占めると言われているが、その一〇パーセントのトップ企業になるための最速の道は、物的資産や資本を活用することではなく、データ、特許、知的財産、ネットワークを含む〝無形資産〟

の価値をうまく活かすことなのである。あらゆる業界の企業が電子データを活用して、今後数年のあいだに大きく成長するだろう。データ駆動型人工知能を巧みに応用することに成功した会社は、六兆ドル近くの収益を生むと考えられている（セールスとサプライチェーンの管理で最大の利益が得られる）［注40］。私が話したことのあるCEOのほとんどはこの点においてとても強気で、人工知能（AI）への投資は一〇パーセントから三〇パーセントの見返りをもたらすと主張する。しかしながら、AIをうまく機能させるには、多くのデータが必要だ。企業が繁栄していく一方で、プライベシーが侵害され、職場が機械に奪われていく。人々のあいだでは大きな混乱が広がるだろう。

ビッグテックがわずか二〇年ほどの期間で、経済全体を大きく様変わりさせることができたのは、どうしてだろうか？　この問いに答えるための鍵は、プラットフォーム企業の多くが必然的に独占できる状況にあったという点にある。自然独占企業は独自のネットワークの力で市場を支配できる。グーグル、フェイスブック、アマゾン、あるいはネットフリックスやアップルも、自然独占を成し遂げた企業だと、多くの人が納得できるのではないだろうか（ただしアップルは、モバイル市場には競合相手がたくさんいて、とくにOSの点から見た場合、はるかに大きなシェアを占めるアンドロイドを擁するグーグルという強力なライバルがいるので、自分たちは自然独占企業ではないと反論するだろう）。

多くの場合、自然独占はネットワークが生み出す効果だと言える。つまり、あるプラットフォームを使うユーザーが増えれば増えるほど、そのプラットフォームはほかの人々を引きつけ、新規ユーザーが増えていくのである。資本費用、あるいは単純に誰かが最初にある分野に――物理的にあるいは仮想的に――やってきてそこを支配しているという事実が巨大な障壁になるので、他社が同じ市場に効率的に参入するのが難しくなる。以前は鉄道会社や電信電話会社が、現在ではメディア大手のいくつかが、同じような形で支配を達成した。ネットワーク型ビジネスの場合、政府が何らかの形で介入して拡大を止めない限り、独占が生じるのが普通のようだ（かつては鉄道と電話に政府が介入したし、二〇前にはマイクロソフトに対する独占禁止法裁判があり、その結果グーグルが力を伸ばすことができた）［注41］。

ここまで紹介してきた変化は非常に広範囲に及ぶとは言え、まだ始まったばかりだ。理屈としては、どの大規模ビッグテック企業もそれぞれ別々の市場で活動している。しかし、市場シェアをめぐる生存競争において、彼らは数多くのスペースを占拠するため、もはや一つの分野ではなく、市場全体を掌握していると言える。彼らはその力を利用して新しい市場へ進出し、恐るべき力と規模のメタネットワークを広げる。ネットフリックスもアマゾンも、あるいはエンターテインメント事業ではまだ比較的日の浅いアップルでさえも、もはやビデオ・ストリーミング市場の覇者であるだけでは満足できない。だから有力なコンテンツ制作者としても活動し、事実上テレビや映画のスタジオも運営し、（ネットフリックスとアマゾンは）膨大な額をオリジナルのテレビ番組の制作に投資しているのである［注42］。この動きに対応するために、従来のエンターテインメント大手は大わらわだ（最近AT&Tとタイム・ワーナーが合併したのもそのためだ）。グーグルは輸送業に進出して自動運転車をつくろうとしているし、フェイスブックは自前の暗号通貨「リブラ」を流通させることで独自の金融システムを構築しようとしている（アップルはすでにゴールドマン・サックスと手を組んで、クレジットカードを発行している）。

要するに、ビッグテックは一つの分野だけでリーダーになるつもりはないのである。すべての物事のプラットフォームに、人生全体のオペレーティングシステムになろうとしている。この点で、これまで最もうまくやってきたのはアマゾンだと考えられる。アマゾンはジャーナリストのブラッド・ストーンが著書のなかで名付けた「何でも売っているお店」以上の存在に成長した。膨大な量のクラウドストレージを有する巨大なサーバーファームでもあり、文字どおりあらゆる配達業者を廃業に追い込む配送サービスでもある。もとから扱っていた商品（書籍、靴下、電気機器）に加え、ネットフリックスのDVD、コムキャスト社のケーブルボックス、コンデナスト社の雑誌など、想像できるかぎりありとあらゆるものを、おもにフェデックス、UPS、あるいは米国郵便公社を雇い入れながら配送している。そうやって、国内の小包や手紙の配送を一手に引き受けようとしているのだ。

あらゆる流通経路を牛耳ることで、アマゾンは事実上〝すべて〟の商取引のプラットフォームになることを目指している。その過程で、収益率の高い配送ビジネスを自分で行い、費用のかさむ儲けの少ない地方都市への配達は郵便公社に請け負わせるという選択ができるようになった[注43]。また、現時点ですでに、全世界のクラウドのキャパシティの三分の一以上を占有し、同社の膨大なオペレーションの管理に利用しているし、CIAに非機密扱いの情報も提供している。最近では三・五兆ドルの市場規模を有するヘルスケア業界へも進出した。独自の供給網、各家庭にある健康管理機具、病院や診療所などから次々と送られてくる個人情報を使って、処方薬の購入や健康保険プランの選択と加入のしかたなどに関して人々に口出ししようとしているのだ[注44]。そのような野望を追い求めるからこそ、アマゾンは他の追従を許さない強大な市場支配を手に入れることができたのだろう。テクノロジー業界の指導者のなかで、ジェフ・ベゾスが最も裕福なのも――純資産一一二〇億ドル――不思議な話ではない。そして、この業界で一番ということは、おそらく彼は史上最も裕福な人物だということだ[注45]。

大きなものをさらに大きくするのは、ネットワーク効果だけではない。単純に小さなプレーヤーを脅し、彼らの知的財産を奪い取るのも、一つの方法だと言える。ボストンを拠点とするベンチャーキャピタリストであり、連続起業家《シリアルアントレプレナー》でもある人物が語った話を、私はよく覚えている。ある有名なビッグテック企業がデータ分析事業のために彼の会社を雇い入れるという話があったそうだ。そのビッグテックは表向きある種のオーディションとして、オープンソース・コードを試作するよう求めてきた。ところがあとになってわかったのだが、その大企業は彼のアイデアだけを盗んでいったのである。しかし、彼にはその話を公にするつもりはないようだ。業界にいるほかのほとんどの人と同じで、彼も市場からつまはじきにされるのを恐れている。

「彼らがコードを盗んだことを証明する電子メールが見つかったんです」と彼は言った。「私には彼らに法的に立ち向かう力はなかったのですが、その会社で働く知人に『おい、あんたらは一体何を考えているんだ?』って問いただしたんです。すると、相手はこう言いました。『わかってくれよ。俺たちは一秒につき大型銀行のそれの六倍もの量のデータを処理しなければならないのに、そこから得られる利益は銀行の一〇万分の一でしかないんだ。何でもかんでも対価を支払っていたら、ビジネスが成り立たないんだよ』」

テクノロジー企業はどんどん成長を続けて力を蓄え、その力を使ってライバルを蹴落とし、さらに成長していく。その際、できるだけ早い段階で競合相手を買収することもあれば、彼らの才能を奪い取っていくこともある。今では、独自の権利をもつ成功企業としてではなく、ビッグテックのための〝才能農場〟としてスタートアップに資金提供するベンチャーキャピタル分野が成立しているほどだ。グーグルやアップルなどは、競合相手とカルテルのような関係を結ぶために「引き抜き禁止」の雇用契約を結ぶことが知られている[注46]。そのせいで従業員は、事実上、もっといい職場が見つかっても転職することができない。

そのような慣習は個々のスタートアップや従業員にとって悩みの種であるのは当然だが、それだけでなくそのような仕組みの上に成り立っている経済全体にも害をなすことは明らかだ。過去一世紀にわたり、アメリカでは二〇年周期で新興企業の波が訪れ、大手企業の顔ぶれを刷新し、国家としての競争力を高めつづけてきた。でも、今はそうではない。ビッグテックの台頭にともない、アーリーステージ・ベンチャーキャピタルや、アーリーステージ・ベンチャーキャピタルから出資を得るスタートアップが激減した――同時に、私たちの経済が必要としている雇用創出の機会も奪われたのである。カウフマン財団によると、一九七八年から二〇一二年までのあいだに、つまり今の形のシリコンバレーが成長してきたのとちょうど同じ時期に、一歳未満の企業の数がじつに四四パーセントも減ったそうだ［注47］。ほかにも数多くの学術研究が、一つの業界だけでなくあらゆる分野で、同じような傾向が存在することを確認している［注48］。ブルッキングス研究所の経済学者ロバート・ライタンが、市場における新規企業の参入と撤退について調べた研究で、「アメリカ合衆国におけるビジネスのダイナミズムと起業家精神は、やっかいで長期的な減少局面に遭遇している」と述べている。彼の調査によると、減少傾向は数十年にわたって続いていて、とくに二〇〇〇年代中ごろで顕著だった。ちょうどビッグテックが本当のブームになったころだ［注49］。

減少には人口的な問題から社会の流動性、あるいは移民など、さまざまな原因が考えられるが、経済学者の多くは、テクノロジー主導のスーパースター経済が生まれ、ごく少数の巨大企業が経済のシェアを長期にわたって増やしつづけていることが、一番の問題だと考えている。ルーズベルト研究所の言葉を借りると、「今の市場は一九世紀後半の大好況時代以来、最も集中していて、最も競合が少なくなった」[注50]。シリコンバレーは〝ニュー・ニュー・シング（先の先を行く何か）〟を生むと評判なのに、過去およそ一〇年にわたり、最大規模のテクノロジー企業からは本当に画期的なものは何一つとして生まれていない。イノベーションと言えば真っ先に思い浮かぶアップルですら、二〇一〇年のｉＰａｄを最後に革新的な新製品を発表せず、ただ既存製品にちょっとした新機能を追加しているだけである[注51]。イノベーターたちはどこへ消えてしまったのだろうか？　まだゆりかごにいたころに、絞め殺されてしまったのだ。

それではなぜ、ビッグテック企業はこれまで合衆国政府から独占企業として問題視されることも、かつてのベル・テレフォンやそれ以前のスタンダード・オイルのように分割されることもなかったのだろうか。少なくとも、二〇年前のマイクロソフトのように、規制をちらつかせることで改革や自制を促すことはできたはずだ。そうならなかった理由は、反トラスト政策をめぐる人々の考え方が四〇年前から変わってきたことにある[注52]。もっと端的に言えば、ロバート・

ボークのせいだ。ボークは最高裁判所の判事になることが上院で否決された人物として（そしてその数年前のウォーターゲート事件における〝土曜の夜の虐殺〟でアーチボルド・コックスを解任した張本人としても）有名だが、彼が後年に残した影響で最も強いのは、一九七八年の書籍『The Antitrust Paradox（反トラストのパラドックス）』だろう。同書が一九七九年の最高裁判決のよりどころとなり、今も効力を発しつづけて、ビッグテックが好き勝手に世界を支配してもいい法的な根拠とみなされているのである。かつては、シャーマン法にもとづいて、競争を阻むために支配的な市場地位を自らの有利になるように不当に利用する会社が独占企業とみなされていたのだが、ボークはそのような形で独占を定義すべきではないと主張した。ある会社が顧客への価格を不当に引き上げたときに初めて独占とみなすべきだ、と。つまりボークの考えでは、価格をつり上げない限り、市場を支配する企業も独占にはあたらないのである。

そしてビッグテック企業は価格を上げる必要がない。彼らが推し進めるビジネスモデルは、現金による支払いに依存していないからだ。彼らが得るのはデータ、いわば物々交換なのだ。そしてこの仕組みの場合、どうやら資本主義のルールの多くは適用されないようだ。現代資本主義の父アダム・スミスは、市場がうまく機能するには、透明性、平等な情報入手、共通する倫理観が不可欠だと考えていた。しかしデジタル時代の今、これら三つの要素が顧みられることはほとんど、あるいはまったくないと言える。

現代の独占企業は〝無料〟の、または安価な製品をつくることと、その便利さ（実感できる独占の利点の一つ）で称賛の的になることが多い。その一方で、消費者にとって選択肢の幅が狭まり、そしてさらに大きな問題として、経済競争が弱まってしまうという点は見落とされがちだ。いくら所有していても、（少なくとも今のところは）誰にも直接売ることができないという意味で、データには金銭的価値はない。データのおかげで成長できた企業でも、バランスシートにデータが資産として載ることはない（規制当局の多くはそうなることを望んでいるが）。しかしビッグテック企業にとって、データはとてつもなく貴重だ。広告主に転売することで、驚異的な利益に変えることができるのだから。

データの価値は、それぞれ異なっている。グーグルをはじめとしたビッグテック企業が世界トップクラスのデータ経済専門家の大半を雇い入れているので、データの本当の価値を探る独立した透明な研究はほとんど行われていない。最近、民主党戦略グループのフューチャー・マジョリティの依頼を受けて、経済保障分析をするソネコンが調査を行い、個人情報のマイニングによりどれほどの利益を上げることができるのか、大ざっぱに試算してみた［注53］。彼らの計算によると、年間収益はじつに七六〇億ドル。しかも、この数字はビッグテックだけでなく、情報を集めるほかの企業――信用調査会社、ヘルスケア事業、金融機関など――にも当てはまるのだ。彼らの調べによると、データの収集による売上は過去二年間で四四・九パーセント増加した。米国経済分析局の資料を信じるなら、オンライン出版やデータ処理、あるいは情報サービス産業そのものの成長率よりも高い数字だ。もしこの傾向が今後も続くのなら、私たちの情報の価値は二〇二二年までに一九七七億ドルに達し、アメリカ全国の農業収益を超えることになるだろう。まさに資源の抽出だ。データを新しい石油とみなすなら、アメリカはさながらデジタル時代のサウジアラビアであり、インターネット業界の大手はアラムコ、あるいはエクソンモービルのような存在だとみなせる[注54]。

製造業から小売業あるいは金融サービス業にいたるまで、数多くの業界でデータが新しい成長の起爆剤になった。しかしほかの要因とは違って、データは利益を増やすことはあっても、必ずしも雇用を増やすわけではない。加えて、利益の多くは経営陣や株主の懐へ収まっていく。二〇一八年に調査をしたJPモルガンによると、トランプ政権の減税策をきっかけに外国の銀行口座からアメリカに戻ってきた資金のほとんどは株式の買い戻しに利用された。つまり、もとから極めて裕福だった人物や企業がさらに豊かになったのである[注55]。二〇一八年、テクノロジー部門のトップ10企業だけで一六九〇億ドル以上を自社株の買い戻しに費やした。業界全体でみると、およそ三八七〇億ドルだった[注56]。

ビッグテックは大規模な買い戻しを行い、歴史上のほかのどの企業よりもはるかに多くの富を生み出したのではあるが、その一方で、過去のどの巨大企業よりも、時価総額に比してわずかな雇用機会しか創出していない。二〇〇九年時点で、アメリカで最も価値のある二〇社は時価総額一〇億ドルにつき一七九〇人の従業員を抱えていたのだが、今は六五六人でしかない〔注57〕。まだ記憶に新しい例としてワッツアップ（WhatsApp）を挙げることができるだろう。二〇一四年にフェイスブックに買収されたとき、ソーシャルメディア会社のワッツアップの時価総額は一九〇億ドル――どのフォーチュン500企業のそれよりも多い――だったのだが、従業員はわずか三五人でしかなかった〔注58〕。フェイスブックの従業員数はグーグルのおよそ三分の一、グーグルもアップルに比べればはるかに少ない。そのアップルですら、マイクロソフトよりも雇用がぜんぜん少なく、マイクロソフトも従業員数ではGMに及ばない。もちろん、ビッグテック企業が破壊した雇用機会も無視することはできない。例えば二〇一九年三月、アメリカの小売業界は前年の倍を超える四万一〇〇〇人以上の人員削減を発表した。その原因の大部分をアマゾンの躍進が占める〔注59〕。

その背景には、ほとんどのテクノロジービジネスは数多くの従業員を必要としないという事実がある（アマゾンの倉庫で走り回るロボットを想像すれば誰にでも察しがつくだろう）。ときがたつにつれて、この傾向が明らかになってきた。世界的に見て、破壊的な新技術により今後の数年間で全職業の六〇パーセントほどが大幅に再定義されると考えられている〔注60〕。

自動化されるのは低レベルの仕事や単純作業だけではない。ありとあらゆる仕事だ。実際のところ、いわゆる知的作業——放射線、法律、販売、金融などの分野——がヘルスケアや製造業などの肉体的な仕事よりも〝迅速に〟自動化が進む可能性がある。また、人間を完全に置き換えることができない分野でも、テクノロジー業界が推し進めるギグ経済や〝シェア経済〟の浸透により、福利厚生の恩恵を受けない臨時労働者の数が一気に増えてきている［注61］。

これらはどれも表面的な数字なのだが、その背後にはより深刻な問題が隠れている。その問題とは、データ中心の資本主義が人々をデジタル時代の工場資材に変えてしまったという点だ。これまでの企業にとって、人は労働者であるだけではなく、製品を求める顧客でもあった（だから新しい労働者が必要だった）。しかしビッグテックの時代では、データ分析やデータ監視を購入する広告主や事業が顧客なのである。人々は製品に過ぎない。この意味において、グーグルは、あるいは〝ビッグデータ〟は過去の資本主義とまったく性質が異なっている［注62］。

私たちは有形なものから無形なものへ移行する、形而上学的な変化を経験している。しかしおそらく、それは避けられないことなのだろう。データ主導型超資本主義の時代への進化はもう始まっているのだから。数十年前、歴史家のカール・ポラニーが著書『大転換』のなかで、産業革命後の市場経済が繁栄するためには三つの「虚構」が維持されなければならないと説いた［注63］。一つ目は、人の命は労働者と定義し直されうるという虚構。二つ目は、自然は不動産と定義し直されうるという虚構。三つ目は、商品とサービスの自由な交換は貨幣と定義し直されうるという虚構。

二〇一五年、テクノロジーに精通する学者のショシャナ・ズボフがビッグテック時代に四つ目の虚構を提唱した――現実そのものが同じような変容を遂げている、と。「身体、精神、物質の動きに関するデータは、ネット接続された物事の無限の領域のなかで、スマート・オブジェクトの普遍的リアルタイム動的インデックスに組み込まれる。この新しい現象の作用により、人とモノの行動が利益と支配のために修正される可能性がある」[注64]。今、私たちはビッグテックの君主たちが支配するそのような世界に生きているのである。

## 人々を中毒に陥れるビッグテックの魔力

ビッグテックが社会をずたずたにしようとしているのは明らかなのに、なぜ私たちはいまだにその力を封じる方法を見つけられないのだろうか？　明らかな理由の一つとして、私たちが彼らのつくるきらびやかで輝かしい製品やサービスに目をくらまされている事実を挙げることができるだろう。まったくもって皮肉な話だ。テクノロジーの問題にかかわっている暇もないほど、ガジェットやアプリやフェイスブックに首ったけなのだから。そのおかげで、ビッグテックの力は手も付けられないほど強大になる。私たちの考えを、行いを、さらには脳そのものを操作できるほどに。ほとんど誰もが身に覚えがあるだろう。私の息子だってその一人だ。二〇一六年の調査によると、人は平均して一日に二六一七回携帯電話に触れるそうだ［注65］。スマートフォン所有者の七九パーセントが、朝目が覚めてから一五分以内にデバイスを手に取る。アメリカ人の三分の一が、セックスか携帯電話のどちらかをやめるのなら、セックスをやめると答えた［注66］。

数年前のクリスマスイブ、私は会社支給の携帯電話を凍った水たまりに落として壊してしまったことがある。会社のＩＴ担当に電話したのだが、彼らはすでに休暇に入っていた。つまり、新しい電話を支給してもらえるのは早くて一月二日ということだ。毎日二四時間デジタルデータにどっぷりと浸かっていた私は、その日からつらくて苦しい禁断症状を味わうことになった。地下鉄に乗れば、無意識のうちにポケットに手を突っ込んで電話を探している。スーパーでも、スクロールしたり、クリックしたり、返信したり、「いいね」を送ったりできないままレジの前で並ぶ五分が途方もなく長く感じられた。通勤中、気を紛らわすためにちょっとした瞑想もやってみた。でも、いくら深呼吸しても、水に落ちる石を想像してみても、すぐにメールは何通たまっているのだろうか、などと考えてしまう。そのうち気分が塞ぎ込んでしまった。手も頭も空っぽな私は、いったい何者なのだろうか？

私たちが使うデバイスは、あるいはデバイス上でやっていることは、ニコチン、食べ物、薬物、アルコールなどと同じで、依存症を引き起こす。この点に疑いの余地はなくて、数多くの研究を通じて証明されている。この問題に関するゴールドマン・サックスのレポートによると、平均的なユーザーは一日につき五〇分をフェイスブックに、三〇分をスナップチャット（Snapchat）に、二一分をインスタグラムに費やしている。すべてを合計すれば、生産性や人間関係が影響されることは明らかだろう。

もちろん、フェイスブックとフェイスブックがプラットフォームを提供するアプリにとって、これはラッキーな偶然ではない。綿密に計画を立てて実行に移した戦略なのだ。〝関心の商人〟たちは、私たちがずっとオンラインにいることを望んでいる。そうすることで、私たちのオンライン習慣に関するデータをより多く集められるからだ。言い換えれば、フェイスブックやほかのプラットフォームは利用時間が長引くように〝デザイン〟されていて、一つのメディアから別のメディアへの移動がシームレスにできるように工夫されている。ゴールドマン・サックスのレポートは「スポティファイ（Spotify）の終わりなきプレイリスト、クオーツ（Quartz）の連続するニュース記事、ネットフリックスの次のエピソードの自動スタート、フェイスブックのビデオ自動再生……そこには摩擦がないため消費が増える」とまとめている［注67］。

その一方で、当然ながら健康状態は悪化している。アメリカ心理学会が最近発表した研究によると、「常時チェッカー」――頻繁にメールやメッセージやソーシャルメディアを確認する人――は、そうでない人よりもストレスにやられやすいそうだ。近年ピッツバーグ大学が行った研究では、ソーシャルメディアを使うことが多い若年成人ほど、鬱病にかかりやすいことが明らかになった。私自身、モバイルアプリとゲームの使用が広範囲な認知能力の低下や早期認知症を引き起こすのではないかと心配している複数の神経学者と話をしたことがある［注68］。中国では四〇時間連続でゲームをして脳卒中で命を落とした十代の若者など、オンラインゲーム中毒にまつわる事件が頻繁に起こっている。死亡の原因となったゲームのメーカーであるテンセントが、この出来事を受けて未成年のゲーム時間を制限する仕組みを導入したところ、同社の株価は一気に下落した。やっかいなことに、ビッグテックは自分たちが責任の一端を担っている精神的苦痛の広がりに何の恐れも抱いていないようだ。例えばフェイスブックはオーストラリアで、鬱状態に陥った若者たちをターゲットにさまざまな製品やサービスの広告を表示する説得技術を意図的に導入している［注69］。

このような状況に対する反動として、最近になって接続を絶つ決断をした人々が増えはじめているのも、不思議な話ではない。イギリスの放送と電信を監督する規制機関のオフコムが最近発表したレポートによると、アンケート回答者の三四パーセントが意図的に〝デジタルデトックス（オンライン断ち）〟を行ったことがあると答えた。回答者の一六パーセントは休暇先としてインターネット接続のない場所をわざと選んだことがあり、一二パーセントは休暇の際、携帯電話を家に置いて行った［注70］。アメリカの本屋では、ビジネス本や自己啓発本の書棚に〝デジタルミニマリズム（最小デジタル主義）〟や集中できる職場などをテーマにした書籍が並び、さらに興味深いことに、魅力的なデバイスの誘惑に抵抗する方法を開発しようとするスタートアップの数も増えてきている。ロビー活動を通じて、人心操作をする力をもつ高度に依存的な技術を規制するために食品医薬品局に似た組織をつくるよう政府に求める活動家や投資家も存在している。公平を期すために付け加えておくが、アップルなどいくつかの企業が、最近ではグーグルも、そのような取り組みに応じる姿勢を見せるために、人々が自分がどれほどテクノロジーを使っているのかを簡単に把握して制限できるようにするための仕組みを、デバイスやシステムに組み込みはじめている。

二〇一八年、EU官僚を相手にしたスピーチでアップルのCEOであるティム・クックはビッグテック革命には深刻な暗黒面があり、それが今も存在していると認めた。「問題をオブラートで包むべきではない。これは監視にほかならない。蓄積された個人情報は、それを集めた会社を豊かにするだけだ」。同年の初めにはクック自身が、自分もほかのアップルユーザーの多くと同じで、あまりにも多くの時間を電話をいじって過ごしていて、それが問題になっていると認めていた。二〇一八年にサンフランシスコで開かれたイベントでは「一部の人々は、明らかに長すぎる時間デバイスを眺めて過ごしていると思う」と発言し「それに対してどんなサポートができるか、本当に真剣に考えている。人々が私たちの製品を使いすぎるなんて、正直、本当に望んでいなかった」と締めくくった［注71］。

テクノロジーは私たちの脳をどうするつもりなのだ、という抗議の声は、シリコンバレー全体で頻繁に聞かれるようになり、業界の著名インサイダーの多くも過ちを認めはじめた。フェイスブックの初代社長である三九歳のショーン・パーカーは最近になって、フェイスブックは意図的にユーザーの脳に働きかけ、彼らが何度も何度も戻ってくるように仕向けていたと認めた。まるで、一九五〇年代の心理学者B・F・スキナーの実験でよく知られる、ベルの音を聞くたびに餌を期待して唾液を流すように調教された犬のようだ。パーカーはこう告白する。当初から「どうすれば人々の時間と関心をできるだけ多く消費することができるだろうかと考えていた」

この目的のために、フェイスブックは「人の心理の弱点」を突いてユーザーを中毒にしようとする。投稿や写真に対して「いいね」を送ったりコメントをしたりするたびに、「私たちは……少しずつドーパミンがあふれ出す」、とパーカーは説明した。ほとんどの業界第一人者と同じで、パーカーもそれがどんな結果につながるか予想もしていなかったと語り、ネットワークのユーザーが二〇億人を超えたことで生じた影響は「意図したものではなかった」と指摘する。そして、こう付け加えた。「人と社会の、そして人間同士の関係を、文字どおり変えてしまう。おそらく、何らかの形で生産性も損なわれる。今後、子供たちの脳にどんな影響が出るのか、誰にもわからない」［注72］

トリスタン・ハリスもまた、現代の技術が人の脳、特にまだ完全に完成していない子供の脳に与える影響について危惧している。ハリスは以前グーグルの社員だったが、スタンフォード説得技術ラボの卒業生でもあり、そこで人々を『キャンディクラッシュ（Candy Crush）』や『ティンダー（Tinder）』、あるいはフェイクニュースなどにくぎ付けにすることを目的とした、ある種の〝行動修正ソフトウェア〟の設計を学んだ。その後三つの会社を立ち上げ、さらにはグーグルで働いたのち、ビッグテックが力を増しつづけることに当事者として危機を覚えはじめたので、テクノロジー依存症の悪影響を抑えることを使命とした非営利団体を設立した。その彼が、かつて私にこう言ったことがある。「そのような企業はどこも例外なく、人々をオンラインでより多くの時間と現金を費やすように仕向けるために、エンジニアの部隊を抱えている。彼らの目的は、人々の目的とはまったく違う」

ビッグテックの物語はまだ広がりつづけている。毎週のように、見つかる答えと同じぐらいの数の新たな問題が生じる。しかし、私が思うに、本当に重要なのは、数多いなかでも最も単純な疑問だ。私たちは、ビッグテックにどう対処すればいいのだろうか？

## これからどこへ向かう?

巨大テクノロジー企業が生み出した独占力や中毒性技術や政治的ポピュリズムの問題を解決しようとする者は、すさまじい反発に見舞われる。データ駆動型経済はもはや現実のものなのだ。あらゆる種類の企業がデータに依存し、それを今後の成長の燃料にしている。同時に、ビッグテックは今後実施されるであろう規制に対する回避策をすでに見つけていて、彼らにとって欠かせない唯一の製品、つまり〝私たち〟を現金に換えるために必要なことなら何でもしている。

もしかしたら、私たちは今まさに転換点に立っているのかもしれない。本書を執筆している今現在、一連のビッグテック企業がアメリカおよびヨーロッパで調査の対象になっているのだ。この点については、のちの章で詳しく述べるが、私はテクノロジー業界の経営者たちを犯罪者とみなしているわけではない。彼らはむしろ、愚かで、貪欲で、そして素朴な野心に満ちた反英雄《アンチヒーロー》なのではないだろうか。

私たちがビッグテックに関して抱く嫌悪の多くは、誰にも意外ではないだろうし、特にビッグテックの創業者たちは納得するはずだ。私たちを魅了するテクノロジーそのもののなかに、危険はすでに仕込まれていた。グーグルが従業員に「邪悪になるな」と言うのはなぜかというと、悪とはただの強力な誘惑以上の何かであることを、グーグル自身が知っているから。悪はビジネス計画のなかに、すでに組み込まれていたのである。

# 第2章

# 王家の谷

CHAPTER 2

THE VALLEY OF THE KINGS

サブプライム問題が深刻化していたころ、長年にわたり特派員として活動していたヨーロッパを離れてアメリカに戻ってきたばかりの私は、グーグルで働こうかと真剣に考えていた。二〇〇八年の金融危機とその余波はさまざまな業界を直撃しており、特に被害が大きかったのが出版およびメディア業界だった。長きにわたって広告収入のおもな源であった自動車産業、製薬業者、あるいは高級ブランドなどがマーケティング予算を切り詰めたので、広告が激減したのだ。私がキャリアの大半を費やしてきたニュース雑誌は、まるで風前の灯火のように思えた。しかし、スタートアップで働く気にはなれなかった。最初の大きなドットコム不況が始まる数カ月前にスタートアップ企業で苦い経験をしたことがあったからだ。一方、当時のグーグルはもはや「スタートアップ」と呼べる存在ではなかった。それにグーグルで働いていた友人の勧めもあったので、私は同社ニューヨークオフィスの高級コミュニケーション職の面接を受けたのである。

ここは私がいるべき場所ではない、と最初に思ったのはフロントデスクの前に立ったときだった。自動化された申し込み手続きの一環として、私は〝守秘義務契約〟に同意することが求められた。同意をすればバッジがもらえて、オフィスに入ることができる。私はジャーナリストだ。そのような要求に納得ができなかった。上の階で経験することの何一つとして、誰かに話したり書いたりしてはならない、といった事柄が細かい字でびっしりと書かれた紙がたくさんあった。私はそこでの仕事がどんな内容なのかも知らなかったし、何を見ることになるのかもまったく予想がつかなかった。だから、もし不注意なエンジニアのモニターに映るコードをたまたま見てしまったとしても、私にとってそれは1と0の羅列でしかない。それでもやはり、私は守秘義務契約を拒否することにした。だから、私が入れたのは同オフィスのカフェテリアまででしかなかった［注1］。

かの有名なグーグルのカフェテリアは会社の社風を感じ取るのに悪くない場所だった。予想どおり、こぎれいで裕福そうに見えるミレニアル世代の陽気な従業員たちがカフェテリアを満たし、できたてのグルメ料理を選んでいた。ケータリングスタッフが提供する料理はどれも、無駄が最小に、健康が最大になるように、多すぎでも少なすぎでもない絶妙な分量で、しかも無料だった（もちろん、おかわりをすることもできるが、私はグーグルでは数量に対するこだわりが昼食にも適用されることに感心した）。ビーチバレー用のコートや管弦楽団用の屋外スペースのあいだに設置された高級スムージー・ステーションやジュース・バーに出くわすカリフォルニア本社のカフェテリアに比べれば、広さはそれほどでもなかったが、新鮮なフルーツのコーナーに山のように積み上げられているブルーベリーはまるで数分前に摘み取ったばかりであるかのように新鮮だったし、何より、料理はどれも、私がこれまでさまざまな企業の食堂で見てきたどれよりもすばらしかった。言うまでもなく、食事を締めくくり、社員たちを活気づけるために欠かせない高級コーヒー・ステーションもあった。食事、マッサージ、無料ドライクリーニング、レクチャー、カクテルなどの夜の楽しみに囲まれて、社員たちは夜数時間眠るため以外には、オフィスを出る必要がまったくないように見えた。

私は以前から、そのような形の社員に対する企業側のもてなしに懐疑的な見方をしている。仕事とそれ以外の生活の境界があやふやになり、最終的にはいつも従業員よりも会社のほうが得をしているような気がするからだ。しかし、多くの人が、特にビッグテック企業に勤めている人は、私の考えに反対するだろう。デザートをもらうために列に並んでいたときに交わしたちょっとした会話から、従業員の多くにとって、グーグル社員になることはただのフルタイムジョブを得ること以上の意味をもっている事実を、私は学んだ。グーグル社員になることは使命であり、どうやら時間や労働という意味でくることはできないのだ。私が話した人々は当然ながら会社の力や成長軌道に誇りをもっていたのだが、私には彼らが会社を盲信しているだけで、（作家のディヴ・エガーズがシリコンバレーの裏側を風刺した小説で想定した）〝サークル〟のような世界に生きているように思えた。会社はすばらしい。会社はよくしてくれる。会社は社員や社会のために最善を尽くそうとしている。その会社ががめつい金儲けのマシンであり、当時すでに検索エンジン分野で九二パーセントの市場シェアを占め、ワシントンで攻撃的なロビー活動に力を入れていたという事実には、彼らはまったく気づいていないそぶりだった［注2］。

しかし、私が面接試験を受ける予定だった仕事の内容こそが、グーグルの社風にすでに混乱が生じていたことを示唆していた。のちになってわかったのだが、グーグルは一部の経営執行幹部たちに、一連の経験豊かなメディア要員あるいはPR職人をあてがうつもりだったのだ。幹部に付き従い、彼らの考えを拾い集め、それをほかの幹部や会社全体に伝えるための人員として。要するに、完全に社内用のPR仕事ということ。グーグルのメッセージを外の世界へ発信するのではなくて、会社の内部へ行き渡らせる手伝いをするのだ。

会社の運営に直接携わっているトップクラスの幹部が、従業員とうまくコミュニケーションが取れていないということだろう。「何事もオープンで、階級にはこだわらない」というシリコンバレーの精神はどこへ消えてしまったのだろうか? 私は驚き、心配にもなった。しかし考えれば考えるほど、私にはそれが、同社が負けん気の強いスタートアップの社風から、現実の姿――基本的にいまだにおよそ五人の中心人物によって運営されている無秩序に巨大化した大企業――に見合った社風に変わろうとして、もがいていることの証だと思えるようになった。グーグルは、この変化をうまく乗り切るために、主要幹部の望みをわかりやすく社内に伝えることが不可欠だと考えたのだ。しかしグーグルが実際に必要としていたのはまったく別のアプローチで、あらゆる批判に対する真にオープンな態度だったのではないだろうか。グーグルのリーダーたちは彼らの会社は階級的でないと思い込もうとしていたが、権力がごく一部の人々に集中していたのは明らかだ。加えて、グーグル社員には自己認識も、自分たちが外からどう見られているかという意識も、完全に欠けていたことが、さらに大きな心配の種だった。

この認識の欠如は、グーグルだけではなく、強大に成長したのに小さな会社のようにふるまいつづけようとするシリコンバレー企業の多くに共通する。大成功したスタートアップがまたたく間に成長するテクノロジー分野で最も顕著な問題だと言える。そのような企業で頻繁に現れる症状の一つは、あまりにも多くの権力がトップに集中することだろう。例えば、フェイスブックの創業者にして最高経営責任者ならびに会長でもあるマーク・ザッカーバーグは、いまだに同社の議決権の六〇パーセントを支配している。最近の報告を総合すると、同社ではあらゆる意志決定が、彼と最高執行責任者のシェリル・サンドバーグを介して行われなければならないようだ。世界で最も儲かっている株式会社にふさわしくない、まるでスタートアップのような経営法だと言える。米国証券取引委員会が詐欺事件の和解措置の一つとして会長職の放棄を命じるまで、イーロン・マスクもテスラで同じような権力を握っていた。グーグルも同じ問題を抱えている。ラリー・ペイジ、セルゲイ・ブリン、エリック・シュミットの三人が今も会社の大部分を所有し、絶大な影響力を誇っている［注3］。

言うまでもないが、私はグーグルで働くのを断り、自分はやはり心からジャーナリストであり、会社の広報係にはなれないという思いをよりいっそう強くした。トップの人々が社風を変える決断をしない限り、私の考えが変わることもないだろう。

## ヒーローの登場

現在のシリコンバレーがもつ比類なき市場支配力を正しく理解するには、業界がこれまで繰り広げてきた受難劇の始まりまで時間を遡る必要があるだろう。それはまるで、何世紀も前にアリストテレスが書いた悲劇さながら、自らの傲慢によって傷つくことになる英雄の誕生と没落の物語だ。始まりはわかりやすい。ダイナミックな会社が（神話を信じるなら、だいたいガレージや寮の部屋で）生まれ、しばらく成長したのち、公開に踏み切る。多くの場合、この時点で転換が行われる。会社は株価と同じぐらいイノベーションに力を注ぐのをやめ、アイデアにこだわるのではなく、できるだけ多くの市場シェアを奪うことを優先しはじめるのが、この時期だ。この軌道修正を最もはっきりと見て取ることができるのは、ＦＡＡＮＧ企業のなかでも最も一般的な会社、グーグルだ。私たちの多くにとって第二の脳のように機能するこの全知の巨人の物語は、さまざまな点でデジタル革命そのものの物語でもあり、言い換えるなら、私たちがどうやってここまで来たのか、これからどこへ向かうのかを示す経済的、政治的、社会的支配力の映し鏡なのである。だから、手始めとして、ラリー・ペイジとセルゲイ・ブリンの物語から見ていくことにしよう。

グーグルは私たちの日常生活の中心を占めていると言えるほどなのに、かつては恐れ知らずで、陽気で、理想に満ちていた同社がどのようにして今の巨大で、倫理的に疑わしい企業体に成長したのかを知る人は少ない。まだ若い金融ジャーナリストとして、私が初めてシリコンバレーにやってきた一九九五年、グーグルについて記事が書かれることはなかった。セルゲイ・ブリンとラリー・ペイジの頭のなかの漠然としたイメージとしてしか、同社はまだ存在していなかったからだ。私がシリコンバレーに向かったのは、デビッド・ファイロに会うため。当時シリコンバレー発のスタートアップとして注目を集めはじめていたヤフー（Ｙａｈｏｏ）の長だった人物だ。ビーチサンダル姿のやせたファイロは、まるでウサギの穴に落ちたばかりのアリスのように大きな目で、私に会社のオープンプラン式の不思議の国《ワンダーランド》を見せてくれた。ファイロがスタンフォード大学の同僚ジェリー・ヤンと共同して立ち上げたヤフーはもともと、「ジェリーとデビッドのワールド・ワイド・ウェブ・ガイド」として生まれた。面倒な博士論文を書くのを先延ばしするためにプログラマーが時間つぶしにつくった趣味の作品だったのだ。しかし、私が二人に会ったとき、野球統計データの世界最大のコレクションをつくるという彼らの――大それたと言えるかもしれないが――珍妙な計画は、すでに現実的なビジネスにまで発展していて、ファイロ自身、ことの成り行きに圧倒されているような印象だった〔注4〕。

二人のうちではジェリー・ヤンのほうがビジネスに長けていたが、のちに明らかになるように、彼の商才も必要じゅうぶんではなかった。読者の誰もが知っていると思うが、ヤフーの名は一九九〇年代には一般に広く浸透していた。それが今では、オンライン検索市場のわずか一・八二パーセントしか支配していない。存在していないのと同じだ。何度も（最近では元グーグル社員のマリッサ・メイヤーによって）蘇生の試みが行われたが、結局二〇一六年にベライゾン（Ｖｅｒｉｚｏｎ）に売り払われることになった。一九九〇年代にメジャーになったすえに買収された最初の企業がヤフーなのだ。同社が没落した理由は二つある。一つ目は、どんな会社になりたいか、明確に決めることができなかったから。情報集積？　ポータル？　メディア企業？　テクノロジー会社？　それよりも深刻だったのが二つ目の理由で、ヤフーには二〇〇三年に買収したゴートゥー（ＧｏＴｏ）――のちにオーバーチュア（Ｏｖｅｒｔｕｒｅ）に改名――という名のシリコンバレー発スタートアップが開発した、じつに先進的な検索エンジン技術を収益につなげることができなかったのである。

不幸なことに、ヤンとファイロはオーバーチュアの買収を通じて、同社の知的財産権（ＩＰ）の保護をめぐる訴訟問題も抱え込んでしまった。検索エンジン技術のもともとの制作者が特許を取るのを怠っていたのである。結果、ゴートゥーのＩＰは無償で流用されることができた。そのため、まもなく比較的若いプレーヤーが舞台に登場することになる。それがグーグルだ。グーグルの創業者たちはゴートゥーのなかに、ヤンとファイロが見落としていた仕様を見つけた。あるオークション機能のことで、それがあるおかげで、ユーザーから集めたデータを利用して、まさにそのユーザーをターゲットにした広告を提供することができるのである。つまり、増えつづける検索データから利益を生むことができるのだ。この技術を踏み台にして構築したオンライン広告オークションシステムが、今のグーグルのビジネスモデルの基礎をなしている。

一九九〇年代前半、株式公開前のブリンとペイジは、多くの時間をスタンフォード大学の窮屈なオフィスで過ごした。大学院生だった二人は、コンピュータスクリーンと山積みの研究論文に囲まれながら、芽生えつつある起業への野望を胸に秘めていた。無精髭を生やした二人のコンピュータオタクがつくったものが、のちにプラットフォーム技術で世界最大の企業に成長するのである。ブリンは気が強くて外向的、ペイジはどちらかというと内向的な人物だった。二人とも、当時はあまり注目されていなかった。二人がまだ純真だったころ、シリコンバレーで最も注目を浴びていた若者はおそらくキム・ポレーゼだろう。カスタマイズが可能で、音声およびグラフィックにも対応したプログラミング・プラットフォームとしてインターネットを一気に活気づかせたことで知られるサン・マイクロシステムズ（Ｓｕｎ Ｍｉｃｒｏｓｙｓｔｅｍｓ）のプログラミング言語Ｊａｖａの開発に携わった大物だ。ポレーゼは「シリコンバレーのマドンナ」と呼ばれ、『タイム』誌からはインターネット上で最も影響力の強いアメリカ人25人の一人にも選ばれたし、『フォーチュン』誌の表紙を飾ったこともある。

まだ巨大な資金が流れ込んでいなかった当時のシリコンバレーは今よりずっとノリの軽い場所

で、ポレーゼの新会社マリンバ（Ｍａｒｉｍｂａ）の創業パーティに出席することが許された私はとても興奮したものだった。人々は皆、おもしろくて、開放的で、はつらつとしていて、気さくだったことを、私は今でも覚えている。彼らは〝ニュー・ニュー・シング〟の開発に携わっていることに、心からわくわくしているようだった。当時は（今もそうだが）、事業を立ち上げるのはほとんどが男性で、シリコンバレーの男性支配に風穴を開けた最初の女性がポレーゼだ。その後ヤフーのＣＥＯになったマリッサ・メイヤーや、もっと最近では、フェイスブックの王ザッカーバーグに対する女王としてシェリル・サンドバーグなどの女性が名を馳せたが、ポレーゼがその先駆者だったと言える。これらの女性たちは男性に引けを取らないぐらい、いや、おそらく男性以上によく働いた。例えばメイヤーは、初めての出産のわずか二週間後に、職場に復帰したことがよく知られている。メイヤーとベンチャーキャピタリストである夫のザック・ボーグの二人は、かつて『ヴォーグ』誌の記者に、仕事と生活のあいだに線引きはしないと打ち明けたことがある。その記者の驚いたことに、二人は朝食や夕食のときも、何らかの行事の最中も、それどころか記事のためにインタビューをしている途中でも、ひっきりなしに文書を作成したり、メールを書いたりしていたそうだ。

フェイスブックのサンドバーグは典型的なハーバード大卒業生。優等生で、マッキンゼーで働いた経験があり、業界のスターにして、あらゆる点で自分を高く売ることに積極的だ。サンドバーグをCOOとしてフェイスブックに雇い入れた張本人であるベンチャーキャピタリストのロジャー・マクナミーは著書『Zucked（ザック化）』［注5］のなかでこう記している。「シェリル・サンドバーグは聡明で、野心的で、極めて几帳面だ。人生を細部にいたるまで管理し、自分のイメージに特に気を遣っている。二〇一八年まで、彼女にはエリオット・シュレージという相談役がいた。シュレージはグローバルコミュニケーション・マーケティング・パブリックポリシー部門の副社長という肩書をもっていたが、本当の仕事はシェリルの脇を固めることだったとみなせる。その仕事を、彼はシェリルがグーグルにいたころから引き受けていた」［注6］（のちにシュレージは、フェイスブックのPRスキャンダルの渦中に辞任した）

サンドバーグは常連と言えるほど頻繁にダボスに招待されており、そこへ向かう飛行機のなか、共通の知人の紹介で、私は初めて彼女に出会った。サンドバーグが書いた有名な著書『LEAN IN』を読めば、彼女の野心がいかに大きいかよくわかるが、正直なところ、その本を読むと私は疲れてしまう。私には、同書で彼女はワークライフバランスをテーマにしているのではなく、むしろ自分自身を〝女性代表〟として印象づけようとしていると思えるのだ。のちに政界へ進出するときのために、下準備をしているのではないだろうか。というのも、多くの人が、もしフェイスブックのプライバシー問題や選挙干渉スキャンダルの火の粉を払い落とすことができれば、彼女は政治の世界に進出するだろうと期待しているのである。

もし本当に選挙に出るのであれば、キャンペーンで彼女が自分をどう売り込むつもりなのか、今から楽しみだ。選挙介入スキャンダルからも明らかなように、サンドバーグの政治観は、シリコンバレーのほかの大物の多くと同じように、リベラルと言うよりもむしろ自由放任主義だ。ロシア人による選挙の不正操作との関係が取り沙汰されたとき、フェイスブックは懸命に首脳陣とビジネスモデルを守ろうとした［注7］。初期調査を妨害するために、サンドバーグの右腕であるエリオット・シュレージは、自身の影響力や人脈を利用したのだが、その際、反ユダヤ主義を政治的な武器として用いるPR会社を雇い入れるほどの力の入れようだった（サンドバーグもザッカーバーグもユダヤ人なのだからおかしな話だ）。

実際のところ、『ニューヨーク・タイムズ』紙がフェイスブックとロシアの関係を報道したのち、最前線に立ってサンドバーグとザッカーバーグを守ったのがシュレージだったと言える。また、サンドバーグの代わりに転落したのもシュレージだ。フェイスブックを辞めて、事件の責任はすべて自分にあると——説得力のかけらもない形で——公に謝罪したのだから。ジョージ・ソロスが設立したオープン・ソサエティ財団の理事長であるパトリック・ガスパードが二〇一八年の末にサンドバーグ宛てに次のような手紙を書いている。「あなたの会社が、あなたの指揮の下で、下劣なプロパガンダの流布におけるフェイスブックの役割に抗議をするために表現の自由という基本的人権を行使しようとする人々を貶め」ようとした「と考えると、正直なところ、私は驚か

ざるをえない」［注8］

どうやらシリコンバレーでは、リベラルとはイデオロギーよりもむしろアイデンティティを指しているようだ。例えば、私はいつも興味深く感じていたのだが、『LEAN IN』で示される男女平等へのアプローチは、人道的な労働時間や育児援助の充実などに対する社会の責任を問うのではなく、女性にあらゆる責任を押しつけようとしているように思える。これは、民主党のコーポラティズム派（協調組合主義）の人々に共通する見方だ。この派閥にはテクノロジー業界の多くの人が、さらには彼らの〝リベラル〟仲間であるウォール街の面々の多くが属している（ちなみに、サンドバーグの師匠と呼べる人物にコーポラティズム派の民主党員であり、「つぶすには大きすぎる」を旗印に規制緩和を求めるラリー・サマーズがいる。財務省のサマーズのもとで、サンドバーグは参謀長を務めていた）。

シリコンバレーの住人は自分たちのことを慈善家だと考えているらしいが、実際には公共の利益にはほとんど関心がないようだ。皮肉なことに、テクノロジー業界の巨人たちの多くは二一世紀の労働力を育てるために公共教育の改革が必要だと主張しながらも、教育改革のために資金を必要としている政府に対して、減税と同時に補助金を求めたりする。そのような身勝手な態度は、国という大きなレベルだけでなく、地域という小さなレベルでも見ることができる。これは私だけが指摘しているのではないのだが、シリコンバレーでは性やほかの意味での多様性はほとんど見られない。テクノロジー企業の多くが居を構えている広大なメンロパークのキャンパスや背の高いサンフランシスコのタワービルなどを行き交う人々のなかに、女性も有色人も、一九八〇年以前に生まれた人もほとんどいない。いるのは四〇歳未満の白人男性ばかりで、多くは社会に適応する能力が欠けているため、〝自閉症〟と診断されてもおかしくない。彼らはエンジニアであり、王としてあがめられている。

表面的には、それでいいと思えるかもしれない。テクノロジー企業になくてはならないプログラムを書き、プラットフォームをつくり、ソフトウェアとハードウェアを開発したのはエンジニアなのだから。しかし問題なのは、エンジニア的な考え方のほうだ。彼らは「AからCへ行くのに、どうすれば最も効率的か」ばかりを考え、Bを通過するときに生じる影響などはほとんど意に介さない。B地点に自由報道や個人のプライバシーなど、さまざまな問題が潜んでいるかもしれないのに。いわばソリューション志向のメンタリティなのだが、そのせいで視野が狭くなり、周りが見えなくなっている。これが多くのビッグテック企業で多様性が欠如し、有害な職場文化がはびこり、PRでみっともない失敗をする原因になっているのである。

## 人間のもとに舞い降りた神々

シリコンバレーにはエンジニアの王さえをも超える地位がある。誰か？　もちろんベンチャーキャピタリストだ。すべてのテクノロジー企業にとって、ソフトウェアとそのコードは骨であり、資本が血液だ。そしてこの意味では、ベンチャーキャピタリストこそが、血液を巡らせつづける巨大な心臓だと言える。ベンチャーキャピタルはイノベーションのために欠かせない要素であることを否定するつもりはない。また、私たちの社会や生活に大いに貢献してきた数多くの事業も、ベンチャーキャピタルがなければ成功あるいは存在できなかった事実も承知している。しかし、特定の集団があまりにも強大な影響力をもつとき――そしてありあまる富を手に入れたとき――そのなかの一部の人物が必ず神のようにふるまいはじめる。

例えば悪名高い〝ペイパル・マフィア〟の一人であり、フェイスブックの初期投資家でもあるピーター・ティール。ティールはパランティアおよび大手ベンチャー投資会社として知られるファウンダーズ・ファンドを創設した。また、トランプ大統領の支持者にして自由放任主義者でもあり、政府はもちろんのこと、教育制度そのものにも批判的な立場をとる。その証拠に、毎年数十万ドルを投じて、学生たちに大学を中退して新会社を立ち上げるように促している。そんなテイールが情熱を注いでいるテーマが、奇妙な話だが、死の克服だ。ティールは、死はそのうちにやってくるという考えを人々が受け入れているのは「病的だ」と言って、アマゾンCEOのジェフ・ベゾスやグーグルのセルゲイ・ブリンなどとともに「永遠に生きる」ための〝延命〟研究を巨額の費用を投じてサポートしているのだ［注9］。ティールにとってペイパル設立のパートナーであり、テスラやスペースXの創業者としても知られるイーロン・マスクは近い将来に超音速通勤や火星の植民地化を実現するというビジョンを追いかけているが（彼がその夢の実現のためにどうやって資金を捻出するつもりなのかは誰にもわからない。何しろ、法的に問題のあるツイートや、ウィスキーや大麻の影響下での暴言、会社の経営状況に関する虚偽報告などを通じて、自ら会社の株価を暴落させるのだから）、それらに比べてもティールの不死のほうがより大きな野望と言えるだろう。

彼らが示すそのような傾向は、起業家精神や根本的な改革に絶対に欠かせない〝シンク・ディファレント（人とは違う考え方を）〟タイプのマインドセットの特徴だと言えるかもしれない。だが問題は、多くの場合で彼らに強烈な特権意識が芽生える一方で、自分たちの行動に対する責任感が希薄になってしまう点にある。その最たる例として、自分がつくった会社ウーバーを「ブーバー」と呼んだことで悪名を轟かせたトラビス・カラニックを挙げることができるだろう［注10］。ブーバーとはもともと女性の胸を意味する隠語で、ウーバーのおかげで女性に困ることがなくなった、と彼は言いたかったのだ。しかもこの発言は若気の至りでもなければ、仲間内だけで話した内容が外に漏れた、という話でもない。シリコンバレー系企業に蔓延する有害かつ女性蔑視な風紀の、ほんの一例に過ぎないのだ。こうした発言が引き金になって、最終的にカラニックはCEOを辞任することになった。

企業のセックススキャンダルはビジネスに問題が潜んでいることの予兆と言える。組織内の文化に大きなトラブルが蔓延しているとき、真っ先に現れる前兆がセックスに関する問題だ。したがって、フェイスブックもグーグルもアマゾンも、それぞれ性的嫌がらせ《セクシャルハラスメント》に関するスキャンダルを抱えているのも偶然ではない。アマゾン・スタジオ（Amazon Studios）の最高経営者であるロイ・プライスが性的嫌がらせで訴えられたとき、CEOのジェフ・ベゾスは見て見ぬふりをした。ベゾス自身も自分の局部写真をフォックス・テレビの有名人に何度も送りつけるという、みっともないスキャンダルに巻き込まれたことがある。このスキャンダルが離婚の時期と重なっていたため、ベゾスは記事を発表した『ナショナル・エンクワイアラー』紙が彼を脅迫しようとしていると主張し、両者のあいだで高額をかけた法廷闘争が繰り広げられた［注11］。

私のビジネスジャーナリストとしての経験から、そのような出来事が起こるときはたいてい、連続する場合は特に、会社の文化のどこかに間違った部分があると考えられる。グーグルは二〇一八年の後半にアンドロイド・モバイルシステムの生みの親であるアンディ・ルービンの退職の際にボーナスとして九〇〇〇万ドルを支払いながらも、彼が退職する理由については口を閉ざしている、と読んだときにも私は同じように感じた。ルービンは性的強要で訴えられていたのである。その不快な詳細はすべて、『ニューヨーク・タイムズ』紙の一面に載ったのだが〔注12〕、それを受けてグーグルの最高経営責任者であるサンダー・ピチャイが社員に向けて送った内部メールの内容がのちに暴露された。興味深いことに、そこには次のように書かれていた。「過去二年のあいだに、四八人が性的嫌がらせを理由に解雇された。そのうち一三人は上級管理職以上の役職に就いていた。彼らの誰一人として、退職金を受け取っていない」

つまり、彼らは自分たちのやった悪事に対して、数千万ドルもの報酬を受け取ったりはしていない。この点は評価できる、と私は考えた。しかし、本当に〝四八人〟も？　この数字は、グーグルという会社について何を物語っているのだろうか？　企業文化に毒が満ちていることは間違いない。しかし、ほかの多くのプラットフォーム企業でもテクノロジー関係者の数多くが性的問題を引き起こしていることを考えると、私にはこの数字がもっと大きな何かが毒されていることの証拠だと思えた。ビジネスモデルそのものが有毒なのだ。つまり、これらの企業は、一般の人々の強い怒りに押し切られる形にならない限り、トップタレント——収益の増加に貢献している人々——の目に余る行動に対してもとても寛大なのである。

私は、シリコンバレーのＣＥＯたちの大半がセクハラを容認しているとは思わない。むしろ、自分たちが一般大衆からどのように思われているか、ほとんど自覚がないのだ。おそらく、パロアルト界隈のバブルの外に出ることが少ないからだろう。一例として、ニューヨークの地下鉄に乗ったときのイーロン・マスクのコメントを紹介しよう。「とにかく、お尻が痛かった……。見知らぬ連中がたくさんいて、そのうちの一人は連続殺人犯のように見えた」[注13]

因習を破壊するそのような態度は、ときには若いうちに発展することもある。(ラリー・ペイジと交際経験のある)マリッサ・メイヤーはかつて、ペイジとブリンの考え方を理解したいなら、彼らは二人とも〝モンテッソーリスクール〟を出たことを知っておく必要がある、と言ったことがある。モンテッソーリスクールとは、教科書の知識を頭に詰め込むのではなく、学童たちの想像力に火をつけることをモットーにしている、いわゆるモンテッソーリ教育を採用している特殊な学校のことだ。グーグル創業者の二人は人とは違う教育を受けてきたため、他人の思いにかまうことなく、独立して我が道を行く意志が育まれたのだと、メイヤーは信じている。初期のグーグルに関して最も優れた情報源と呼べる書籍『グーグル　ネット覇者の真実』を書いたスティーブン・レヴィに対して、メイヤーはこう語っている。「モンテッソーリスクールでは、生徒は先生に言われたからではなく、何かを表現したいからとか、午後その気になったからとかの理由で、絵を描きに行く。この態度が、ラリーとセルゲイの問題に対するアプローチのしかたにじつに深く刻み込まれている」[注14]

学校教育が彼らの性格にどれほどの影響を与えたのか、はっきりと言うことはできないが、彼らの大学生活がそれまで培ってきた理想――「ルールは破るためにある」――をさらに強める方向に作用したのは間違いない。ブリンはミシガン大学でコンピュータ・サイエンス学部を三年で修了し、一九歳という最年少記録でスタンフォード大学のコンピュータ・サイエンスの博士課程に入学した。それから二年が過ぎた一九九五年の秋に、こちらも一九歳という若さで、ペイジが同学部の博士課程にやってきた。のちにペイジは、ブリンのことを「かなりうっとうしい奴」〔注15〕だと思ったと語っているが、このコメントは、ペイジがブリンの才能に感心したので、彼に釘を刺しておこうと考えた、と理解できるのではないだろうか。スタンフォード大学は、表面的には良心的に見えるが、じつは抑えの効かない野望から生じる数々の競合や敵対関係であふれかえっている。世界を変え、そして金持ちになろうと心に決めた者が集まる場所だ。

ペイジとブリンは二人ともヒューマン・コンピュータ・インタラクション《ヒトとコンピュータの相互関係》・グループに入った。これがのちに、一般に浸透しはじめたばかりのワールド・ワイド・ウェブという新たなサイバースペースを活用する方法をおもに研究するためのパーシュエイティブ・テクノロジー・ラボ（説得技術研究所）を生み出すことになる（第六章を参照）。スタンフォード大学で学ぶ者の多くにとってこの斬新な仮想領域は、カリフォルニアに最初に到着した開拓者にとってのちにシリコンバレーと呼ばれることになる土地と同じような意味をもっていた。すぐに開発に着手しなければならない、極めて価値の高い不動産だ。学生のほとんどは〝ポータル〟づくりにいそしんだ。ニュースにアクセスしたり、メールを送信したり、画像を投稿したりするための場所だ。

しかしブリンとペイジはまったく違う道を選んだ。毎日、おびただしい数の新しいコンテンツがウェブに集まってきた。無限とも思える数の新しいウェブサイトに、数えきれないほどの記事や写真、あるいは歌などが投稿されていたのである。そこでペイジとブリンはそれらを迅速に分類する方法を開発することにしたのだった。二人は、イギリスの天才エンジニア、ティム・バーナーズ＝リーが一九八九年にウェブの仕組みを発明することができたのは、彼がサイバースペースに存在するありとあらゆるものは互いに結びついていると理解していたからだと考えた。確かに、サイバースペースは混乱している。しかし、ほかの混乱と同じで、整理できるはずだ。バーナーズ＝リーの考えでは、ウェブは国会図書館のようなもので、すべての本に分類番号が振り分けられている。そのうえで、図書館よりも便利な点もある。ほとんどの文書が〝ハイパーリンク〟を通じてつながっているおかげで、相互ネットワークが、つまり本物の図書館には存在しない網目《ウェブ》が生まれるのだ。このウェブは想像を絶するほど広大な開拓地であり、そこを最初に整地した者は土地の所有権を主張できる。

ブリンとペイジはその土地に自分たちの旗を立てることに決めた。当時、ワールド・ワイド・ウェブでの〝検索〟は広大な干し草の山のなかから一本の針を探すようなものだった。いやむしろ、数え切れない干し草のなかにほかとまったく区別のつかない一本の干し草を見つけるようなものだったと言える。ただし幸いなことに、バーナーズ＝リーのおかげで、ウェブ上のすべての麦わらにはそれぞれ異なるアドレス――いわゆるURL――が付けられ、それらのほとんどはハイパーリンクを介してほかの麦わらの一部と結びついていた。それでもワールド・ワイド・ウェブが何十億ものアイテムで成り立っていた事実には変わりはない。しかもその数は一秒ごとに増えていったのである。誰もが希望する特定の麦わらを見つけられるようにするには、どうすればいいのだろうか？

例として、あなたは今、ティム・バーナーズ＝リーについて情報を集めたいと考えているとしよう。当時おもに使われていた検索エンジンはアルタビスタ（AltaVista）であり、アルタビスタの考え方では、「ティム・バーナーズ＝リー」という単語が最も頻繁に登場する文書が、あなたが最も必要としている文書だとみなされた。しかし、ペイジとブリンはこのアプローチは完全に間違っていると考える。その名前が何度も使われるからといって、その文書にほかよりも有益な情報が含まれているとは限らないではないか。なら、どうすればいい？　そこでラリー・ペイジが頼りにしたのは彼の両親の意見だった。彼の両親は二人とも学者だったので、あるトピックに関して最も優れた論文は、特定の単語や名前を繰り返す論文ではなく、〝ほかの文書〟のなかで最も頻繁に引用される論文だと知っていたのである。ウェブの世界で引用にあたるのがハイパーリンクだ。つまり、彼らが目指すべきは、ハイパーリンクの数を集計する能力をもつ検索エンジンにほかならない。そこでペイジとブリンはほかの文章へのリンクを追跡するプログラムをつくり、それをバックラブと名付けた
大ざっぱに説明すると、バックラブはボットと呼ばれる無数の電子メッセンジャーを解き放つ。それらが可能な限り多くのドキュメントを徘徊し、それぞれにバックラブだけが検出できる特別なコードでタグ付けする。このコードは、そのドキュメントの〝被リンク《バックリンク》〟を記録するので、バックラブは各ドキュメントにどれほどのリンクが張られているか集計できるのである。集計結果は「ページランク」と呼ばれている。わざとペイジの名前とのだじゃれにしたのだ。

バックラブを初めて解き放ったとき、学部のコンピュータの帯域幅のすべてを使い果たしたので、ペイジとブリンは学部の五倍の帯域幅をもつスタンフォード大学全体のインターネットシステムを利用することにした。そこまでして初めて、ボットがおとがめなくサイバースペースをうろつき、タグ付けし、集計することができたのである。加えて言うなら、その過程においてコンテンツ制作者の著作権を侵害したとみなせるだろう。ちなみに、グーグルはのちに、ユーチューブを買収することで、コンテンツ制作者の著作権の侵害を大規模に行うことになる（欧州連合、ならびにアメリカの一部の政治家が著作権規則を強化しようとしていることに対して、ペイジらは積極的なロビー活動を通じて、自分たちのやり方を守ろうとしている）。

ペイジとブリンにとって、彼らのやり方にやましい部分は何一つない。彼らにしてみれば、全

国のコンピュータ・アーカイブに保存された知識を、人類に利益をもたらすために集めようとしただけなのである。その結果として自分たちにも利益がもたらされるなら、それはそれでありがたい。これがのちに、合法的窃盗と呼ばれる最初のケースになった。誰かが文句を言うたびに、ペイジは困った表情を浮かべた。「どうして明らかに善良なことをしている人の活動に、不満をもつことができるのだろうか?」とでも言いたげに。彼らは許可を求める必要を感じなかった。ただ、やりたいようにやった。「もしあなたが全員の許可を得ようとすれば、ラリーとセルゲイはそれを物事の実現を妨害する行為だとみなす」と、スタンフォード大学のコンピュータ・サイエンス教授であり、ペイジの論文指導者でもあったテリー・ウィノグラードが二〇〇八年の記事で語っている。「もしあなたがそれをやってのければ、二人が昔ながらの好ましくないやり方にこだわっていることに、ほかの人たちも気づくだろうに……。今のところ、二人が間違っていることを証明した者はいない」[注16]

これがグーグルのやり方になった。ジョナサン・タプリンが著書『Move Fast and Break Things（素早く動き、破壊せよ）』で指摘したように、Gメールの最初のバージョンを公開したとき、ペイジは「利用者に恥ずかしい過去を削除する力を与えるよりも、グーグルがすべてのメールを保持して利用者のプロファイルをつくる能力を得るほうが重要だ」という理由で、エンジニアに削除ボタンを実装することを禁じた。同じように、グーグルは誰の許可を得ることもなしに、ストリートビュー用に人々の自宅の写真を撮り、それを住所と一致させて、もっと多くの広告を売るために利用している。彼らが守りつづける方針は、「許可を求めるよりも赦しを請うほうがいい」だ——実際のところは、許可も赦しも求めたりしないのだが。

これは特権を求める態度だと言える。過去数年にわたりさまざまな問題を引き起こしてきたにもかかわらず、この態度はいまだに変わらない。二〇一八年、ある大きな経済会議に出席したとき、私はグーグルのデータサイエンティストと同じタクシーに乗る機会があった。彼女は国民と国民が生む膨大なデータの多くを監視することが許されている中国企業がうらやましいと漏らした。また、彼女がＡＩの研究を行っている大学が、学生に関する情報を集めるためのデータ記録センサーを彼女が希望するほど使わせてくれないことに、心から憤慨しているようでもあった。「情報を集めるのに五年もかかったわ！」と彼女はいらだたしげに言った。

このような不信感は、シリコンバレーの住人に広く浸透している。彼らは自分たちのやりたいことは人々のプライバシーや市民の自由、あるいは他人の安全よりも大切だと思い込んでいる。自分たちは何でも知っていると考えて、自分たちの動機に疑問をさしはさもうとする者がいるなんて、想像もできないのだ。ビッグテックはやっかいな政府や政治、市民社会、さらには都合の悪い法律からも解放された自由な存在でなければならない。この考えがあるため、テクノロジー業界の巨人たちはシリコンバレーをアメリカからもカリフォルニアからも独立した存在とみなし、ほかの地域がシリコンバレーの足を引っ張ってはならないと主張する。

結局のところ、シリコンバレーの王（そして女王）たちの考えでは、自分たちはある種の予言者であり、テクノロジーは未来なのである。問題は、未来の創造者たちの多くが、過去から学ぶ必要をほとんど感じていない点にある。称賛に値するベンチャーキャピタリストとして有名なビル・ジェーンウェイは、かつて私にこう話したことがある。「ザッカーバーグやそのほか［テクノロジーの巨人］の多くは、自分たちの置かれた状況に驚くほど無頓着だ。新しい経済をつくっているのだから古いものからは何一つとして学ぶことはできないと、彼らは心から信じている。結果として、文化的にも政治的にも多くの摩擦が生じ、そのせいでテクノロジーの利点が相殺されている」

フランク・パスカーレはメリーランド大学の法学教授で、ビッグテック批判家として『The Black Box Society（ブラックボックス社会）』――政治と経済に対するテクノロジーの影響を理解するための必読の書――を書いた人物でもあるのだが、その彼がとてもわかりやすい例を挙げている。「以前、私はシリコンバレーのコンサルタントを相手に、検索の中立性［検索エンジンは自社のコンテンツをほかよりも優遇すべきではないとする考え方］について話をしたことがある。すると彼はこう言った。『そんなコードを書くことはできない』。私は、これは法的な問題であって技術的な話ではない、と指摘したのだが、彼はどことなく見下すかのようにこう繰り返した。

『ええ、でも私たちにはそんなコードを書くことができない。だから、中立性は実現できない』と」。要するに、問題について論じるなら技術者の視点から、それができないのなら問題そのものが存在しないという言い分なのである［注17］。

選挙で選ばれたワシントンのリーダーたちも含む多くの人が、この言い分を支持する側に買収されてしまった。だからこそ、最初から消費者ではなく業界に有利なルールが敷かれてきたのだろう。ビッグテックに有利な〝特別ルール〟の最たる例として、一九九六年に改正された通信品位法（CDA）の第二三〇条で示される〝捕まる心配なし〟カードを挙げることができる。この条項のおかげで、テクノロジー企業はユーザーが広めるほぼあらゆる種類の違法コンテンツや不正行為に対する責任から免れるのである（ただし、著作権侵害や特定の連邦犯罪に関して、ごく少数の例外は存在している）。

商用インターネットの初期、つまり一九九〇年代の半ば、シリコンバレーは何度も繰り返して、インターネットは街の広場のような場所だと主張した。したがって、考えや行動が自由に繰り広げられるべき中立の場所なのである。つまり、オンライン・プラットフォームは公共の広場なので、運営する企業はそこでの出来事に責任を負う必要はない、と言いたいのだ。この主張の根底には、自宅の地下やガレージでオンライン掲示板やチャットルーム、あるいは初期の検索エンジンを立ち上げたばかりの起業家たちには、資金的にも人材的にも、ユーザーの行動を監視するだけの余裕がなかったという事実がある。監視に力を割けば、インターネットの発展にブレーキがかかったかもしれない。

しかし時代は変わった。今では、フェイスブックも、グーグルも、ほかの企業も、ユーザーのオンライン活動のすべてを監視〝できる〟し、実際に監視している。それなのに、彼らのプラットフォームで繰り広げられるヘイトスピーチ、ロシアの資金による選挙広告、あるいはフェイクニュースなどの責任という話題になれば、どっちつかずの態度をとろうとする。彼らは私たちが何を買ったか、どの広告をクリックしたか、どんなニュース記事を読んだか、すべて容易に追跡できるのに、その一方で、ウェブサイトからいかがわしい陰謀論を取り除くのも、反ユダヤ的なコメントをブロックするのも、ロシアのボットによる不正を特定するのも、とても難しいと主張するのだ。なぜなら、そうするにはきちんと判断できる本物の人間を、給料を払って雇い入れなければならないからだ。それこそ、自動化という基盤の上で成長してきたプラットフォーム企業が何としてでも避けたい事態なのである。

しかしながら、これまで何度かハイテク巨人たちがPR目的のために積極的に取り締まりを行った時期があった。フェイスブックやグーグル、あるいはゴーダディ（GoDaddy）やペイパルがポルノを遮断あるいは追放しようとしたり、バージニア州のシャーロッツビルで起こった人種差別的な暴力事件をきっかけに右翼扇動団体によるプラットフォームの利用を規制しようとしたりしたことは、比較的よく知られている。そうした試みを高く評価できるかどうかは人それぞれで、どこまでを言論の自由と認め、どこからをヘイトスピーチとみなすかが違ってくるので、一概には言えない。しかし、これらの空騒ぎの背後には、今までずっと見落とされてきた、この種のビジネスが抱える大きな問題が潜んでいる。プラットフォーム企業は訪問者数を増やそうとするため、どうしてもコンテンツを許容する方向に傾いてしまうのである。同時に、彼らには検閲をする力もある。ウェブ・インフラストラクチャ会社のクラウドフレア（Ｃｌｏｕｄｆｌａｒｅ）は大衆の強い抗議に圧されて、二〇一七年、自らのポリシーに反する形で右翼サイトのデイリー・ストーマーへのプラットフォーム提供を解約したのだが、同社で最高経営責任者を務めるマシュー・プリンスは、この点について次のように述べている。「私は最悪な気分で目覚めて、特定の人物はインターネットに参加してはならないという決断を下した」。そしてプリンスは付け加えた。「誰も、そんな権力をもつべきではない」［注18］

しかしビッグテックは、まさしくそのような権力を有している。ビッグテックは分裂状態に陥っている。会社という意味でも、社会の一部としても、その本質において相反する表情を見せている。メディア会社？　報道機関？　プラットフォーム企業？　小売業？　物流？

本質が何であれ、彼らが自らに課している現在のルールは——その多くはルールと呼べる代物でもないのだが——うまく機能していない。グーグル、フェイスブック、アマゾンをはじめとするプラットフォームはあまりに巨大になったため、彼らのリーダーたちを一般的な考えや倫理規範、あるいは普通の市民に適用される法律などを超越する存在に押し上げてしまった。このあたりの事情をよりよく理解するには、シリコンバレーの王たちがほかの人々をはるかに超える存在になることを可能にしているビジネスモデルについて詳しく知る必要がある。

# 第3章

# 広告への不満

CHAPTER 3

# Advertising and Its Discontents

ドナルド・トランプが大統領に選ばれた選挙から一年がたった二〇一七年の一一月、アメリカ国民に対して初めて、ロシア人のグループがフェイスブックに掲載していた広告が公表された。人々に政治不信の種を蒔き、トランプを勝利に導いたと考えられる広告だ［注1］。それらを見ると不快な気分になる。ロシアと深いつながりのある工作員がつくったのは、スーパーマンの姿をしたバーニー・サンダースがゲイの権利を主張するアニメーション映像や、イエス・キリストが悪魔を相手に腕相撲をする画像。その絵にはセリフが添えられていて、悪魔が「もし私が勝てば、クリントンが勝つ！」と宣言している。南部諸州に南部連合の旗のもとで再び決起することを呼びかけるアピールもあったし、国境を越えてくるであろう大量の移民に対する抗議として「移民お断り」と書かれた黄色い標識の写真もあった。

これらの画像を公表した議員団は、金儲けのためならそのようなプロパガンダすら拒否しないビジネスモデルを採用したＣＥＯや主要幹部に直接質問をぶつけることはできなかったのだが、彼らの弁護士と話す機会は得ることができた。しかしいつものように、業界の大物たちは非難をかわし、不正の存在を否定しつづけた。どの企業も――フェイスブックだけでなく、ツイッターとグーグルも――経営上の決定権をもつ人物ではなく、主任弁護士を対応に送り出した。彼らのほうが、質問に応じるのに適した立場にあるという理由で。しかし、弁護士らが議会で行った証言から明らかなように、彼らの役割はＣＥＯたちに火の粉が降りかかるのを阻止することでしかなかった。

「あなた方が問題を理解しているとは思えないと言わざるをえない」と弁護士たちに言い放ったのは上院議員のダイアン・ファインスタインだ。カリフォルニア選出の民主党員である彼女は惨憺たる気持ちで公聴会をあとにした。「具体的な質問をしているのに、曖昧な答えしか返ってこない」。こちらもカリフォルニア選出の下院民主党員、ジャッキー・スパイアーは状況をこう総括した。「アメリカ、私たちは問題を抱えている。この国にはテクノロジー・コミュニティで最高の才能たちが集まっているのに……ロシアがあなた方のプラットフォームを使って私たちを分断することに成功した。私たちをだまし、民主主義を傷つけることに」

その後、ビッグテックは何度かそのような会合に出席した。幹部が議会の前で証言したこともある。しかし、フェイスブックやグーグルの経営幹部のメッセージは変わらず、いつも同じ主張の繰り返しだった。「本当に申し訳ないが、こんなことが起こるとは想像もできなかった」。しかしこの言葉が嘘であることは、それらの会社でターゲティング広告に携わっている人と話せばすぐにわかる。ユーチューブ、グーグル、フェイスブック、ツイッターはもう何年も前から、不正な工作員が人々をプロパガンダの罠に陥れるためにプラットフォームを悪用する可能性があることに気づいていた。彼らはただ、自社のビジネスモデルを危険にさらしてまで、この問題を修復する必要はないと考えたのである。

## データ産業複合体

ギョーム・シャローはかつてユーチューブでエンジニアを務め、今はセンター・フォー・ヒューメイン・テクノロジーというシリコンバレーの難民たちが集まる団体で、ビッグテックのために害の少ないビジネスモデルをつくる作業を続けている。そのシャローは数年前、グーグル傘下のコンテンツ・プラットフォームであるユーチューブ［注2］の内部プロジェクトに参加し、ユーザーが目にするコンテンツの多様性や質を高めるためのアルゴリズムを開発していた。このプロジェクトは、オンラインで増えつづける〝フィルターバブル〟への対策として始められたものだった。フィルターバブルのなかで、人は何度も同じような無意味な、あるいは有害なコンテンツを眺めることになる。なぜなら、彼らが猫のビデオをクリックしたり、白人至上主義者のプロパガンダを眺めたりすると、アルゴリズムがそれを記録し、次からは内容が同じようなビデオをお勧めとして画面に表示するからだ。そうすることでユーザーがまた戻ってきて、もっと多くの時間を視聴に費やすと（多くの場合は正しく）考えるのである。結果として、ユーチューブはコンテンツに載せる広告を通じて、より大きな収益を上げることができる。しかし、より繊細になった新しいアルゴリズムを試したところ、〝視聴時間〟が以前より短くなってしまったので、プロジエクトは中止になった。

シャローはがっかりした。彼の考えでは、その新しいアルゴリズムを使えばフェイクニュースの問題が減るだけでなく、長期的に見ればビジネスそのものも拡大できるはずだったのだ。より多様なコンテンツを提示することで、短期間だけ爆発的な利益をもたらす――すぐに報われる――センセーショナルなコンテンツとは対照的な、長期的に実を結ぶ収益ラインを開くことができると考えていた。しかし、上層部はそれを望まなかった。シャローによると、彼らの考え方は「視聴時間はわかりやすい数字だ。それに、ユーザーが人種差別的なコンテンツを望むなら、君に何ができる?」。要するに、数字がいつも正しいとみなされる文化なのである。会社はユーザーに奉仕するだけ。たとえ、民主主義を弱体化させるコンテンツを意図的に使って収益を上げることになるとしても[注3]。

二〇一八年、ユーチューブのスポークスパーソンは私に対して、シャローの言い分を大筋認めながらも、ユーチューブのお勧めシステムは「時間とともに大幅に変わった」と主張し、今では視聴時間だけでなく、消費者調査や共有数やお気に入り登録数も指標として利用されていると説明した。また、本書が出版を間近に控えた二〇一九年の夏、小児性愛者が子供のビデオの発掘や共有のプラットフォームとしてユーチューブを利用しているという数多くの記事や、それに呼応して行われた連邦取引委員会の調査[注4]に対処するための問題解決策として、ユーチューブは子供のコンテンツをまったく別のアプリに隔離するアイデアを検討している［注5］。しかしユーチューブを使ったことがある者なら誰でもわかるが、今でもサイト上ではすでに多くの時間をかけて観たことがあるのと同じようなビデオ——猫がピアノを弾くビデオとか、陰謀論を説くビデオとか——が並んでいる。確かに、今のグーグルとフェイスブックは以前よりも多くのリソースを使って、いかがわしいアカウントの発見や不適切なコンテンツの削除に努めている。しかし結局のところ、彼らには検閲官になるつもりはないし、これまで彼らがやってきたことや、やらなかったことに関するゴタゴタが物語っているように、検閲が得意なわけでもない。

アルゴリズムの修正との関連で、グーグルの主任弁護士であるケント・ウォーカーは同社の哲学を単純に次のように説明する（ちなみに、彼は本書のインタビューに応じてくれた唯一のグーグル首脳陣だ）。「私たちはユーザーのためにグーグルをつくる……。検索会社がアルゴリズムをいじるたびに、人々の半分は順位が上がって、残りの半分は順位が下がる［ここで言う人々とは、検索エンジンによってランク付けされるコンテンツの制作者のこと］。順位が上がった人々は『俺のよさをわかっている人がいるんだ』と喜び、順位が下がった人々は『ちょっと待てよ、何がどうなってるんだ』と考える」

二〇一九年のインタビューでウォーカーは、さまざまな不正行為を阻止するために、グーグルは「去年だけで二五〇〇を超える変更をアルゴリズムに加えた」と語ったにもかかわらず、「今も操作されるリスクがある」と認めている。だからグーグルはいまだに決まり文句のように、我々はユーザーが欲しているものを与えているだけだと言いつづけるのである。これは同社が大きな意味での社会ではなく、むしろ個々の消費者に焦点を当てていることを示唆している。

それ自体は問題ではない。問題は、その結果としてグーグルのようなデジタルプラットフォームは、強固な規制ではなく、人間の最も悪い側面をより強める力を手に入れてしまうことにある。コロンビア大学の学者であり、ビッグテック批判家としても知られるティム・ウーはこう説明する。「現代の市民社会では、人がどのように自分の関心を払うかが問われている」[注6]。皮肉なことに、この真実に最も注目しているのは、シリコンバレーのインサイダーたち自身だ。二〇一八年の一〇月後半に開かれた欧州プライバシー委員会会議の席上、アップルのCEOティム・クックが「データ産業複合体」を厳しく非難した。データ産業複合体とは、人々の個人データをできるだけ多く集めるために、彼らを可能な限り長時間オンラインにくぎ付けにすることで収入の大半を上げている会社（グーグルやフェイスブックも含む）で構成される企業連合のことだ。「私たち自身の情報が――日常的なものから極めて個人的なものまで――軍隊さながらの効率で、私たちに対する兵器として使われている」とクックは語り、自分の会社は今も収益の大部分をハードウェアから得ていると付け加えた。

税のオフショアリング問題や知的財産権の侵害に関する法廷闘争など、アップルにもアップルなりの問題がある。それらについてはのちに詳しく述べることになるだろう。それに、ライバルを「人々をできるだけ長くオンラインにとどまらせようとしている」と批判するときのクックには、少し偽善者ぶったところがある。なぜなら、いくつかの例外もあるが、アップルも同じようなことをしているのだから。特に目立っているのは〝基本無料・課金型〟ゲームの推進。私の息子も首ったけだ。

しかし、この分野に限って言うと、ほかの会社――フェイスブック、ツイッター、インスタグラム、スナップチャット、グーグル――のほうがより根深い問題を抱えている。なぜなら、それらの企業の中心ビジネスは、手品さながらのトリックや不透明なアルゴリズムを用いてユーザーの関心を引き留め、彼らの行動を操ることで行うデータマイニングに深く依存しているからだ[注7]。彼らは真の意味で関心の商人なのである。私たち消費者は彼らのサービスを無料だとみなすが、実際には無意識のうちに、私たちの関心を、そしてデータを対価として支払っている。彼らはそれを大々的に集め、現金に換える[注8]。

しかしそれ以上にやっかいな問題は、彼らのつくった複雑で不透明なデジタル広告システムには、どれだけ多くの人員を対策に充てても、いとも簡単に悪用されてしまうリスクがあることだ。セックススキャンダルを起こしたアンディ・ルービンにグーグルが九〇〇〇万ドルの退職金を支払った事実が新聞に載ったのと同じ週に、もう一つの、より重要なニュースが紙面を賑わせた。

一二五のアンドロイド・アプリとウェブサイトが数百万ドル規模の詐欺の対象になったのである。簡単に言うと、詐欺師たちは数多くの正当なアプリ――その多くは子供たちをターゲットにしたアプリで、一連の人気ゲームに加え、自撮りアプリや懐中電灯アプリなどが含まれていた――を開発者から（ビットコインで）買い上げて、それをキプロス、マルタ、イギリス領ヴァージン諸島、クロアチア、ブルガリアなどにあるダミー会社に売り渡した。ユーザーに内緒で、それらアプリにはクリックやスクロール、あるいはスワイプなど、行動のすべてを記録するボットプログラムが組み込まれ、自動でユーザーの行いを模倣して、アプリ上の広告へのトラフィックを人工的に増やす。そうやって、広告主からの支払いを増やしたのである。だまされたユーザーの個人情報をリスクにさらすのを承知のうえで、だ。

「そのようなたくらみが明らかになったという事実が、詐欺行為がデジタル広告エコシステムに深く入り込んでいること、各ブランドから多大な価値が盗まれていること、業界がそのような行為を阻止するのに失敗していることを示している」と、バズフィード・ニュースが報告している[注9]。しかし、アンドロイドのアプリだけが標的にされたという事実が、グーグルのプラットフォームが――したがって、そのユーザーが――どれほど詐欺やデータ侵害にもろいかを、如実に物語っている。

この記事は第一面に載ることはなかったが（記事が出た二〇一八年の秋、メディアはもっと差し迫った問題を抱えていた)、バージニア州選出の民主党上院議員であるマーク・ワーナーが連邦取引委員会に書簡を送り、「デジタル広告詐欺の拡大、およびそのような悪用を抑制する態度を見せない業界主要関係者」に対処するよう求める理由にはなった。

ここ数年、ワーナーをはじめとした上院議員たちは、ほかにも本当に数多くの手紙を書いた。ビッグテックに行動の変化を促すために。しかしなされるのは、わずかな数の番人を適当に配置する、あるいはプロパガンダよりも質の高いコンテンツに力を入れると繰り返し唱えるなど、どれも取るに足らない中途半端な努力ばかり。まるで攻撃的な癌細胞に対して総合ビタミン剤で戦いを挑むような話だ。なぜそうなのだろうか? なぜなら、フィルターバブルも、フェイクニュースも、データ侵害も、詐欺も、世界で最も悪徳で——したがって利益も多い——ビジネスモデルの中心に横たわる問題だからだ。そのビジネスモデルとは、データマイニングとハイパーターゲティング広告である[注10]。

## 科学のオーラ

ケンブリッジ・アナリティカのスキャンダルを通じて、フェイスブックのプラットフォームが外国の工作員によって二〇一六年の米国大統領選挙の不正操作に利用されていたことが明らかになったおかげで、ソーシャルメディアやそれらの広告収益型ビジネスモデルが自由民主主義に対する脅威になるという認識が、一般の人々のあいだで一気に広まった。しかしながら、監視ビジネスのパイオニアはあくまでグーグルであって、フェイスブックではない。そして創業者のブリンとペイジは、グーグルという名で新事業を始めた一九九八年当初から、そのビジネスモデルが抱える可能性と危険性の両方に気づいていた。グーゴル(googol)ではなく、グーグルに社名を決め(スペルを簡単なものに変えたのはペイジだった——単純に書き間違えたという説もある)、明るい色調のロゴを作成したとき、スタンフォード大学にいた有力者たちは、コンピュータの演算力を使い果たすこの目新しいプロジェクトに大いに関心を寄せ、ペイジとブリンに対し、大学の設備を使って何らかの学術研究をしているのだから、その成果を公表してもらわなければ困ると指摘した。ペイジとブリンは拒否した。二人はアルゴリズムの完成にかかりっきりだったのだ。データをかみ砕いて答えにするための複雑な数式の完成に。

アルゴリズムは科学のオーラをまとっている。結局のところ、アルゴリズムとは数学と定量的情報にもとづいているのだから。しかし同時に、とても人間的でもあり、プログラムを書く人物の個人的な考えや先入観も反映している。もちろん、できのいいアルゴリズムもあれば、できの悪いアルゴリズムもある。九〇年代後半からすでに、ペイジとブリンが開発を続けているアルゴリズムはとても、本当にとても、優れているとみなされていた。少なくとも、多大な価値があるので、絶対に人に手放すべきではないと考えられていた。

「[スタンフォード大学の]人々は、『なんであそこまで秘密にする必要が?』と疑問を口にしていた」。当時、ペイジとブリンを指導していたテリー・ウィノグラードが回想する。「これは学術研究なのだから、我々にもその仕組みを知る権利があるだろう、と言って」[注11]

ここで明らかになっているのは、学者の態度は、起業家のそれとまったく異なっているという事実だろう。学者は研究の成果を発表して人々に広めることで報酬を得る。発表の場が、査読が義務の学術論文誌なら理想的だ。一方の起業家は、大金を生む可能性のある、自分だけが知る秘密を守りつづける必要がある。ペイジとブリンが間違いなく起業家タイプの人間であることは、誰の目にも明らかだ。

特にペイジが秘密の漏れを恐れていて、教訓としてニコラ・テスラの名を口にしていた。セルビア人のテスラは、一九三一年の『タイム』誌で特集記事が組まれるほどの天才科学者で、ロボット工学、電気学、無線などの分野に革新をもたらした人物として称賛されていたのだが、アイデアを商品化する才能がなかったため、貧困のうちに息を引き取ったのである(テスラの名は長年にわたり忘れ去られていたが、イーロン・マスクが自身の電気自動車にその名を授けたため、再び多くの人が知るようになった)。ペイジは、自分はテスラと同じ運命を歩みはしないと心に誓った[注12]。

それでもウィノグラードに説得されて、一九九八年、まだスタンフォード大学に在籍していたペイジとブリンは『大規模ハイパーテキスト型ウェブ検索エンジンの仕組み』というタイトルで論文を提出した［注13］。おもなテーマは、彼らがつくった検索エンジンの内部動作の説明だったのだが、論文のなかですでに、検索が利益をもたらす際に生じる本質的な矛盾についても予言していた。特に問題視されたのはデータマイニング——セルゲイ・ブリンの専門分野——で、より具体的には、ユーザーのデータを燃料とする広告という新発明を通じて、人はとても、とても裕福になれるという事実だった。

皮肉なことにこの種の広告を行うことに、当時のペイジとブリンは強く反対していた。データマイニングそのものを否定したのではなく、データを検索およびターゲティング広告と組み合わせることに反対していたのである。データマイニングは単純に、大量のデータを分析して、全体としての傾向やパターンを発見するための方法である［注14］。しかし、個人の行動を追跡して、つまり、人々が何を探し、何をクリックしているのかなどを記録して、彼らの人となりを示すデータベースを構築し、その情報を適切な広告主に売りつけるのは、絶対にやってはいけないことのように思えた。

「ラリーとセルゲイはスタンフォード大学で書いたオリジナルの論文で検索エンジンの創造について語り、そこで彼らは広告を売った場合、その広告によって検索エンジンは必ず腐敗してしまうと、具体的に指摘している。だから、二人はグーグルに広告を掲載することにも反対していた」と、同社の初期にソフトウェアエンジニアを務めていたダグラス・エドワーズが語っている[注15]。

実際に、この点は彼らの論文のなかではっきりと指摘されている。「現在のところ、商用検索エンジンにおけるおもなビジネスモデルは広告を頼りにしている」と、ペイジとブリンは第八節の一八ページ目、『広告と複合的な動機』と題した付録Aのなかで書いている。そしてこう付け加えている。「広告ビジネスモデルの目標は、ユーザーに質の高い検索機会を提供することと必ずしも一致しない」

付録のなかで、二人はこう続けた。「我々が考えるに、広告を資金源とする検索エンジンは本質的に広告主を優遇し、消費者の需要から遠ざかるだろう。専門家でさえ、検索エンジンを見通すのは難しいため、そこに潜むバイアスを見つけるのはとても困難になる」。その後のグーグルが、激しい論争を巻き起こした行為も含め、これまでやってきたことのすべてがユーザーの〝ため〟だったと主張しつづけている事実を考えると、とても興味深い考察だと言える。また、彼らが論文で繰り広げた主張がすでに、この技術そのものの複雑さを強調している点も興味深い。その複雑さがあったからこそ、のちのグーグル社員たちに、ペイジとブリンが初めから気づいていたバイアスという難問が突きつけられたとき、明確な答えを見つけることができなかったのだろう。

もちろん、一九九八年時点では、この問題が将来どれほどの影響を及ぼすことになるのか、はっきりしたことはわかっていなかった。しかしそれでも、ペイジとブリンがこの問題に不安を覚えていたことは特筆に値する。二人は、商用検索における不正行為のリスクはそれほど大きくならないと結論づけた。加えて、検索を公共のものにすべきかどうかも検討した。公共にすれば、広告ベースのビジネスモデルの場合ほど簡単に不正操作ができないはずだ。しかし、最終的に二人は、民間検索のマイナス面は「市場に許容される」だろうと判断した。言い換えれば、人々は不正に操作されてもその事実に気づかない、たとえ気づいても問題にしないだろうと考えたのである。

そして実際、人々は気にしなかった。しばらくのあいだは。

## クリック一日一〇〇万回

ブリンとペイジが論文を発表した時点で、スタンフォード大学の友人や同僚たちが一日に一万件以上の検索を行っていた。彼らのサイトはまだ大学関係者や一部の情報通以外にはほとんど無名だったのに、トラフィックは急増していたのである。スタンフォード大学は斬新な発明を生み出す大学としての自負にもとづいて、ペイジとブリンを研究室から追い出しはなかったが、二人は自身の取り組みを次のレベルに引き上げるために資金を必要としていた。幸運にも、彼らにはスタンフォードの人脈があった。

そこで彼らは教授のデビッド・チェリトンに相談した。そのチェリトンが二人をアンディ・ベクトルシャイムに紹介する。サン・マイクロシステムズの共同創業者として財をなしたスタンフォード大学卒業生だ［注16］。ベクトルシャイムはすぐに、最も短期間で資金を集める方法は広告、より具体的には、検索結果と同時に表示されるターゲティング広告であると見抜いた。ベクトルシャイムはこう回想する。「ここにスポンサーリンクがある。そのリンクが一回クリックされるたびに五セントの儲けになるとして、ざっと計算してみたんだ。『リンクは一日に一〇〇万回はクリックされることになるとして、一回五セント。つまり、一日で五万ドル――少なくとも、倒産の心配はない』」［注17］。ベクトルシャイムはブリンとペイジに一〇万ドルの小切手を手渡し、ポルシェに乗り込んで去って行った。

最初の出資者だ。その後、初期のグーグルに投資した人物にはシリコンバレーの伝説級の大物たちが名を連ねている。そのうちの一人がアマゾンの創業者であるジェフ・ベゾス。一九九八年に二五万ドルを出した。「まだ事業計画も存在しなかった」と、ベゾスは雑誌『ニューヨーカー』のインタビューでジャーナリストのケン・オーレッタに語っている。「でも、ラリーとセルゲイのことが大好きになったんだ」［注18］

こうしてグーグルという会社が誕生した。一年目のグーグルは、いかにもシリコンバレーの若いスタートアップといった趣だった。野外フェスティバルのバーニングマンに巡礼したり、優秀な人材をおびき寄せるために魅力的な特典を用意したり。性的にも奔放だった。「グーグルではセルゲイがプレイボーイだった」と、グーグルで初代の料理長を務めたチャーリー・エイヤーズが証言する。同社にまだ一二人しか従業員がいなかった時代に、ペイジとブリンが雇い入れた人物だ［注19］。「彼は会社のために働いている人たち相手に性行為に及んでいた現場を目撃されていたんだ。マッサージ室でね。みんな知っていたよ。手広くやっていた。人事部の人から聞いたんだけど、この件に関してセルゲイはこう言っていたそうだ。『何がいけないいんだ？　みんな俺の従業員なんだぞ』」。アダム・フィッシャーの著書『Valley of Genius（天才たちの谷《バレー》）』のなかで、エイヤーズはそう回想している［注20］。

そうこうするうちに、大きな変化が生じはじめた。なかでも最も大きな出来事は、グーグルが生み出す大量の検索データが自己拡大の効果を発揮しはじめ、ユーザーが新たなユーザーを呼ぶようになったことだ。その理由として、検索とは結局のところ、特定のアルゴリズムの性能がそれほどでなくても、アルゴリズムが扱うデータさえ大量にあればうまくいくという点を挙げることができるだろう［注21］。言い換えるなら、グーグルはこれから羽ばたこうとする若いインターネット会社にとって喉から手が出るほど欲しい現象を引き起こすことに成功したのである。その現象は「ネットワーク効果」と呼ばれていて、ある製品や機能を使う人が増えれば増えるほど、製品や機能自体もよりよいものになっていく、という意味だ。その仕組みはばかばかしいほど単純だ。最高の検索サイトだという評判が広がると、そこにやってくる人が増える。人が増えればデータも増える。データが増えれば、検索エンジンがよりよくなっていくだけでなく、結果として収益も増す。

その時点まで、グーグルは検索技術をほかのコンテンツサイトにライセンス供与することで収益の大部分を上げながら、ゆっくりと着実にトラフィックを増やしつづけた。加えて、人々がオンラインでどこへ行って何をしているかを記録する「クッキー」と呼ばれるデジタルタグのおかげで、ユーザーの行動のすべてを追跡できるようにもなった。クッキーがユーザーの名前や住所を特定することはないが、グーグルが着手したばかりの広告ビジネスが必要とする非常に貴重なデータベースに情報をもたらしてくれた。結局のところ、人々がオンラインのどこで、いつ、何をしているかを知れば知るほど、どこにターゲットがいるかを知りたがっている広告主に、より多くの情報を売ることができるのである。

グーグルが勢いを増す一方で、当時はまだグーグルよりもユーザー数の多い大規模な検索エンジンがいくつか存在していた。代表例はエキサイト（Ｅｘｃｉｔｅ）で、サン・マイクロシステムズ出身のベンチャーキャピタリストであるビノッド・コースラが投資した会社だ。もちろん、ヤフーも忘れてはならない。間違いなく、当時のシリコンバレーで最も輝いていたドットコム・スタートアップだ。検索、電子メール、さらにはコンテンツの集積や制作まで、ウェブサイト上の何でも屋のような存在だった。ヤフーは検索の性能や仕組みにこだわるのではなく、ウェブ上の〝ポータル〟になる道を選び、検索はグーグルに委託することにした。

これがグーグルにとって大きな転機になった。二〇〇〇年六月の出来事である。この取引によって、グーグルはヤフーから数百万ドル規模の支払いを得ただけでなく、さまざまな特権も手に入れた。例えば、ヤフーでニュース検索をするユーザーに、グーグルのロゴと、検索を実際に行ったのはグーグルであるというメッセージを表示することができたのだ［注22］。しかし、グーグルにとってこの取引の最大の利点は、収入や認知度ではなくデータだった。集まってくるデータが検索エンジンそのものをさらに賢くしただけでなく、新規のユーザーを引き寄せる助けにもなった。しかものちに、グーグルが誇る〝紙幣印刷機〟――アドワーズ（ＡｄＷｏｒｄｓ）という名で知られるオンライン広告システム――の燃料にもなってくれたのである。

すでに見てきたように、もともとグーグルには広告を売る計画はなかった（そもそも、何らかの計画があったのかどうかも疑わしい）。確かに、ヤフーとの契約から得た収益はありがたかったが、投資家たちを本当に満足させるために、グーグルは一回限りの大儲けで満足するわけにはいかなかった。持続的な収益源が必要だ。金儲けができないのなら、いくら大量のユーザーがいても意味がないではないか。グーグルは年間二五〇〇万ドルを失っていたので、投資家たちは事業案に不安を抱きはじめていた[注23]。「収益を生まなければならないというプレッシャーがすごかった」と初期のグーグルで働いていたダグラス・エドワーズは言う。そこでペイジとブリンは、自分たちの倫理観は少し厳しすぎたのかもしれないと考えるようになった。検索結果のいちばん上に広告を載せるのは、それほど悪いことではないのでは？　エドワーズによると、結局二人は「広告はすべてが邪悪なわけではない――妥当で役に立つものもある」と結論づけた[注24]。

のちにアドワーズと呼ばれることになる仕組みを考案したのは、連続起業家にして、投資家でもあり、先見の明に優れていることで知られるビル・グロスだ。グロスは当時すでに金儲けの才能の高さでシリコンバレーの伝説的存在だった。カリフォルニア工科大学を優秀な成績で卒業したグロスは、アイデアラボ（Idealab）を設立する。映画スタジオが映画を世に送り出すのと同じように、スタートアップ企業を量産するいわゆる〝インキュベーター（起業支援事業者）〟だ[注25]。ちなみに、本書の出版時点までに、グロスは一五〇の会社を立ち上げ、四五件の株式公開あるいは合併・買収に携わった。

グーグルが一九九八年に創業したころ、グロスはゴートゥー・ドットコム（Goto.com）という、たとえるならネットの職業別電話帳のような会社を始めたばかりだった。ゴートゥーでは、企業が最も関連性の高いウェブページの隣の広告スペースをオークション形式で買うことができた。例えば、マウンテンバイクの広告を出したい場合、広告主は「マウンテンバイク」という検索用語に入札する。そして、最も高い入札額を提示した者が、検索結果のすぐ横に広告を掲示することができたのである。ゴートゥーがこの技術をTEDカンファレンスで公開したとき、人々は感銘を受けると同時に、不安も覚えた。グロスが客観的であるはずの検索結果をいじって、広告スペースのために現金を支払った広告主の検索ランクを実際よりも高く見せていたからだ。これは当時一般的だった信条に反する行為だったため、人々の多くは実演中のグロスにブーイングを浴びせたほどだ［注26］。それでもグロスはお構いなしで、自分のサービスを提供する契約をAOLなどの企業と結び、五〇〇〇万ドルもの利益を上げた。

その様子を、グーグルの面々は――そして何より、グーグルの投資家たちは――熱心に観察していた。彼らがそこに見たものは札束だった。「ゴートゥーが繁盛し、グーグル幹部がそれに気づいた」［注27］。『ワイアード』誌の共同創刊者で、グーグルの検索機能の発展と商業化を扱った『ザ・サーチ』の著者でもあるジョン・バッテルの言葉だ。グーグルの出資者であるマイケル・モリッツが特に強く、検索技術を他社にライセンス供与するという既存の収益モデルに、先行きの不安を感じていた。そのビジネスモデルを「残忍な道」と呼んだほどだ［注28］。ビッグデータと広告の力を利用するのではなく、契約を積み重ねて金儲けをする方法を優先する理由があるだろうか？

ここでもまた、ネットワーク効果が重要な鍵になる。データが増えれば増えるほど、検索結果は優れたものになる。それがより多くの広告主をおびき寄せ、広告が増えるのでそれをクリックするトラフィックも増え、それがさらにデータを増やし……。そこでモリッツは、グーグルにゴートゥーの技術を手本として詳しく観察するよう促した。グーグルはそれに従った。「人々は、ほかのさまざまな会社が検索広告を通じて大金を得ているといった話を読みはじめていたのに、私たちはいわばテーブルに置かれているお金に手を出さないと決めたような態度だった」と、グーグルで五番目の従業員だったレイ・シドニーが指摘している。

彼の言葉は的を射ている。時間がたつにつれて、ネットワーク効果のすさまじさが明らかになってきていた。一九九九年八月の時点で、一日に三〇〇万件の検索がグーグル上で行われていた――それが二〇〇〇年の夏には一八〇〇万に増えていたのである。そこに彼らがヤフーのために行っていた検索も加えると、その数は六〇〇〇万に膨れ上がる。しかし、それほどの数の検索と手に入れたユーザーのデータは、ターゲティング広告にまだ存分に活用されていなかった。というのも、ゴートゥーのシステムが行うような、自然な検索結果の一部のように見える形のリンク――広告主が買ったもの――に比べて、スポンサーリンクをクリックする人は少なかったのである。そこでペイジとブリンは、グーグルの投資家であるモリッツによると、「賢明にもゴートゥーが提案したやり方を採用することにした」。もし彼らが「ほかの会社でうまくいっていた広告技術の一部を取り入れていなかったら、［グーグルは］小さいながらも優れたハイエンド企業に

育ったことだろう」[注30]

実際には、誰もが知るように、グーグルは検索および広告業界を牛耳る存在に成長し、すべてのプラットフォーム技術企業からビジネスモデルの基準とみなされるようになった。ターゲティング広告を中心的な収入源にしたのはグーグルだけでなく、フェイスブックやアマゾン（ターゲティング広告を使って自社サイトにユーザーを誘導し、彼らが以前興味を示した商品をクリックするように促している）をはじめとするほかの多くの企業もあとに続いた。人々にものを買わせるまったく新しい方法が生まれたと言えるだろう。

監視資本主義こそが、企業が成長する一番の近道になった。これはプラットフォーム企業に限られたことではなく、プラットフォームを通じて広告を行うあらゆる種類のビジネスに言えることだ。ここが大切な点である。グーグルのような会社があらゆる種類のほかの産業――ヘルスケアから輸送まで――に参入してくるのは時間の問題である一方で、市場であまりにも大きな力を得ようとしているそれらの企業に対して抗議の声を上げてしかるべき関連事業が今も口を閉ざしたままなのは、彼らもプラットフォームが提供するターゲティング広告から利益を得ているからだ。今では、あらゆる種類の会社が一日二四時間体制で休みなく顧客をスパイし、彼らをより正確に狙い撃つことができるようになった。しかしほかの業種にとって、プラットフォーム企業のターゲティング広告を利用することは、悪魔と契約を結ぶような話だと言える。なぜなら、彼らは得るものよりも多くを失っているのだから。そのうちビッグテックがますます肥大化し、彼らに噛みつき、シリコンバレーがほかの市場を飲み込みはじめるだろう。

それでもなお、ドルではなくデータが牽引する経済が示す未来像は、抵抗できないほどの魅力を備えている。関心の商人が誕生した――そしてできるだけ多くの人を、できるだけ長い時間オンラインにくぎ付けにするための競争が始まっている。フィルターバブルやフェイクニュース、そしてそこから生じる自由民主主義への挑戦は、ほかの人々にとってそのうち大きな問題になるだろう。

# 第4章

# 1999年のパーティ

CHAPTER 4

## Party Like It's 1999

自分のことを打ち明けるのはあまり好きではない。しかし、本書では大切だと思うので、ここで一つ告白しておきたい。じつは、私は以前、あるインターネット関連企業のために働いていたことがあるのだ。一九九九年当時、成功したいと願っていた四〇歳以下の人のほとんどがインターネット関連のビジネスに携わる方法を模索していた。接続が改善され、ケーブル会社や通信会社がブロードバンド回線の敷設を始めた――それからの一〇年で数百万マイルもの回線が敷かれる予定になっていた――ため、かつては目新しかったインターネットも、当たり前になりつつあった。一九九〇年から一九九七年までに、アメリカでコンピュータを所有している家庭の割合は一五パーセントから三五パーセントに増えていた。インターネットを〝サーフィン〟するのは普通のことになりつつあっただけでなく、イーベイ（eBay）でものを売ったり、ヤフーやAOLでメールをチェックしたりする人も増えていた。アマゾンも急成長していて、その証拠にジェフ・ベゾスは『タイム』誌から一九九九年のパーソン・オブ・ザ・イヤーに選ばれている。同じ年、アメリカではクリスマスプレゼントのオンライン売り上げが倍増し、その大部分がベゾスのアマゾンで買われたのだった［注1］。

市場は活況を呈していたが、のちの不況の種も生み出していた。簡単に金儲けができ、金利も低い時代だった。二〇〇八年の金融危機につながる数年、あるいはそれ以降の状況と似てなくはない。当時、ドットコムバブル（インターネットバブル）が生じるきっかけの一つになったのが、一九九七年の納税者救済法で、この法律によりアメリカでは少額キャピタルゲインに対する最高税率が二八パーセントから二〇パーセントに引き下げられた。そのため、投機的な投資をする人が増えたのである。連邦準備制度の理事長だったアラン・グリーンスパンは、株式評価額に関する発言を繰り返して投機を促していたのだが、皮肉なことに、そのような態度は彼自身が「根拠なき熱狂」と呼んだ状態を助長しただけだった。そのような状況が可能になった原因の一端は、一九九六年の電気通信法など、ビッグテックに有利な一連の法律が、ほかの会社が守らなければならないやっかいな規制の多くを、インターネット企業が回避できるようにお膳立てしたからだと言える。

ちょうどそのころ、私にもドットコムの時流に乗るチャンスが巡ってきた。しかも、ベンチャーキャピタリストとして。数多くの投資億万長者たちが、テクノロジー分野でも金融分野でも働いたことのないジャーナリストである私に、六桁の給与と数え切れないほどのストックオプションを差し出してまで、「汎ヨーロッパB2Cメディア取引」――B2Cとは企業と消費者間の取引のこと――の偵察係として雇い入れようとしていたという事実が、市場がピークに達していたことをはっきりと物語っている。今思えばわかりやすい話なのだが、一九九九年の秋、ロンドンに拠点を置くハイテク関連インキュベーター企業のアントファクトリー（Antfactory）に声をかけられたときの私には、まだそこまでの展望はなかった。アントファクトリーは、元投資銀行家や新米の投資家で構成される新興のベンチャーグループで、とても楽観的にヨーロッパ版のアイデアラボになるという目標を掲げていた。本家アイデアラボのビル・グロスに匹敵する存在はアントファクトリーにはいなかったのだが、それでも簡単に金儲けのできる自信過剰な時代のことだ、大物投資家などを説得して、ヨーロッパのドットコム型スタートアップに投資するための資金を一億二〇〇〇万ドルも集めることに成功していた。

そんな彼らが、『ニューズウィーク』誌でヨーロッパのインターネットブームについて記事を書いた私に注目した。記事の見出しは「ネットに熱狂するヨーロッパ」。さらにこう続く。「症状は明らか——ホットな新会社、フェラーリをエサにした求人、サイバースペースの覇権をかけて争う輝かしき若きビジネスパーソンたち」。今振り返ってみると、そんなことを書いた自分が少し恥ずかしい。当時、もう少しよく考えていたら、私は急降下にさしかかったばかりのジェットコースターに乗り込んでしまったことに気づいただろう。通常、アメリカのニュース雑誌の特集記事に書かれている内容と真逆の事態が、実際の市場では進行していると考えていい。この意味で、私が書いた記事も例外ではなかった。記事が発表されてから一年と少しがたったころに、市場の下落が始まった[注2]。

私が記事のアイデアを思いついたのは、当時の夫カムビズとロンドンを訪れていたころのことだった。カムビズは、一九七九年革命のあとに両親とイランからイギリスに逃亡し、それ以降同国で育ったのだった。ほとんどのロンドン在住イラン人と同じで、彼も裕福で流行に敏感な若者のグループとつるむことが多く、そうした友人たちを通じて、私たちは勢いを増してきたロンドンのハイテクシーンのプレーヤーたちと出会ったのである。シリコンバレーでは、テクノロジー業界のエリートたちはほかの社会から隔離された郊外で活動することを望むが、ロンドンの彼らは騒がしい都市部の高級地区に集まる。

当時は「クール・ブリタニア」と呼ばれた時代のピークにあたり、楽観的で高揚した空気が、かすかに俗物的な気取りが、そしてもちろん、金のにおいが、あたりに漂っていた。いまだにニ《新》ュー《しい》レイバー《労働党》（当時アメリカで力を誇示していた民主党コーポラティズム派のイギリス版）という考え方が正しいように思えたし、トニー・ブレアは一般に（いい意味で）イギリスのビル・クリントンとみなされていた。税の抜け道を探す独裁的経営者や手早い取引で簡単に金儲けがしたいアメリカ人たちがロンドンに押し寄せていたこともあり、すべてが――とりわけ不動産価格が――〝上〟へ向かう一方通行の道を進んでいるかのようだった。ソーホーハウスやホームハウスなどといった会員制のプライベートクラブや、ロンドンのメリルボーン地区にあるきらびやかなポートマンスクエアに建つ一八部屋のジョージアンマンションなどで、ナプキンの上にビジネス計画が描かれていた。どこも、大金持ちの外国人や「トフ」と侮辱的に呼ばれる上流階級出のイギリス人だけが近づける場所だ。

私の書いた記事はイギリスやそのほかの国のマスコミでも紹介され、それを読んで私に接触してきたアントファクトリーの代表者と初めて面接したのもホームハウスだった。私に最初の電話をかけてきたその代表者とは、南アフリカからロンドンへ移住し、かつてルパート・マードックの弟子だったロブ・ハーソヴという人物で、スポータル（Sportal）という名でヨーロッパ全土を網羅するスポーツ〝プラットフォーム〟を立ち上げたのだった。そのプラットフォームは各地のスポーツ施設や、イタリアのユベントス、ドイツのバイエルン・ミュンヘン、フランスのパリ・サンジェルマンなどといったチームと提携していた。そうそうたる名前が並んでいるが、中身はスカスカだった。ロブが得意としていたのは、マーケティングだったのである。見事に波打つブロンドの髪とまばゆいほどの笑顔がとても印象的な人物だった。レンジローバーを操り、社交的な妻がいたが、それでも彼を見ていると、私はバービーのボーイフレンドであるケン人形を思い出さざるをえなかった。

記事が出た一週間後に、ロブが私に電話をしてきて、興味深い提案をした。「今はまだバラバラのヨーロッパのインターネット市場で〝規模《スケール》〟と〝相乗効果《シナジー》〟をつくろうとしているロンドンのすばらしいスタートアップの一員になりませんか？」。同じ言語を話し、同じものをオンラインでもっともっと買おうとする二五〇〇万人もの消費者をすでにとりこにしているアメリカとは違って、ヨーロッパにはたくさんの国があり、それぞれ独自の文化と市場をもっていた。イビサ島やベルリンのクラブで鳴り響くテクノ音楽に合わせて、無言のまま体をくねらすほぼ裸の若者たちを結びつけるのは、共通通貨として浸透しはじめたばかりのユーロだ。彼らに言葉はいらなかった――彼らにとって、楽観こそが共通言語だった。

ヨーロッパがようやく本当の意味で、経済的にも政治的にも団結しようとしていた時期だと言える。ポジティブなグローバル化という人類史上最大の実験が行われていた。そしてアントファクトリーはそのど真ん中に陣取るつもりだ、とロブは説明した。新たに生まれるすばらしい規模の経済を活用するために。アントファクトリーはヨーロッパで最高のドットコム企業を旅行、音楽、金融、そして健康の分野で探し出し、それらを一つに統合して、世界に認められる存在にするだろう。それにともない、株式評価額も上がるはずだ。ロンドン、フランクフルト、そしてパリの証券取引所は競い合って、生まれたばかりの新興企業の株式を公開しようとするに違いない。富はすべての人にもたらされる。〝絶対に〟そうなる――とどのつまり、一つのサイトでことが足りるのなら、六つの異なる旅行予約サイト（フランス用、イタリア用、スペイン用など）が存在する必要がどこにあるだろうか？

ニューヨークの中心にある薄暗くて天井の低い雑誌社のオフィスで、外国特派員が送ってくる文章を何時間もかけて書き直す作業に没頭していたそのときの私にとって、ロブの話はとても魅力的に聞こえた。アメリカでは、ヤフー、イーベイ、アマゾンなどが爆発的な急成長を遂げていたのに加えて、活字メディアからオンラインメディアへの移行がすでに始まり、ワイアード、ファスト・カンパニー、インダストリー・スタンダード、レッド・ヘリングのようなデジタル経済に特化したきらびやかな雑誌やクールなウェブサイトも、次々と誕生していた。『ニューズウィーク』誌にいた私たちは、この世界はまもなくすっかり様変わりするだろうと予感していた。確かに、そのころもまだ、かつてはゼネラルモーターズの会議室だった木造のペントハウスに陣取る編集員には、無料でディナーが提供されていた。しかし会社はすでに、雑誌が印刷に回される日の夜遅くに行うことが恒例だった乾杯（ときには過剰な飲み会）のドリンク費を節約しはじめていた。意外と費用がかさむ、という理由で。以前の贅沢に慣れ親しんだベテランたちには考えられないことだ。これもまた、市場に大きな変化が現れていたことの兆しだろう。

同じような例として、私が勤めていた最後の雑誌になった『ワーキング・ウーマン』というビジネス誌に、フリーランスの記者として記事を書いていたローレル・トゥービーの運命を紹介したい。ローレルは記者を辞め、オンラインメディアで働くクリエイティブな人々のためにネットワークグループを立ち上げ、それをメディアビストロと名付けた。ローレルは記者としては超一流ではなかったが、イベントの主催者としては信じがたいほどの才能があり、ロウアーイーストサイドのバーでサロンを開き、人々をもてなした。その際、いつも身につけていた色鮮やかな羽毛の襟巻きが彼女のトレードマークになった。私も何度か参加したことがあって、いつもとても楽しかった。ときには彼女と二人でコーヒーやお酒を飲みながら、メディア業界の衰退を嘆いたり、ニュース雑誌の給料だけでどうやってニューヨークで生きていけばいいのだろうなどとぼやいたりした。私は一度、こう言ったことがある。「ローレル、あなたは本当にジャーナリズムを捨てて、ビジネスを始めるべきよ」。そして、彼女はその助言を実行して、それまで個人的なつきあいだったフリーランサーのネットワークをメディアビストロ・ドットコムという組織に育て上げたのである。記者、レポーター、編集者にとって頼りになる資源の宝庫だ。これがメディアやPR部門の雇用市場を席巻し、のちに二三〇〇万ドルもの高額で、あるテクノロジー企業に売却されたのだった。会社の六〇パーセントを所有していたローレルは、売却で得た資金を使って、すぐにアパートを購入した。そのアパートがあまりにもすばらしい建物だったので、『ニューヨーク・タイムズ』紙が記事にしたほどだ。そして彼女は結婚し、スタートアップ投資家として活動を始めたのだった[注3]。

ロブの申し出について考えたとき、確かに私の頭のなかでは、記者としての厳しい生活（そして何より厳しい収入）を捨ててインターネットの富に授かるという考えが渦巻いていた。しかもその話が来る前から、イギリスに移り住む計画も検討していた。夫の父親が体調を崩していたので、ブライトンにある夫の実家の近くに引っ越そうと考えていたのである。『ニューズウィーク』誌は私の転勤を認めてくれていたし、競合する『ウォール・ストリート・ジャーナル』紙と『タイム』誌のヨーロッパ部門からもオファーがあったので、数日中に最終決断を下すつもりだった。私はジャーナリストという仕事が大好きだったし、複数の選択肢もありがたかった。しかし、どの出版社を選んでも、未来像は予想できた。記事を書きつづければ、もしかしたら上級編集員やコラムニストになれるかもしれない。そして毎年ほんの二パーセントずつ給料が上がっていくのだ。一方、アントファクトリーが示したのは、ビジネスジャーナリストにとってまったく新しくてとても魅力的なオファーだった。ゲームについて書くのではなく、実際に参加するのだから。そこで私はアントファクトリーのメンバーに（当然、全員が男性だった）、一度ロンドンで実際に会って、オファーについて話し合いたい、と申し出た。会合にどんな服を着ていくべきか、私はかなり悩んだあげく、最後は五〇年代風の古風なスーツとシガーソンモリソンのＴストラップヒールを選ぶことにした。この選択は、当時の私がテクノロジーよりもはるかにファッションのほうに精通していたことの証だろう。

会ってわかったのだが、会合の相手も、テクノロジーについてあまり多くを知らなかった。ロブはおもにエンターテインメント業界と高級ブランドに携わってきた人物だった。ほかの二人はそれぞれソロモン・ブラザーズとモルガン・スタンレーの出身。つまり金融のプロだ。ハンサムながらも愛想の悪いチャールズ・マーフィーというアメリカ人は、サビル・ローのスーツを着ていて、ドットコムで一旗揚げようとする男性のわりには、服装もふるまいも、不釣り合いなほどにフォーマルだった。創業者のハーパル・ランダワは早口なインド人投資家。新興市場で財をなした人物なのだが、その方法は私にはよく理解できなかった。しかしもう一人のロブ、ロブ・ビールが新たなCEOになる理由はよく理解できた。彼はやる気満々の陽気なアメリカ人で、コンサルティング会社モニターのパートナーだった人物だ。グーグルでエリック・シュミットがそうであったように、アントファクトリーで〝監督役の大人〟として機能するのだろう。

記者としての経験から、私には彼らが最高クラスの人員ではないことがすぐにわかった。しかしそれでも、ドットコムの盛況がピークを迎えているさなかに、パートナーおよびスカウト要員としてハイテク・インキュベーターの踊りの輪に加わることができる――しかもどこをどうとってもシリコンバレーの郊外よりも生活に適しているロンドンで――という考えは、しっかりと検討してみる価値があると思えた。私は、この事業が最終的に破綻する可能性をおよそ六〇パーセントと見積もった。その一方で、パートナーたちは数年間資金を拠出するのにじゅうぶんな財力をもっている。しかも私には子供もいないし、財政状況が逼迫しているわけでもない。加えて、彼らが提示したストックオプションは、実際にある程度の価値があると思えた。それに最悪の場合でも――私は自分に言い聞かせた――テクノロジー業界について今以上の知識が身につくのだから、それをもってジャーナリストの仕事に戻ればいい。

## フェラーリとドットコムバブル

一九九九年一二月、私と夫はロンドンへ移り住んだ。私はドットコムの世界に飛び込み、まもなくローレルの発明のロンドン版に遭遇する。ファースト・チューズデイという名のネットワークサロン兼ヘッドハンティングサイトだ。創業したのは以前に『フィナンシャル・タイムズ』紙の記者をしていて、のちにオンラインメディア企業のゴーカー(Gawker)を立ち上げることになるニック・デントンと、シリコンバレーから移住してきたジュリー・マイヤーの二人。両者ともに、技術者というよりもむしろビジネスパーソンだ。ヨーロッパでは、実際のエンジニアリングはイングランドのケンブリッジ、あるいはエストニア(安価なプログラマーのコミュニティが発展している)やスカンジナビア(以前からモバイル分野が大きく成長していた地域)で盛んに行われていたのだが、ロンドン発のスタートアップには、ロンドンという都市のDNAが色濃く刻み込まれていた。とにかく金と取引が肝心だったのだ。

そして金と取引ならいくらでもあった。ファースト・チューズデイのウェブサイトには数分ごとに、新しい仕事や新しい会社が掲載されつづけた。わずか数カ月のあいだに、ニック・デントンとジュリー・マイヤーが毎月親睦会を開いていたバーに数百人の人が訪れるようになり、会場に入れない人が出るほどになった。一九九九年までに、事業は二五の都市に拡大していて、出資しようとする投資家もあとを絶たなかった。ベンチャーキャピタリストが、別のベンチャー企業のゲートウェイとしてのみ機能するベンチャー企業（つまりファースト・チューズデイ）の一部を所有するために数百万ドルを支払うという考えは、あまりに〝アメリカ的〟に聞こえるかもしれない。しかし、ニック・デントンが私に言ったように、ファースト・チューズデイをつくりあげた起業家や投資家は、まさに自分たちのことを〝精神的にはアメリカ人〟とみなしていた。彼らはアメリカ人のカリスマとヨーロッパ的なスタイルを併せ持つ人々だったのだ［注4］。

ファースト・チューズデイの交流イベントでは、デントンとマイヤーは苦もなくどこに金が埋もれているのかを目で見ることができた――潜在的な出資者は赤い丸のついたラベルを、〝タレント（才能）〟たちは緑のラベルを身につけていたのだ。数が少なく、従って必然的に人気があった赤メンバーは、数時間にわたり主催者が用意した安ワインとスナックを口にしながら、熱心に言い寄ってくる緑たちを振りほどかなければならなかった。同社の主張によると、そのような形で1億ドル規模の契約が結ばれていたそうだ。その数字を私は決して信じないが、完全に嘘だと言うこともできない。いずれにせよ、大きな金額が動いていたことは確かだ。それに、きらびやかな人々が集まる愉快な情景であったことも否定できない。

ロンドンでよく知られる成功物語を紹介しよう。エルンスト・マルムステンという名の、北欧風のエルビス・コステロといった感じの人物と、そのパートナーである元有名モデルのカイサ・レアンデルの物語だ。二人はスウェーデンで、当時世界で三番目に大きいオンライン書店としてｂｏｋｕｓ．ｃｏｍを立ち上げた。一九九八年にその会社を売り、ファッション市場に目を向ける。特に狙いを定めたのは、若くてテクノロジーに詳しい消費者だ。彼らなら、ヴァンズのスニーカーやコズミックガールのＴシャツなど、なかなか手に入らないスポーツウェアに定価を支払うだろうと考えたからだ。のちに、高級品を扱うグローバルな複合企業として知られるＬＶＨＭの長であるベルナール・アルノーも、さらにはイタリアの小売業者ベネトンも、同じことを考えていたことがわかった。マルムステンとレアンデルはＢｏｏ．ｃｏｍを立ち上げ、まもなく三ラウンドにわたり大規模な資金調達に成功した。ロンドンのカーナビー・ストリートでオフィスを開き、さらには同時に七つの国で事業を展開できたほどに[注5]。その一方で、こちらも見栄えのいい、名門イートン校出身のカップル、ブレント・ホバーマンとマーサ・レーン・フォックス——オックスフォード大学の歴史学者の娘——が急な旅行に特化した旅行予約サイトＬａｓｔｍｉｎｕｔｅ．ｃｏｍを開き、成功していた。最終的に二人は会社を上場し、五億七七〇〇万ポンドを調達した[注6]。ファースト・チューズデイでさえ、最後はおよそ五〇〇〇万ドルで売りに出された[注7]。

ジュリー・マイヤーの名誉のために付け加えておくが、彼女自身が、ファースト・チューズデイが成功できたのは「正しい時間に正しい場所にいたから」だと認めている。彼女のような存在はドットコムの世界では珍しい。私自身、優秀で知識豊かなのに何らかの理由で成功できなかった起業家をたくさん目にしてきた一方で、成功した人たちにはある共通点が見つかることにも気づいていた。彼らは例外なく、自分が成功できたのは自らの能力のおかげだとみなし、幸運が作用したという考えをほとんどの場合で否定するのである。

当時ロンドン界隈を賑わしていた起業家の多くは切れ者のアメリカ人、しかもその大半がいかにもシリコンバレーっぽい雰囲気で、まだ幸運が残っているはずの未開の地を探し求めていたのだった。例えば、一部の人々はオンライン・ブックメーカー（スポーツ賭博サイト）を開設するためにロンドンへやってきた。アメリカでそのようなサイトを開くのは簡単ではないからだ。Ｆｌｕｔｔｅｒ．ｃｏｍの共同創業者であり、スタンフォード大学経営大学院の卒業生にして私の夫の気さくなポーカー仲間でもあるジョッシュ・ハナーもその一人だ。ジョッシュは私たちよりも数年先にロンドンへやってきたのだが、そのとき彼がもってきたのは、一つのビジネスプランといかにもアメリカ人らしい仕事最優先の労働倫理だけだった。彼の店は典型的なドットコムで、今のテクノロジー企業の多くとも似通っていた。オタクっぽいＴシャツやビーチサンダルで彩られ、一見したところとても気楽で、見ようによっては間抜けとも感じられたものの、実際にはほかの大規模な企業と同じで、極めて貪欲で、金儲けにすべての意識を集中していた。私はそんな彼と〝ワークライフバランス〟の必要性について言い争いになったことがある。そのとき彼は、仕事と生活をバランスよく両立させようとはしていないし、スタートアップ企業で仕事と生活を両立させるのはそもそも不可能だと（おそらく正当にも）主張した。その苦労が実ったのだろう――Flutter．comはオンライン・ブックメーカーのBetfair．comとの合併にこぎ着け[注8]、のちにロンドン証券取引所で二一億ドルの値で上場した。

ジョッシュは例外ではない。一九九九年末の時点で、ロンドン発の会社はシリコンバレーのそれほど大きくはならなかったが、それでもロンドンで生まれる物語は、シリコンバレー発の伝説に匹敵するほどになりつつあった。私はある人物の奪い合いの話を聞いたことがある。彼はロンドンの数多くのドットコム企業から、幹部になるよう求愛されていた。ある金融サービス関係のウェブサイトの出資者がその人を昼食に招待した。彼が指定された場所に着いたとき、招待した側は彼に、駐車場に並んでいた車に気づいたかどうか尋ねたそうだ。そして一台のフェラーリを指さして、もし契約してくれるのなら、あの車の鍵を今この場所で譲り渡す、と言った。すると男は、自分は赤が好きではないと言い残してその場を去り、ほかのスタートアップと契約したのだった。

絶頂期の九〇年代では、シリコンバレーの外でもそのようなことが行われていたのである。一九八〇年代に始まった強欲の時代が、一九九〇年代後半に実を結んだ。それはクリントンとブレアの時代でもあった。レーガンとサッチャーが始めた市場の規制緩和の多くを、二人がそのまま引き継いだのだから。かつての労働運動や、金時計と年金をもらって幸せに定年退職するという古めかしい考えがついに消えてなくなり、映画『ウォール街』の主人公ゴードン・ゲッコーが理想とみなされ、そこそこ裕福な母親が『マネー』誌を参考に株の売買をして、一夜にして長者になることができた時代だった。ウォール街も金をかき集めていたが、象徴的な額ではシリコンバレーの足元にも及ばない。それでもシリコンバレーの人々は実際に金を稼いでいるという意識が強かった。彼らは会社という形で実際の価値をつくり出していたからだ。とは言え、そのほとんどは紙の上の価値にほかならない。

シリコンバレーのベンチャーキャピタリストたちはシリコンバレーのドットコム企業に大金を注ぎ込んでいた。同じことを、イギリスの投資家もしようとしていた。ヨーロッパの各銀行も、より高い利益を得るために簡単な金儲けの方法を探していた。オランダのＩＮＧ銀行や、スイスの金融大手クレディ・スイスの子会社であるクレディ・スイス・ファースト・ボストンなどが積極的に新規取引を行い、最も熱いターゲットを探すための助言者としてアメリカから投資銀行家を招き入れたほどだった。

アントファクトリーも同じことをしようとした。しかしすぐに、メンバーにそれを実行する能力がないことが明らかになった。アントファクトリーの私たちが目にしたもののほとんどは、すでに成功しているスタートアップの模造品、あるいは既存の老舗ブランドのインターネット版をつくろうとする浅はかな試みばかりだった。例えば、私が面倒を見るように頼まれたピープルニュースというプロジェクトは、すでに存在する派手なゴシップ誌のオンラインバージョンでしかなかった。すべてが無意味に思えた。私たちが手がけていたのは、本当の意味で新しい何かをつくることではなく、ただ何かの名前の後ろに〝ドットコム〟と付けることばかりだったからだ。私にとってあのころは、職場へやってきては、みんなオープンプラン式のオフィスで中身のないアイデアを検討しながら、忙しいふりをしているだけなのだ、と考える日々だった。この体験から、オープンプラン式の部屋は本気で仕事をするには向いていないと、私は確信しているし、この考えはこれからもずっと変わらないだろう（まわりで人々がおしゃべりをしているなかで何かを考えることができる人など存在するのだろうか？）。それでもアントファクトリーの創業者たちは契約を取り付けつづけ、マスコミは地元ロンドン発のインキュベーターについて純真なまでにポジティブな記事を書きつづけた［注9］。しかし内部では、会社は真の姿に逆戻りしはじめていた――手早く金儲けがしたいだけの元都市銀行員の寄せ集めに。

今振り返ってみると、まさにそれこそが一九九〇年代から二〇〇〇年代にかけてのドットコムブームの本質だったと言える。はるか遠くのシリコンバレーで、グーグル、アマゾン、ペイパルなどといった少数の会社が長続きする隙間産業を開拓し、市場を独占した。そして、そこに人が群がった。二〇〇一年、『ニューヨーク・タイムズ』紙のコラム「エコノミック・シーン《経済情勢》」でグーグルのハル・ヴァリアンがこう述べている。「〝勝者がすべてを得る〟という言葉は、裏を返せば〝敗者は何も得ない〟ということ。そして当然ながら、勝者よりも敗者のほうが圧倒的に数が多い」［注10］。まったくそのとおりだ。しかし、当時の度を超えた資金調達活動の燃料となっていたのは、人々がもつ典型的な経済力だけではない。思い起こせば、当時の状況は、世界の金融資本とテクノロジーの中心、そしてワシントンやブリュッセルなどといった権力中枢の結びつきがますます密接になっていったことの表れだと思われる。そして、経済学者のマンサー・オルソンが数十年前に予測し、警告していたように、それが引き金になって政治経済全体に大きな問題が生じたと考えられる。なぜなら、財力のあるエリートたちが政治システムそのものを買い上げはじめたからだ［注11］。

テクノロジー業界がロビー活動を活発に行いはじめたのは二〇〇〇年代半ばになってからだが、ウォール街とワシントンはすでに数年前からロビー活動を行い、ストックオプションに関する新しいルールを決めさせることに成功していた。そのおかげで、ありえないほど高い評価額を賭場のサイコロのようにばらまくことができるようになった。それが結果として、ドットコムバブルを未曾有の大きさに膨らませたのである。これはクリントン政権下で生じた変化であり、同政権はウォール街とシリコンバレーの両方から多大な支援を得ていた。今でも史上最高の政治家の一人だったと言えるビル・クリントンは、不平等のギャップを埋めるという彼のメッセージを支持した党の改革派と、彼の自由商取引・自由放任的なアプローチを好んだ親ビジネス派の両陣営から支援を取り付けることに成功した。彼の政権には両派閥の支持者が含まれていた。進歩的な経済学者にしてノーベル賞受賞者でもあるジョセフ・E・スティグリッツが大統領経済諮問委員会の長を務める一方で、ネオリベラル派のボブ・ルービンとその補佐としてラリー・サマーズが財務省で役職を得ていた（そのサマーズの参謀長だったのがハーバード大学卒で、「何が最善かは市場自身が知っている」という考えを駆使して、のちにグーグルとフェイスブックに多大な影響を与えることになるシェリル・サンドバーグだ）。

ところが両陣営がストックオプション——シリコンバレーの命の源であり、ドットコムブームという名のギャンブルで流通する通貨——の扱いをめぐって対立するようになった。具体的に説明すると、かつては違法とされていて、一九八二年にレーガン政権によって合法化された株の買い戻し問題（企業が公開市場で自社株を買い戻して価格をつり上げることの是非）に関する議論が再燃したのだった。一九九〇年代までは、買い戻しは企業の支払いの急騰や悪意ある意志決定などといった機能不全を引き起こす主要な原因だとはみなされていなかった。ところが新しい会計基準を導入して帳簿上のストックオプションの価値を切り下げるよう企業に強いようとする動きが盛んになったとき、それに抵抗するためにテクノロジー企業の〝新経済〟がクリントン政権に対してロビー活動を始めたのだった。

要するに、スティグリッツの言葉を引用するなら、企業は主要幹部が「自社株を市場価格以下で買う権利を――買い戻しても株の価値が変わらなかったふりをする権利を」求めていたのである。カリフォルニア選出の上院議員であるバーバラ・ボクサーやダイアン・ファインスタインをはじめとする大多数の保守派がその要求を支持していたことからも、金融およびテクノロジー関係者のロビー活動がいかに強力だったかがよくわかる。

クリントン政権も支持する側に回った。政権はCEOに対する報酬の税控除限度額を一〇〇万ドルに制限する規制を導入したが、同時に例外として一〇〇万ドルを超える〝実績ベース〟の支払いを認めたため、ストックオプションの形で高額ボーナスの支給が可能になった。スティグリッツの考えでは、これこそが任期中のビル・クリントンが後世に残した最大の問題点の一つだ。「業績給の税控除を押し通したとき、彼らは株価の上昇が何らかの形で業績と関連していると保証することはしなかった。そのため、株価の上昇が経営者の努力の結果であるか、金利の低さのおかげなのか、それとも原油価格が変わったからなのか、などとは関係なく、有利な扱いが認められることになった」[注12]

さらに悪いことに、税法が企業の資本よりも負債を優先するように緩和されてきたため（借入が税的に優遇されるため、現在、企業の証拠金負債は記録的な高さに達している）、企業にとっては自社株を買い戻して価格を操作することのうまみが増したとも言える。スティグリッツに言わせると、「ストックオプションのブームのせいで、あらゆる悪事を行い、［会社を］実際よりもよりよく見せる誘惑が強くなった。これが、私が創造的会計《クリエイティブ・アカウンティング》と呼んでいる違法すれすれの会計操作がはびこる直接の原因だ。それが私たちの経済に壊滅的な影響を及ぼしている」［注13］

買い戻し問題は二〇〇八年の金融危機以降に、より大きな問題として再燃することになる。アップルやグーグルのような企業が超低金利（それ自体が危機への対策だった）を利用して、アメリカの債券市場に大量の債券を発行し、その際の収益を使って買い戻しや配当を行う形で、最も裕福な株主に払い戻しを行ったからだ。その結果、貧富の差がさらに広がった［注14］。しかしここでは話を二〇〇〇年代初期に戻そう。当時はもう一つ別の問題が生じていた。ドットコムブームが終わろうとしていたのだ。ナスダック指数の値は二〇〇〇年三月一〇日にピークを迎えたものの、その三日後、日本の景気が再び後退しはじめたことをきっかけに全世界で株価の急落が始まる。これがいつものように〝リスク回避〟を引き起こし、投資家たちはそれまで創造的会計の陰に隠れていたが実際には価値の低い株をたたき売りはじめた。三月二〇日、投資情報誌『バロンズ』が「炎上警報――あっという間に資金を失いつつあるインターネット企業」という見出しで記事を掲載した。企業は収益計算の反転を報告しはじめ、投資家はかつて称賛を集めたスタートアップは実際には中身よりも見た目だけが立派だったことに気づきはじめる。連邦準備銀行が金利の引き上げを決めたとき、賽は投げられた。〝あぶく銭〟はもう残っていなかったのである。

## ドットコムの破滅を扱うドットコム

Ｐｅｔｓ．ｃｏｍなどが倒産したことを覚えている人は多いが、ほかにも数千の会社が不況後の年月で破産したか、買収された。ごく一部の例を挙げると、ｅＴｏｙｓ．ｃｏｍ、エキサイト、グローバル・クロッシング（Ｇｌｏｂａｌ Ｃｒｏｓｓｉｎｇ）、アイビレッジ（ｉＶｉｌｌａｇｅ）などだ［注15］。Ｊａｖａの開発に携わり、数年前に私が初めてシリコンバレーを訪れたときにインタビューをした相手でもあるキム・ポレーゼが立ち上げたマリンバも消えていった。『タイム』誌が一九九七年にポレーゼのことを「最も影響力のあるアメリカ人」の一人に選んだ、わずか数年後のことである［注16］。ロンドンでは、すでに紹介したＢｏｏ．ｃｏｍが人気雑誌での広告、社内キャンペーン、ファーストクラスでの飛行機移動、豪華なパーティなどに一億二五〇〇万ドルを費やしたのちに、オフィスを閉鎖した。どうやら、本当に機能するサイトをつくることに費用をかけるのを忘れていたようだ。実際、あまりにも多くのドットコム企業が倒産したので、それらの記録だけでウェブサイトがつくれたほどだ。ヤフーのホームページにも、ドットコム・フロップトラッカー（失敗追跡）と呼ばれるページにつながるリンクがあった。皮肉なことに、業界で繁栄をつづけていたのは、アメリカにおけるドットコムの破滅を伝えるわずかなサイトだけで、高い二桁台の成長率を記録していた［注17］。

これは一九九〇年代後半から二〇〇〇年代前半にかけて、起こるべくして起こった倒産だったと言える。なぜなら、そこには明らかな詐欺があったからだ。そしてたいていの場合、市場が底を打ったとき、人々は詐欺の存在に関心を向けはじめる。当時、アメリカでもヨーロッパでも、数多くの規制調査が行われ、数百の投資銀行やアナリスト、あるいはテクノロジー企業が訴えられた。ヨーロッパ系の大手銀行の多くは、悪徳株の意図的な優遇、インサイダー取引、収賄などのスキャンダルが告発された。例えばドイツ銀行は、同社のアナリストがドイツテレコム株に〝買い〟の分析を発表したわずか二日後に、同株式を四四〇〇万株手放したことを理由に、一般に「もの言う株主」と呼ばれる活動家たちから訴えられている。

また、ヨーロッパとアジアの投資家の多くが、マンハッタンの敏腕弁護士として知られるメルヴィン・ワイスに、ウォール街の銀行と、ヨーロッパを拠点にしているものも含む数多くのテクノロジー企業を相手に集団訴訟を起こすよう依頼した。例えばワイスが担当した一三八件の訴訟のうち、四九件でクレディ・スイス・ファースト・ボストン（ＣＳＦＢ）の名前が挙がっている。手数料を大幅に引き上げ、注目ＩＰＯ（新規株式公開）の恩恵にあずかりたいと望むクライアントたちから大量の賄賂を受け取っていた、という理由だ。結果、大物たちの多く――ＣＳＦＢのテクノロジー系投資部門のボスとして悪名高いフランク・クアトローンも含む——が没落していった[注18]。オッペンへイマー・ホールディングスの技術調査アナリストとしてアマゾンの成功を最初に予測したことで知られるヘンリー・ブロジェットも、問題株を問題株と知りながら推奨したという理由で訴えられた。ブロジェットは証券詐欺で有罪判決を受け、二〇〇万ドルの罰金を支払い、不正利得の二〇〇万ドルを返済したうえで、業界から追放された。のちにテクノロジー・ジャーナリストに転身している。

二〇〇〇年の終わりごろは私も、ジャーナリストを続けていればよかった、と思いながら暮らしていた。しかもその当時ですら、まだどん底の状況ではなかった。エンロン（Ｅｎｒｏｎ）とワールドコム（ＷｏｒｌｄＣｏｍ）の崩壊はまだ起こっていなかったからだ。確かに市場は低迷していたが、まだ底値に達していなかった（ドットコム不況の終わりまでに、株式市場は時価総額にして五兆ドルを失うことになる）。しかし、アントファクトリーのオフィスの雰囲気はどんどん暗くなっていった。ふだんから塞ぎ込みがちなチャールズ・マーフィーは、上昇志向の強い、小柄でブロンドのアメリカ人妻へザーが彼のもとを去ったことで鬱病に陥った。へザーは夫を捨てて、つねに褐色に日焼けした高齢の南アフリカ人カジノ王として知られるソル・カーズナーのもとへ走ったのだ。このスキャンダルはロンドンのタブロイド紙でいっせいに報じられ、へザーが子供を連れて、カーズナーが所有するリゾート地のあるカリブ海のパラダイス・アイランドへ向かったなどといった記事が紙面を賑わせた。私は毎朝マーフィーのガラス張りのオフィスの前を通り過ぎたのだが、彼はいつも頭を抱えて座っていたものだ。ロブ・ビールのユーモアでさえすっかり消えてしまい、代わりに「とにかく、手に入れられるものは何でも手に入れろ」という悲観的な態度が強くなっていった。当然のことながら、かつては会社に入れてくれとひっきりなしに叫んでいた若いコンサルタントや銀行家たちも、あっという間に数が減っていった。

パーティの時間は本当に終わったのだ。私は予備計画を発動させ、アントファクトリーを去って、ヨーロッパ専門の経済特派員として『ニューズウィーク』誌に復帰することにした。

この決断がもう少し遅れていたら、痛い目に遭っていただろう。二〇〇一年の九月に、アントファクトリーの出資者たちが経営陣を見限り、一億二〇〇〇万ドルの返済と、会社の解散を求めたのである。数年後に聞いた話なのだが、その後ロブ・ビールはシンガポールでアジア人のCEOたちを指導する立場になり、いつも目ざとくてやり手のハーパル・ランダワはジンバブエのダイヤモンドビジネスに参入したそうだ。つまり、彼らはほかの業界人よりもうまく危機を乗り越えたということ。チャールズ・マーフィーはのちにアメリカに戻り、高利回りのヘッジファンドに関する職を歴任したのだが、最後はバーナード・マドフ事件（訳注：アメリカ史上最大級の巨額詐欺事件）に巻き込まれることになる。マーフィーがアントファクトリーを辞めたのちに働いた会社の一つがマドフとともにマドフが推薦する相手に投資していたからだ。アッパーイーストサイドにある高級住宅での贅沢な暮らしを維持できなくなったマーフィーは、生きる希望を失った。二〇一七年三月、彼はニューヨークのソフィテルホテルの二四階から飛び降りて、自ら命を絶った［注19］。

## 今回は違う？

私は悲惨だった当時のことを思い出しながら、その後のテクノロジー業界では何が変わって、何が変わらなかったのだろうと考えることが多い。現在にいたるまでテクノロジー市場は大きな発展を遂げてきたし、インフラも大幅に改善し、真の意味で時代を変えるイノベーションも行われてきた。私たちは今まさに人工知能やモノのインターネットなどの時代に突入しようとしている。どれも企業の多くが将来の収益増を期待している分野だ。本当にそうなるかどうかは、まもなく明らかになるだろう。とは言え、互いに会話し合える機械は、オンライン・ゴシップサイトなどよりもはるかに実用的で、有益な使い道があることは間違いない。過去一〇年に誕生した会社の多くは、直前の世代の企業よりも長持ちすることは確かだろう。インターネットそのものが私たちの経済の骨組みになり、規模と機会を生み出している。

しかし、すべての企業がそうだというわけではない。今のテクノロジー業界には、心配になるほど一九九〇年代後半と似ている部分がある。簡単に資金が得られ、消費者に対する考え方が以前とそっくりなため、バブルが生じ、そのバブルもすでに縮みはじめているのだ。その証拠として、ウーバーのぱっとしなかったＩＰＯ――詳しくはのちに説明する――や、ジョウボーン（Ｊａｗｂｏｎｅ）の台頭と没落を挙げることができるだろう。ウェアラブル・デバイス製造の最王手として名を馳せたジョウボーンは、少し前まで「ロリポップ」など明るい色の健康管理用リストバンドをダボスのＶＩＰに配っていたのに、数年後には自社を切り売りせざるをえなくなったのだった。ジョウボーンが失敗したのはあまりにも早く市場に参入しすぎたからだ（同社は一九九〇年代後半にブルートゥース搭載デバイスを発売した）とか、睡眠監視や歩数計算などの機能がｉＯＳやアンドロイド上のアプリで実行できるため、同社のデバイスやエコシステムの根幹をなすスタンドアロン型のデバイスがなくてもいいことに気づくのが遅すぎたからだ、などと主張することはできるだろう。

しかし一方で、典型的なシリコンバレー産ユニコーン企業（評価額が一〇億ドルを超えるスタートアップ企業）だったジョウボーンは、自らの成功の犠牲になったと言うこともできる。ジョウボーンは、評価額が三二億ドルに膨れ上がり、セコイア・キャピタル、クライナー・パーキンス、アンドリーセン・ホロウィッツ、コースラ・ベンチャーズなど、世界に名だたるベンチャーキャピタリストから資金を集めていた。結果、いわゆる「フォアグラ効果」が典型的な形で生じた。

資金をどんどん使い、評価額が天井知らずで上がりつづけたのだ。そして最後には、(同社製品のユーザーの一部と同じように)自分の害になるほど豊かに太ってしまった。

ジョウボーンは生き残るためだけに、クウェート投資庁に資金援助を求めた。クウェート投資庁のような主権国家の資産ファンドから得られるのは、シリコンバレーの情報通から得られる出資金とは性質が違うため、そのような資金源に頼る姿勢は決していい兆候ではない[注20]。この種の投資は出資額こそ大きいが、多くの場合に手遅れで、ほかの投資家が手を出さないとき、あるいはスタートアップがIPOまでに自社の評価額を膨れ上がらせたいときに行われるのが通例だ。実際のところ、ビッグテックのプラットフォーム企業の多くが中東から資金を得たことを、のちになって後悔している。例えばウーバーはサウジアラビア政府からの出資を受けたのだが、同国のムハンマド・ビン・サルマーン王太子から距離をとるのに苦労した。独裁的な王太子はジャーナリストのジャマル・カショギの殺害を命じた人物として訴えられたのである(もちろん本人は否定している)。殺害の直後に「砂漠のダボス」と呼ばれるサウジアラビア投資会議への参加を(ほかのアメリカ人大物ビジネスパーソンとともに)辞めたため、疑惑の目が向けられたのだ。

ジョウボーンのような会社の消滅、あるいは新規株式公開に対する興奮の欠如は、シリコンバレーの経済にバブルが生じていることを示す二つの兆候だと言える。もう一つの兆候は、借金の急増だ。一例を挙げると、ネットフリックスは最近、新規コンテンツ用の資金としてジャンク債を通じて二〇億ドルを調達した［注21］。次に期待される大型ＩＰＯがどうなるか――そもそものようなことが行われるのか――今から楽しみだ。テクノロジー系のトップ企業の多くはできるだけ上場を遅らせようとする。評価額をつり上げ、期待をあおるためだ。本書を書き終えたころ、ウーバーもリフト（Ｌｙｆｔ）もＩＰＯで世間の期待を大きく裏切った。今後もＩＰＯ前の高まった期待に応えられない企業が出てくると、私は予想している。その懸念が特に強いのはイーロン・マスクのスペースＸ、そしてピーター・ティールのパランティア社だろう。パランティアは株式公開を見越して、一三種のロブスターと刺身からなるランチをすでに縮小しはじめている（二〇〇億ドルもの評価額がついているにもかかわらず、同社が過去一四年の歴史を通じてまだ一度も黒字を出していないことを考えると、ランチの予算を削るのは正しい選択だろう）［注22］。今日の人気者も、明日には嫌われ者になっているかもしれない。本書を書き終えた時点で、日本のテクノロジー投資企業の巨人ソフトバンクが、ウィーワーク（ＷｅＷｏｒｋ）の株式を一六〇億ドルで購入する計画を放棄した。

シリコンバレーの事情通はすでにバブルのにおいを嗅ぎ取っている。「ジョウボーンを見ていると、いくつかの点で［かつて存在したパーソナル・デジタル・アシスタント・メーカーの］パーム（Ｐａｌｍ）を思い出す。両者には実際の市場が存在していた、という意味で」と語るのはオライリーメディアの最高経営責任者にして、分岐した経済におけるシリコンバレーの役割を説いた『WTF経済　絶望または驚異の未来と我々の選択』の著者でもある投資家のティム・オライリーだ。「しかし別の意味では、ジョウボーンはテクノロジー部門の資金繰りを反映している。同社は熱狂の波に乗ったが、その波の本質は結局のところ投機であり、今のテクノロジー市場の〝チューリップ〟のような性質を反映している」[注23]

Pets．comのようなスタートアップが株式を上場し、数億ドル規模の損失を出しながらも株価を上げることができていた二〇〇〇年代から事情はあまり変わっていないようだ。確かに、デジタルエコシステムは大きく育ち、変化し、深くなった。また、今では名前の語尾に「.com」とぶら下げるだけで簡単に資金を調達できるわけでもない。しかし、今も昔と変わらず、会社が利益を上げていなくても、それどころか商品を買う顧客がいなくても、投資家の興味を引くことができる。必要なのは、熱いニッチ市場を埋める〝ユーザー〟だけだ。私はいつも、パラダイム全体に何らかの巧妙な詐欺があると感じている。

シティバンク銀行の元CEOチャック・プリンスが言ったように、それでも「音楽が鳴っている限りは、立ち上がってダンスを続けなければならない」。この五年ほどで、ベンチャーキャピタリストの援助を受けた〝ユニコーン企業〟、つまり時価総額が一〇億ドルを超えるスタートアップの数が急増した。参入の障壁が低いため競合する企業が増え、結果、市場シェアをできるだけ多く奪うための競争が始まっている。民間企業だけではなく、ベンチャーファンドもこの非生産的なサイクルから生まれて肥大化した。かつては聞いたこともないような数十億ドル規模のベンチャーファンドが、今では当たり前だ。昨年、セコイア・キャピタルは八〇億ドルの、ソフトバンクにいたってはじつに一〇〇〇億ドルものシードファンドを調達した。

当然、大きなものは大きなものを生む。カリスマCEOたちとそのPRチームが、分野にまつわる魅力的な物語（ウェアラブル・デバイス、電気自動車、〝シェア〟経済、サイバーセキュリティなど）を大々的に広めている。さらに、そのような物語に打ち勝つために、例えば「ウーバーは六億八〇〇〇万ドルを投じて自動運転トラックを製造するオットー（Otto）を買収した」などと宣伝して、自らの〝価値〟を市場にアピールするのだ。評価はどんどん高くなるのに、ベンチャーキャピタリストやプライベート・エクイティ投資家が買いつづけるので、バブルは膨らみつづける。重量級のベンチャーキャピタリストがスタートアップの価値を高め、ほかの者はそれについていくしかない。選択肢は上昇か撤退かの二つしかない。

その結果として生じたのが、IPO市場における新たなバブルと、利益の心配を切実に〝しなければならない〟数多くの公開企業の低迷だ。わかりやすい例として、ウーバーと同社によって混乱に陥ったタクシー業界、そしてエアビーアンドビー（Airbnb）と同社によって追い詰められているホテル業界を挙げることができるだろう。このような情勢は、高騰したユニコーン企業の価値に投資する余裕のあるベンチャーキャピタリストには大歓迎だろう。そうすることでさらに多くの資金を集め、マネジメント料を得ることができるのだから。しかし私には、これが経済価値全体にとって好ましいことだとは思えない。

一方では、事実よりもむしろ物語にもとづいて高められた評価から生まれた資本は、目玉が飛び出るほど高額な給与に回され、研究開発や成長戦略にはあまり使われることがないという側面もある。報酬が急騰すると、当然ながら、不動産、サービス、そして労働の価格も跳ね上がる。シリコンバレーのハイウェイ101号線沿いに並ぶ、農場風の寂れたプレハブ住宅の価格を見たら、あなたは泣けてくることだろう。すべてがまっすぐに「群衆の狂気」――チャールズ・マッケイが一八四一年に出版した集団心理学に関する重要な研究で使った言葉――を指し示している。この集団心理の問題点は、通常、ごく少数の会社しか勝ち組には入れないことにある。勝てるのは、ネットワーク効果をうまく利用してデータとユーザーのエコシステムを支配した数少ない企業だけだ。だから私は、巨大プラットフォーム企業（ならびに旧態依然としたデジタル取引の一般規制やルールに依存している企業）を除いて、ほとんどのテクノロジー系グループの評価額を、公開か未公開かに関係なく、真に受けないことにしている。

現在の経済に見られる多くの事象が、私がロンドンでベンチャーキャピタルの一員として働いていた時代に似ている。当時も今と同じように、私たちはクレジットサイクルの末期にさしかかっていて、あまりにも多くの資金を注ぎ込んであまりにも小さな価値を追いかけていた。投資家たちは明らかに膨らみすぎていた市場にもう少し燃料を注ぐために、注目に値するＩＰＯが数多く行われることを期待していた。アメリカでも、ヨーロッパでも、それがどのような末路をたどったか、誰もがよく知っている。今と違って、当時は何の価値も生み出されなかったというわけでもない。ドットコム不況でドッグフード屋や高価なＴシャツの販売業者らが破綻して消えていった裏で、ブロードバンド回線があまねく敷設され、それが現在グーグルやほかの企業によってインフラとして活用されている。現代のデジタル経済は、かつてなかった便利さと規模の経済を享受している。

しかし、それでも今のバブルは重要な点において以前にも増して危険だと言える。ベンチャーキャピタルの資金は二〇〇〇年に崩壊し、その後回復し、二〇〇八年の金融危機で再び底を突き、そして二〇一四年以降に記録的な高みにまでリバウンドした。技術のおかげで会社を立ち上げるのに必要な費用は少なくなったが、成功するために費やさなければならない額ははるかに、はるかに大きくなった。次のユニコーンスタートアップをつくるための軍拡競争が熾烈を極めているからだ。カリフォルニア大学のマーティン・ケニーとジョン・ザイスマンが、スタートアップ投資における変化をテーマにした論文『Unicorns, Cheshire Cats, and the New Dilemmas of Entrepreneurial Finance（ユニコーン、チェシャ猫、起業融資の新たなジレンマ）』で述べたように、「どのスタートアップも、多くは黒字化の見込みもないまま、ほぼ避けようのない損失を出しながらも、無謀な成長による性急な拡大を通じて〝勝者の総取り〟の流れに乗ろうとする」

投資家たちが成長を価値の尺度とみなす限り、この音楽は流れつづける。しかし、ケニーとザイスマンが指摘するように、「ユニコーンは神話上の獣」でしかないのだ。ユニコーンの実際の財政状況と現状の資金調達モデルの持続可能性は、絶対に検証されなければならないし、今後の数年で検証されることになるだろう。過度に評価されている新しい企業のいくつかは、最後は消えてなくなるに違いない。バブルが破裂する前に船を下りた人々の笑顔だけを残して[注24]。

第５章

# 広がる暗闇

CHAPTER 5

# DARKNESS RISES

生前、スティーブ・ジョブズは彼の伝記を書いたウォルター・アイザックソンに、この世でまだ自分に残されている時間のすべてをグーグルのアンドロイド・システムを滅ぼすために捧げると語った。ジョブズは、親友だと思ってアップルの取締役に登用したエリック・シュミットが、アンドロイド開発のためにアップルのiPhoneを不当にコピーしたと信じていたのだ。「必要なら最後の息を引き取るまで、アップルの四〇〇億ドルの預金を使い果たしてでも、この間違いを正す」とジョブズは言った。「アンドロイドをつぶすつもりだ。アンドロイドは盗作なのだから」[注1]

ジョブズは実際に努力したが、誰もが知るように、成功はしなかった。特許侵害を理由に次々と訴訟を起こしたが、無駄だった（両社は二〇一四年に和解したが、これはむしろ休戦と呼ぶにふさわしい）[注2]。二〇一八年の第1四半期、グーグルのモバイル機器用オペレーティングシステムはスマートフォン界のじつに八六パーセントのシェアを誇っている。一方、アップルのiPhoneは、収益という意味では健闘しているとは言え、かなりの差を付けられてのシェア第二位だ[注3]。

ジョブズの発言は少しメロドラマ風ではあるが、決して被害妄想ではない。エリック・シュミットは本当に数年にわたってアップルの取締役会の一員だった。しかも、二〇〇一年にCEOとしてグーグルに参加したあとも。それに、彼がアップルから優れたアイデアの多くを奪ったことも明らかだ。ちょうどそのころ開発されていたアンドロイド・システムは多くの点でアップルの

iOSと瓜二つで、とても偶然とは思えない。それが理由で、シュミットは結局二〇〇九年にアップルの取締役を解任されることになった。

しかし、ライバルからアイデアを〝借用〟するのは、テクノロジー業界では珍しいことではない。例えば、フェイスブックは競合他社が何をしているかを追跡するために、二〇〇三年にイスラエルのサイバーセキュリティ系スタートアップであるオナボ（Onavo、訳注：同社はスマホ用データ管理アプリなどを開発・提供していた）を買収した。以後、フェイスブックは利益につながると思えることは何でもコピーできるようになった。いわば、波に乗っているスタートアップを見つけて通報してくる〝早期〟警戒システムだ。同時にフェイスブックはユーザーがそれらのシステム上で何をしているか、詳しく知ることもできた［注4］。

基本的に、オナボは合法的な企業スパイで、それがもたらす情報を使えば、フェイスブックは既存のライバルを攻撃することも、できたばかりのベンチャーの多くの行く手を阻むこともできたのである。一例を挙げると、フェイスブックは二〇一六年にスナップチャットに注目した。若者に大人気のライバル企業だ。その最大の特徴は一時性（永遠に残るように〝壁〟に刻み込むのではなく、スナップチャットで送られたメッセージは読まれたあとすぐに消える）とアニメーションフィルター（ユーザーは自分の写真に猫の耳やひげなどを付け足すことができる）だ。偶然にも（偶然ではないのかもしれないのだが）、そのころちょうどフェイスブック傘下のインスタグラムがストーリーと呼ばれるよく似た機能をスタートさせた。オナボはフェイスブックにとって、デジタル世界の水晶玉のような存在になったわけだが、二〇一九年初頭に閉鎖されることになった。フェイスブックが子供や若者たちにオナボのスパイアプリを携帯電話にインストールさせるために、ギフトカード一枚につき二〇ドルを支払ったという疑惑を、テッククランチが報じたからだ［注5］。

以上のようなことは、本書以外でも幾度となく論じられている［注6］。しかし、アンドロイドとiOSの類似点は、グーグルが誕生したころの理想から大きく離れてしまったことをはっきりと物語っている。二〇〇〇年代初頭、必ずやってくるIPO――シリコンバレーのすべての起業家と投資家の夢――の日に向けて突き進んでいたころのグーグルには、我々は公開市場へデビューの準備としてどんな手を使ってでも収益を計る悪徳大企業とは違うのだ、というそぶりはほとんど見えなかった。ではかの有名な「邪悪になるな」というモットーは？　ジョブズは「ばかばかしい」と切り捨てた［注7］。

グーグルの変化が公にもはっきりと見えたのは、二〇〇一年にシュミットを雇い入れたときだ。そのころのグーグルは自社の広告モデルをつくりあげている途中で、それが本当に新しい金脈になるかどうか、まだはっきりとはわかっていなかった。投資家は、グーグルには大人の監督、つまり優れたアイデアを株価の上昇に結びつける力をもつ堅実なマネジャーが必要だと考えた。ぺイジとブリンは投資家たちに対し、厚かましくもその人物はスティーブ・ジョブズ以外にありえないと言ったのだが、ベンチャーキャピタリストは、ジョブズ――すでに二つの公開会社を経営していて、おまけに伝説的存在――のような人物を取締役として招き入れることができると考えているのなら、ペイジもブリンもほかの惑星からやってきた世間知らずに過ぎないと反論した。賢くて、知識豊富な人間が必要だ。だが、創業者のペイジとブリンのバックコーラス役で満足できる人物でなければならない。少なくとも、自分がロックスターになろうとしない人物が。そこで、ネットワーク会社ノベル（Ｎｏｖｅｌｌ）の現職ＣＥＯでかつてはサン・マイクロシステムズで最高技術責任者も務めていたエリック・シュミットに、クライナー・パーキンスのパートナーとして有名なジョン・ドーアが白羽の矢を立てたのだった。シュミットは四〇代。スーツを着こなし、ビジネスを理解していた。しかし同時に、本物のエンジニアでもあり、グーグル創業者と同じ言葉を話す［注8］。

シリコンバレーのほかのエリートたちと同じで、シュミットも裕福な家庭の出だ。ジョンズ・ホプキンス大学の心理学教授の息子で、バージニア州フォールズチャーチで育った。いかにも上流階級らしく、シュミットも熱心な優等生で、大学では遠距離走で八つの賞を受け取り、学問でも成績が優秀で、電気工学の分野でプリンストン大学を卒業した（のちにカリフォルニア大学バークレー校で修士と博士の学位を得ている）。技術オタクで、ベル研究所とゼロックスのパロアルト研究所で働いていたこともある。加えて、シュミットは会社の経営に必要なビジネスへの理解も、社会的なスキルも持ち合わせていた。そのため、一九八三年にソフトウェア・マネジャーとして就職したサン・マイクロシステムズであっという間に頭角を現した。

サン・マイクロシステムズには速さを特徴とする文化があり、その際、ソフトウェアの〝オープンソース化〟という新しい運動を大いに活用した。つまり、コードをパブリックドメインに置くことで開発者同士が仕事やアイデアを共有しながら、会社を中心としたエコシステムを短時間でつくりあげたのである。オープンソースにはたくさんの利点がある。起業家は他人のアイデアを踏み台にすることができるので、経済学者や技術者の多くは、イノベーションや経済成長にとってオープンソースは欠かせない存在だと言うだろう。例えばアップルなどが採用する〝壁に囲まれた庭〟アプローチとは真逆の考え方だ。その一方で、オープンソースでは会社の知的財産を守るのが難しい。この点が、のちにグーグルやアップルがイノベーションのエコシステムを自らの戦略目標に合わせてつくり直すために力を使いはじめたとき、大きな問題になった。

## ミスター・シュミット、ワシントンへ行く

グーグルへやってきてから一年もたたないうちに、シュミットは社内にグループをつくり、と

ても有益なビジネスモデルを構築した。次は、それを守る方法を見つけなければならない。グーグルの検索エンジンはすばらしいできだったが、そこから得られるデータを利益に変えるには、検索エンジンを無料のまま誰にでも使えるようにし、なおかつ著作権やプライバシー規則、あるいは特許などといった、多くのトラフィックを集めることの邪魔になる存在から可能な限り解放されていなければならない。そのために必要なのは規制や法に関する戦略と、ワシントンでグーグルのために活動するロビイストと弁護士の（公式および非公式の）チームだ。そこで、シュミット、ペイジ、ブリンの三人および少数のインサイダーが、政府対策チームのリーダーを決めるために、さまざまな候補者を相手に面接を行った。

その一人がピーター・ハーター。シリコンバレーが誇る最高のロビイストで、以前はネットスケープ（Netscape）のために政府政策を誘導し、マイクロソフトに対する反トラスト裁判では同社を勝利に導いた人物だ。ハーターは知的財産を専門とする弁護士であると同時にテクノロジー業界のインサイダーでもあり、政治にも精通していた。一世代前のビッグテック企業が消えていったときに最前線に立っていた人物で、ワシントンでもシリコンバレーでも顔が広い。サン・マイクロシステムズで最高技術責任者だったころのエリック・シュミットに協力して、暗号化ソフトウェアの輸出規制問題などに関してロビー活動を行っていたし、ノベルの時代には反トラスト法問題で手を貸していた。また、ハーターはネットスケープにいたころ、弁護士のケント・ウォーカー――ハーターはウォーカーのことをグーグルの「クソ問題担当者」と呼んだ――と手を組んでいたし、デビッド・ドラモンドなどのグーグルインサイダーとも価値観が似ていた。ちなみに、ドラモンドはグーグルにとって最初の社外弁護士で、今では最高法務責任者を務めている。ネットスケープを去ったのち、ハーターは自ら政務に関するコンサルティング会社を立ち上げる。彼のクライアントにはマイクロソフトなど、一連の優良企業が名を連ねていた。私はハーターのことを悪びれない保守派だとみなしている。菜食主義者や偽善的なリベラルを（ユーモアを交えて）馬鹿にするタイプなのだが、金を出す相手のためならどんな仕事も引き受ける人物でもある。二〇〇二年、グーグル幹部のオミッド・コーデスタニという人物が電話をかけてきて、グーグルを害しているプライバシー問題について検討するよう求めたとき、ハーターは興味をそそられた。

ハーターはシュミット、ペイジ、ブリン、そしてほかの経営幹部らと一日をかけて面談をするためにグーグルプレックス――東海岸にある多くの大学の敷地よりも大きくて、設備も行き届いているパロアルトにあるグーグルの本社――に来てほしいという要請を二つ返事で受け入れた。「グーグルは収益の増加を加速し、最高のＩＰＯ評価額を得るための方法を探していた」と、ハーターは語る。「そのころスマートフォン時代が幕を開けようとしていたし、ビデオもオンラインで観られはじめていた。オープンソースもたくさんあったし、ナップスター［のちにフェイスブックの社長になるショーン・パーカーが立ち上げ、最後は著作権侵害の問題で閉鎖されることになった音楽共有サービス」のおかげでピアツーピア共有も広がっていた」。ハーターによると、グーグルは「ナップスターをめぐる訴訟を見本とすることで、ライバルに先んじるにはワシントンで勢力を伸ばす必要があることが容易に理解できた」そうだ［注9］。

ハーターは、グーグルが有利な立場を保ちつづけるには、知的財産の価値を下げること、そしてユーザーデータへのアクセスを最優先課題にすること、この二点が欠かせないと見抜いた。グーグルの代表者らも一〇〇パーセント同意した。実際のところ、それらは彼らの競争にとって最も大きな利点だった。ショシャナ・ズボフが『The Age of Surveillance Capitalism（監視資本主義の時代）』で明らかにしたように、ペイジとブリンとシュミット（そしてハル・ヴァリアンも）が〝行動剰余〟の考え方をシリコンバレーで理解した最初の人物だった。この考えに従うと、「人の経験は監視資本主義の市場原理に支配され、〝行動〟として生まれ変わる」のである［注10］。わかりやすい言葉に置き換えると、私たちが――オンラインで、多くの場合はオフラインでも――すること、言うこと、考えることのすべては、プラットフォーム・テクノロジー企業によって現金に換えられうるのである。人の行動――投稿、ビデオ、本、発明――のすべてが、ビッグテックにとっては商品化の原材料になる。「大量生産ベースの経営資本主義にとってフォード・モーターやゼネラルモーターズが担っていた役割を、監視資本主義で担うのがグーグルなのだ」とズボフは指摘する［注11］。私たちが行うことのほとんどすべてが、情報として巨大プラットフォーム企業によってかき集められる。しかし、それが可能なのも情報の保持が無料でできる場合だけだ。つまり、個人データの価値は不透明なままでなければならないし、コンテンツの著作権を無視できる、あるいは――ほかの種類の知的財産に関しては――権利の保護が難しい状態を維持しなければならない。

これらすべての事情が、ハーターが私に話してくれたグーグルプレックスでの会合の内容と一致している。ハーターによると、その日のシュミット、ペイジ、そしてブリンの頭のなかは、反トラスト政策、著作権、ファイル共有、プライバシーなどの問題でいっぱいだった。「話題の一つは〝どうすればナップスターと同じ運命をたどらずに済むか？〟だった」。ハーターは、グーグルが会社の利害を最大限に守りたいなら、どのような戦略をとるべきかを説明した。グーグルが検索を通じて収入を得ている知的財産やコンテンツに支払いを行う必要が生じないようにするために、そしてグーグルのプラットフォームを使うユーザーの行動に責任を負わされることがないように、多大な資金とロビー活動を用いて現状の免責特権を維持することに努めなければならない。「私は彼らにこう説明した。基本的に、君たちはほかの連中をロビー活動から締め出さなければならない。そして訴訟に備え、裁判になったときにはメディアと政策と政治家たちが味方になるように仕向ける必要がある、と。エリックがうなずきながら、そのとおりだと思う、と言ったのを覚えているよ」。ハーターにとっては残念なことに（いや、むしろよかったことに）、彼がグーグルの公共政策を担当する役職を得ることはなかった。最終的に選ばれたのはアンドリュー・マクローリンで、二〇〇四年一月にグーグルのグローバル公共政策部門の長に就任した。彼はのちにオバマ大統領の下で米国最高技術責任者補佐官を務めている（シュミットのPR担当者やほかの幹部たちは、ハーターとのあいだでそのようなミーティングが行われたことを「覚えていない」と主張する）〔注12〕。しかしハーターによると、「のちにグーグルが展開した戦略は基本的に会合の日に話し合った戦略と一致している」そうだ。

## つくる者《イノベーター》と使う者《インプレメンター》

グーグル、アップル、フェイスブックなどは世間に対して、自分たちは〝イノベーター〟であるという立場をとることが多いが、これはある程度までは正しいと言える。すでに述べたように、これらの企業のほとんどは、それぞれにとって最大にして最高のイノベーションを開発したのち、ようやく上場する。上場以降の活動の主眼は、おもに――自らの、あるいは他社の――技術の運用に向けられる。ビジネスモデルの優位性を確かなものにするためだ。最高の知的財産とデータを利用すること、そしてそのために支払う費用をできるだけ少なくすること――テクノロジーの分野ではこの二点がすべてだ。この傾向はほかのあらゆる分野でも強まっている。グーグルをはじめとするビッグテック企業は、知的財産を自由に利用しつづけるための手段として、三〇数年ぶりに米国特許制度の刷新を求めている。その試みでこれまでで一番の成功は二〇一一年の米国特許改正法（ＡＩＡ）の制定だろう。

それがなぜ重要なのかを理解するには、特許がこれまでどのような形で発明者の保護に役立ってきたのかを知る必要がある。そこでまず、自分がアメリカで小さなバイオテック会社を創業したと想像してみよう。多大な資金と年月を費やして、血液疾患の新しい診断方法を開発した。あなたの発明は市場に革命をもたらすだろう。ところがＡＩＡの制定により、あなたの革新的な発明を特許で保護するのは難しくなった。制度の変更により、特許で保護できるものとできないもののリストが書き換えられたことに加え、発明者が知的財産を守るために使える手段が変わったからだ。

例えば、たとえ特許が認められた場合でも、ＡＩＡに従えば、特許権の行使に対して法廷外での裁決を通じて異議を申し立てることができるようになった。その結果、ほかの会社が知的財産を容易に無効にできるようになったのである。これでは投資に見合う収益を上げることができないため、数多くの中小企業、発明者、あるいはイノベーターらが資金とアイデアをアメリカの外、例えばヨーロッパやアジアなどに持ち出しはじめた。サプライヤーと才能も流失しはじめている。

話はそれほど単純ではないのだが、それでも私の知る限り数多くのアメリカ人投資家、起業家、学者、ロビイスト、そして弁護士――ＡＩＡの作成に携わった人々も含む――が、アメリカの特許制度は間違った方向へ舵を切ったと確信している。以前は特許を与えることに熱心だった制度が、ここ一五年ほどで大きく様変わりして、今では国の天才秀才たちが自らの研究成果から収入を得ることができなくなってしまった、と彼らは言う。このような現状は、アメリカの競争力に劇的な影響を及ぼす可能性がある。何しろ世界では、最大の経済価値は知的財産にあると考えられているのだから。

一〇年ほど前から、さまざまな形で制度に変化が加えられてきた[注13]。二〇一一年にオバマ政権下でＡＩＡが可決されたのだが、それに前後して最高裁判所で一連の判決が下されている。二〇〇六年のイーベイ対メルクエクスチェンジ、二〇一二年のマヨ・コラブレイティブ・サービス対プロメテウス・ラボラトリーズ、二〇一四年のアリス社対ＣＬＳ銀行などの裁判の影響で、法的な権力やロビー活動での影響力がない会社にはアメリカで特許を得るのが、そして守るのが難しくなった。おそらくそのせいだろう、最近数多くの企業が大会社による「効率的な侵害」に嘆いている。大会社は自分の好きなように知的財産をコピーし、あるいは勝手に使い、そのあとで侵害された側と裁判外で話し合い、知的財産の本来の価値よりも低い額で和解するのである。テクノロジー業界から締め出されるのが怖いため、そのような被害に遭っていることを公表する企業はほとんどない。

なぜそうなってしまったのだろうか？　ドットコムのバブルが崩壊した二〇〇〇年代初頭、企業の多くはすべてを失った。残ったのは特許だけ。収入源にするためにその特許を買い占めたのが金融業者や大型のテクノロジー企業だ。同じころ、商用インターネットとスマートフォン市場の発展にともない、ソフトウェア供給者のエコシステムが大きくなりはじめていた。特許の取得や保護を難しくするのは、ビッグテックにとっては大歓迎だった。ビッグテック自身も守るべき知的財産をもっていたものの、他人のデータや知的財産を収益に変える動きをどんどん強めていたのである。企業のほとんどは、保護に値する合法的な技術やアイデアを有していたが、一部は一般にパテントトロールと呼ばれる企業で、できるだけ数多くの特許を申請して、それらを使った大企業から和解金を巻き上げようとしていた。

バラク・オバマが大統領に就任した二〇〇九年、パテントトロールをめぐる物語が盛んに語られていた。語ったのは、個別にあるいはロビー活動を通じてＡＩＡを推進していたビッグテック企業の多くだ［注14］。そこで司法側は裁判外裁定機関として特許公判審判部を設立する。目的は、裁判外で当事者同士が話し合うことで時間と費用を節約することにあった。実際に効果があって、かつては特許裁判が和解にいたるまでおよそ三年かかり、平均費用は二〇〇万ドルだったのだが、それが一八カ月二〇〇万ドルに減ったのである。次第に、パテントトロールの物語の信憑性が疑わしくなってきた。最大級のテクノロジー企業、特にグーグルが、二〇一三年に反特許法をもとめて熱心にロビー活動を行った。追加の法制度を支持した会社は、特許裁判が審理される裁判地などの問題における法的な歪みをなくせば、訴訟にかかる費用も抑えられるという理由を掲げた。

しかし、規制当局や議員たちの一部は、最初のうちこそ特許改革を支持していたものの、そのうちビッグテックが反競争的な市場を実現するために法改正を求めているのではないかと疑いはじめた。「AIAという大きな変化を成し遂げたばかりで、まだAIAが効力を発揮してもいなかったのに、もうテクノロジー業界の一部から第二の抜本的な特許法改正を求める声が聞こえてきたのはショックだった」と、オバマ政権下（オバマは最初の法改正を支持していた）で米国特許商標局（USPTO）の局長を務め、今はクラバス・スウェイン・アンド・ムーア法律事務所に所属する弁護士のデビッド・カポスが語っている。公平を期すために指摘しておくが、カポスはクアルコムの代理人を務めている。クアルコムと言えば、現状の制度に批判的で、アップルとのあいだで三つの大陸において数年続いた特許紛争を最近まで繰り広げていた会社だ。しかしそのカポスも、彼の法律事務所も、これまで議論の反対側に陣取るクライアントを代表していたこともある。「最後は、隠されていた真のもくろみどおりになった」と彼は言う。「特許制度の大幅な削減の第二ラウンドは、悪用を阻止することが目的ではなく、サプライチェーンのコストを削減するために他社のイノベーションの価値を落とすという商業的な策略だった」

最終的に、新制度は議会の支持を得た。同じころ、以前グーグルで知的財産部門の長を務めていたミシェル・リーがUSPTOの局長に就任している。二〇一三年、ホワイトハウスは警告的なレポートを通じて、パテントトロールの害が大きく広がり、特許訴訟の三分の二を彼らが引き起こしていると発表した。しかし、のちに無党派の政府説明責任局が行った調査ではその数が五分の一に訂正され、ほかのデータも特許被告の数がAIA導入の前後でほぼ横ばいだったことを示した。「付与された特許の数に対する訴訟の割合の歴史的な推移は、過去数十年で長期的な水準を超えて訴訟の数が〝爆発的に〟増えたという主張をまったく裏付けていない」と、ボウディン大学教授のザリーン・カーンが『Trolls and Other Patent Inventions（トロールとほかの特許発明）』という二〇一三年の論文で指摘している。加えてカーンは、一連の法改正は「ある特定の時点で最も声高な利害関係者によるつかの間の要求」に応じるために行われ、「アメリカの知的財産制度の原則と矛盾している」ように思える、と主張した［注15］。

確かに、特許の裁定制度は特許の侵害で訴えられた者の盾になっていると主張することができるだろう。ほとんどの場合で、特許権者に不利な決定が下されているのだから。この事実を受けて、米国連邦巡回控訴裁判所——特許訴訟を担当する裁判所——の元裁判長であるランドール・レイダーが、現制度は知的財産にとって「死の部隊」になっている、と指摘したほどだ。かつて連邦地方裁判所の裁判官であったポール・ミシェルも制度に反対する声を上げ、あまりにも多くの特許が無効になっている事実と、裁定委員会が裁判による判決を先取りするという仕組みが、アメリカにおける特許制度の強度とイノベーションの両方から力を奪っていると主張する。

「最高裁判所の判決とAIAを合わせた累積［反特許］効果は、本来あるべきよりも強かった」とミシェルは述べ、その理由の一部として、巨大テクノロジー企業側のロビー活動を指摘する。

「特許の価値が一気に下がり、多くの技術におけるライセンス供与や設備投資が減少している。AIAは改善よりも多くの害をもたらした」

私自身、ここ数年で数え切れないほどの技術者やベンチャーキャピタリストから、グーグルやフェイスブックやアマゾンやアップルが参入しそうな分野に投資するつもりはない、という話を聞いた。オープンソース技術を保護するのはそもそも困難だし、法的に争う体力も時間もふんだんにある大物相手に特許を守るのも難しいからだ。計算機科学者のジャロン・ラニアーが指摘したように、グーグルのページランク・アルゴリズムやiPhoneの閉鎖システムなどに代表される最も収益性の高い資産は、オープンではなく、ほぼつねに私有財産である。「オープンソースというやり方は素敵で洗練されたコピーを生み出してきたが、注目に値するオリジナルをつくるほど優れてはいなかった」と、ラニアーは語る［注16］。この事実があったからこそ、ビッグテック企業は他人のイノベーションから利益を上げるために、ある程度まではオープンソースを推進するのである。その一方で自らの主要技術の源になるコードにはライバルを一切近づけようとしない。

エスティ・ローダー家の御曹司でベンチャーキャピタリストのギャリー・ローダーは、かつて私にこう話したことがある。「必要なのは正しい行動を誘発する特許制度、つまり、イノベーションを使う者がコピーや盗用をするのではなく、支払う義務を負う制度だ」。ローダーはシリコンバレーを拠点に、過去二八年をかけて、ゴートゥー／オーバーチュア（グーグルが重要なアイデアを模倣したオンライン・オークション運営企業、第二章を参照）をはじめとするおよそ一〇〇の企業と六〇のベンチャーキャピタル・ファンドに五億ドルを超える額を出資してきた。その彼が今、声を大にしてより強固な特許制度を求めている。「私たちは、より大きなスタートアップ・エコシステムを守らなければならない。そこから雇用の大部分が生まれるのだから」と彼は言う。「私たちの経済にとって本当に大切な問題だ。今のところ、力をもつ者がイノベーターたちをコピーしている。今後は、その両者ともに、安い外国産の模造品によってコピーされ、置き換えられるだろう」［注17］

## 情報は〝無料〟であるべき

ビッグテックは違う種類のイノベーションも商品として売り出す手段をもっている。アーティスト、作家、映画監督などが生活の一部としてつくるコンテンツだ。ここからは、ビッグテックが著作権を弱体化させるために用いてきた戦略を見ていくことにしよう。ビッグテックは収益の大きな源になるコンテンツを、自分ではほとんどつくらないのだから、著作権には彼らの繁栄を阻むだけの力があると言える。実際、一九九八年にビル・クリントンによって制定されたデジタル・ミレニアム著作権法によっておもに恩恵を受けたのが、グーグルやフェイスブックなどの巨大プラットフォーム企業だった。この法律によって、オンラインサービス・プロバイダーはたとえ著作権を侵害しても、侵害した意識がなかった場合には、起訴の対象にならなくなったのだ。カリフォルニアを拠点とする政治家やリベラル派の人々がこの法案を支持し、シリコンバレーの関係者が静かに資金を提供したのは、驚きに値しないだろう。

この法律のおかげで、基本的にプラットフォームはコンテンツ制作者に――何かをオンラインに上げるすべての人に――対して、もし世界最大のプラットフォームで検索の対象になりたいのなら、作品を無料で手放せ、と脅すことが許されるようになった。同時に、プラットフォームがコンテンツから金銭的に莫大な利益を上げるという事実も受け入れられたのである。結局のところ、特許の件で弱小イノベーターがビッグテックには太刀打ちできなかったのと同じように、個人の作家やミュージシャンらに、フェイスブックやグーグルに対して法廷闘争を挑み、著作権使用料を求めたり、検索ビジネスやソーシャルビジネスでコンテンツへのリンクや広告から実際にどれだけの収益が上がっているのかを明らかにさせたりする方法はない［注18］。

一例として、グーグルと数多くの作家および出版社の一〇年にわたる争いを見てみよう。両者はグーグルプリント——のちにグーグルブックスに改名——というプロジェクトをめぐって対立していた。全世界のすべての書籍のすべてのページをスキャンする、というのはペイジとブリンの長年の夢だった。いかにもグーグルらしい大それた野望だ。二人は世界の書籍の大部分は著作権で保護されていて、無許可のコピーや配布から守られていることは知っていた。しかし彼らはいつものように、そのような面倒なルールは自分たちには適用されないと信じていた。加えて彼らには、世界中の人々が自由に本を読めるようにするよりも、著者が作品から利益を上げるほうがいいと考える理由も理解できなかった。そこで二〇〇二年に、ひそかに書籍のスキャンを始めたのである。テクノロジー記者のスティーブン・レヴィが著書『グーグル　ネット覇者の真実』のなかで二〇ページを割いて書籍スキャン計画について説明している。「この秘密主義が、会社が矛盾を抱えていたことのもう一つの現れだ。ときには透明性を受け入れ、ときには国家安全保障局を手本にしているかのようにふるまう」［注19］。そのころ、「セルゲイが邪悪だと言えばそれは邪悪だ」［注20］という考えに染まっていたシュミットもその計画に賛同し、「天才的だ」と宣言した［注21］。

しかし出版業界は反対した。二〇〇五年、複数の出版社を代表して、米国出版者協会がグーグルの「著作権で保護されている書籍全体の大量かつ大規模で組織的なコピー」に対して訴訟を起こした。その後まもなく、作家協会も訴えを起こしたので、両訴訟は統合される。もちろん、出版社も作家も、今も著作権で守られている作品の生みの親が、スキャンに同意するか拒否するかを選ぶ権利をもつべきだと求めた。しかしグーグルの首席エコノミストであるハル・ヴァリアンが、このプロジェクトでは数が勝負であり、著作権者に選択肢を与えては計画そのものが死んでしまうと反論する。グーグルがコピーしようとしている書籍のおよそ四分の三はいまだに著作権で保護されていたのだが、ヴァリアンらグーグル側は、ほとんどではないにしてもかなりの数の著者がコピーに同意しないだろうと考えていた［注22］。

そこで彼らは和解する道を選んだ。グーグルは、著作権が有効な書籍のばあい、そのごく一部だけを無料で表示することに同意する代わりに、和解に応じた出版社と著者に代わって、絶版本のデジタルコピーを独占的に販売する権利を得る、という妥協案に同意したのだ。加えて、当時年間でおよそ一〇〇億ドルの収益を上げていたグーグルにしては比較的小さな一億二五〇〇万ドルを出して書籍権利保持者の目録を作成し、その運用と支払いを担当する弁護士を雇う。これはグーグルにとって見事な一手だった。同じような書籍スキャン計画を検討していた非営利団体インターネット・アーカイブの理事長であるブリュースター・ケールは、グーグルが情報の独占者になった、と（正しく）主張した。それどころか、プラットフォーム企業の有利に働く数多くの政策を支持してきたデジタル法の専門家であるローレンス・レッシグでさえ、グーグルのやり方は「デジタル書店のそれであって、デジタル図書館ではない」と指摘している[注23]。要するに、グーグルはユーザーのためにやっていると言うが、実際にはグーグルがその計画から最も多くの利益を得るということだ。コンテンツが増えれば増えるほど、広告を売る機会も増えるのだから。

それではなぜ、著者と出版社は和解に応じたのだろうか？　知識が不足していたからだ。巨大銀行からサブプライム住宅ローンを買う人々と同じように、ビッグテックと出版社のもつ情報量のあいだにはあまりにも大きな差があった。コンテンツのデジタル検索から生まれる収益がどれほどの価値をもつのか、などといった重要な内部情報を知っていたのはビッグテック側だけなのだから。実質上、グーグルが新しいデジタル世界をつくり、支配していた。だから隅々まで理解していた。出版社は違う。とにかくビッグテックに食べ物を奪われるのだけは阻止しようと、必死になっていたのだ。

ターゲティング広告を利用したコンテンツの収益化が長期的にどれほどの成果をもたらすのか、それを理解するのに必要な情報をもっていなかったし、そんなことを考える余裕もなかった。彼らは追い詰められていた。この点では、シリコンバレーを相手にする現在の多くの業種と変わりない（例えば、アマゾンがホールフーズを買収したあとの食料品業界では急激に多数の合併が行われている）。ビッグテックが攻め、残りは防御に努める。スポーツファンなら誰でもうなずくだろうが、守備一辺倒というのは正しい戦略ではない。ワールド・ワイド・ウェブと呼ばれる華やかな新しい道具を使い、その一部になることに熱心な私たちと同じで、作家や出版社も、情報はタダであるべきで、他人がつくった価値——書籍や音楽などありとあらゆる種類のコンテンツ——は安価で手に入る必需品である、と人々に思い込ませようとするシリコンバレーのもくろみに、加担してしまったのだ。

マイクロソフトやアマゾンのようなほかの大企業が怒りをあらわにしたときようやく、事態は少しばかり変化しはじめた。グーグルの一手により出版市場の中心から締め出される形になったアマゾンなどが、立場を取り戻そうとしたのである（その後さまざまなケースで同じような構図が見られた——例えばグーグルとアマゾンは互いの市場を奪い合うために小競り合いを繰り返しているし、ビッグテックの独占支配に不満を漏らす有力団体も、自ら巨大企業であることが多い）。

最後は、非営利団体と民間部門の両方を含む一四三の団体からの圧力に屈して、米国司法省がこの問題に着手し、これまでグーグルにあまりにも多くの非競争的な権利が与えられてきたと認め、書籍のスキャン・販売計画は独占に値すると結論づけた。ラリー・ペイジはそのような司法の介入を「人類に対する茶番」だと呼び、セルゲイ・ブリンはグーグルの取り組みを擁護するために『ニューヨーク・タイムズ』紙にひとりよがりの記事を寄稿した。グーグルの弁護士を務めるデラリン・J・デュリーは、二〇一〇年の公判で「著作権の侵害は、それが補償されず、権利保持者の経済的利害を傷つける場合に限り邪悪だ」と主張した。これは巧妙なやり口だ。なぜならこの主張により世間の関心を、グーグル自身が大量の著作権付きコンテンツから最も大きな恩恵をうけるという事実から、グーグルは書籍販売を促進しようとしているという点に向けることに成功したからだ。裁判官は、書籍スキャン計画は「社会に多大な恩恵をもたらす」という理由で、グーグルに有利な判断を下した。グーグルがまもなくおよそ三万の書籍のデジタル販売を独占することになるだろうという点は、ささいな問題だとみなされた［注24］。

コンテンツの商品化とクリエーターからプラットフォーム企業への富の移動は、二〇〇六年にグーグルがユーチューブを買収したことで一気に加速した。ユーチューブはユーザー制作コンテンツに特化したサイトだ。この買収劇を通じて、グーグルはある種の産業政策を世間に知らしめたと言える（少なくとも、グーグルの上級職員の一人が私にそう説明した）［注25］。ユーザーは自分の創作に著作権料が支払われるのを待つのではなく、ユーチューブ上で何かをすることで直接収入を得ることができるようになった。問題は、『Move Fast and Break Things』の著者ジョナサン・タプリン［注26］の計算によると、中流階級の年収にも満たない二万ドルを稼ぐのに、およそ二〇〇万回のヒットが必要なのだ。ユーチューブにはスターか、ピラミッドの底辺でただ働きをする人々の二種類しかいない。タプリンのような批評家なら、儲かるのはプラットフォームだけで、人々にとってはゼロサムゲームだ、と言うだろう［注27］。確かに、最新のテクノロジー企業は日々の雑事──運転、買い物など──をこなすのを容易にしてくれたが、同時に彼らはユーザーの〝DIY〟をあてにしている。ユーザー制作コンテンツやオープンソースのソフトウェアもその一環だ。これらは基本的に、大規模に行われている無給の仕事だと言える。

二〇〇七年の「バイアコム・インターナショナル（Viacom International）対ユーチューブ」裁判の記録を見ると、収益の源であるコンテンツ制作者をグーグルがどう見ていたかがよくわかる。最高幹部（シュミット、ペイジ、ブリンを含む）とやりとりされたEメールが、グーグル社員がバイアコムに圧力をかけ、できるだけ多くのコンテンツを支払い義務の生じない場所、つまりフリーなオンラインに置くように仕向けていたことを明らかにしている。そうすることで、グーグルは容易にコンテンツを検索できる（そして利益が得られる）のだ。

コンテンツを無料のオンラインに置くことは、制作者ではなく、プラットフォームを提供するグーグルに大きな利益をもたらす。コンテンツが増えればトラフィックも増え、結果としてより多くの収益につながるからだ。コンテンツ制作者がオンラインに作品を載せることで得られる反響や知名度は比較的少なく、報酬も従来の配信経路を使った場合より少ない。今でさえ、ごくわずかな例外を除いて、オンラインを経由するよりも、伝統的な出版物やテレビでライターやプロデューサーとして働くほうが、間違いなく堅実に収入を得ることができる。しかし、スタジオ（あるいは出版社）にこのあたりの事情が明らかになったのは、ずっとあとのことだった。二〇〇七年の判例では、バイアコムはユーチューブに参加するほうがいいと判断したのだった。ユーチューブが抱えるたくさんの視聴者の目に触れることが得策だと信じたからだ。裁判所はデジタル・ミレニアム著作権法にもとづき、コンテンツの投稿に先立って、コンテンツ制作者自身がユーチューブに「レッドフラグ《赤旗》」を示していない限り、同社は著作権の侵害を恐れずにビデオクリップをアプロードできる、と判断した［注28］。

グーグルにとって、そのような司法判断は数百億ドル規模の収益に相当する。記者、プロデューサー、ミュージシャン、映画監督、そして増えつづけるオンラインに作品を投稿する一般人から得られる収益だ。ユーザーがつくる無料のデータとコンテンツこそが、プラットフォーム企業の生命線であり、活動の基盤だ。ビッグテックにとっては、ツイートの、「いいね」の、（グーグルやアマゾンでは）検索のすべてが、資源なのである。ユーザーやコンテンツ制作者や開発者にまったく利点がないと言いたいのではない。ただ、彼らの得るものに比べて、プラットフォームが手に入れる利益のほうが圧倒的に大きいのである。ゼネラルモーターズやフォードが労働賃金以外に何も支払わないと想像してみよう。製品をつくるのにかかる費用を、原材料費も、工場運営費も、何も払わない。ただ、従業員に給料だけは支払う。加えて、製造には今の従業員数のごく一部だけが必要だと想像してみる。これがまさに、産業型ビジネスモデルとデジタルビジネスモデルの違いなのだ。

これらすべてをひっくるめて考えてみると、ビッグテックがどんな手を使ってでも、ユーザーのデータとコンテンツを収益化する際の障害になるありとあらゆる規制を回避し、そのための抜け穴を維持しようとするのは不思議なことではない。大声を張り上げてオンライン海賊行為防止法案（SOPA）――海賊版コンテンツをホストまたは促進するサイトへのアクセスを制限する案――に反対したのも、同じ理由からだ。同法案が提出された次の日、グーグルは自社のロゴを黒い四角で覆い隠した。「議会へ告げる。ウェブを検索するな」という言葉を添えて。このメッセージを利用者がクリックすると、議員のアドレスがすでに記載されたメールが開く。その結果、議会の電子メールサーバーがクラッシュした。法案は三日で撤回された［注29］。

## 流れが変わった？

グーグルやフェイスブックらは、二〇一九年にヨーロッパでも同じような戦術を用いようとした。欧州連合（EU）では新しい著作権制度（欧州著作権指令）を導入して、プラットフォーム企業に不正利用されている著作権付きコンテンツを削除する、またはコンテンツを使用したときには出版社やコンテンツ制作者に対価を（たとえごくわずかな額とは言え）支払う、あるいはその両方を義務づける決定を下そうとしていた［注30］。ビッグテックが、新しい法律はそれを効果的に守ることができない中小企業を罰することになる、あるいは言論の自由を損なう、などと中傷キャンペーンを行ったにもかかわらず、指令案は欧州議会を大差で通過した［注31］。ドイツの新聞大手『フランクフルター・アルゲマイネ・ツァイトゥング』紙が暴露したところによると、グーグルは法案の抗議活動を指揮したユーチューブ〝活動家〟たちに現金を手渡していたようだ。彼らは草の根運動などではなく、グーグルの金でグーグルのために活動していたのである［注32］。イランのような国の貧しい人々が政府に雇われて、政権にとって都合の悪いあれやこれやについて、公衆の面前で批判の声を上げるのとよく似ている。

一方のコンテンツ制作者側は、自分たちの作品は適切に保護され、それを利用する者は対価を支払うべきだという考えを欧州政府が支持したことに満足した。「［これをもってプラットフォーム企業は］著作権を侵害するコンテンツをアップロードしない理由ができた。加えて、より重要なことに、コンテンツのオーナーとのあいだでライセンス契約を結ぶ理由もできた」と『フィナンシャル・タイムズ』紙に述べたのは、ドイツのメディアグループであるベルテルスマンのCEOトーマス・ラーベだ。「我々はインターネットの〝無償〟文化に終止符を打たなければならない」［注33］

EUがコンテンツ制作者の権利を守る方向へ舵を切ったことは明るい兆しだと言える。しかし、話はまだ終わりではない。例えば、スペインが二〇一四年に同じような方策を行おうとしたところ、『フィナンシャル・タイムズ』紙の編集局によると、グーグルが単純に「同国のニュースサービスをオフにした」。ドイツでは、「無料でコンテンツを表示することに同意するサイトからのみ、ニュースを配信する」ことに決めた[注34]。しかしながら、コンテンツ制作者を犠牲にして成功を手に入れるやり方は、プラットフォーム企業に高くつくようになった。皮肉なことに、最近になってフェイスブックとグーグルがローカルニュースをサポートするサービスを自ら立ち上げたのである。なぜなら、プラットフォーム企業によるビジネスモデルの破壊に逆らいつづけた年月を経て、今ではローカルニュースの報道機関が単純にほとんど残っていないからだ。その悪影響がプラットフォーム企業にも出はじめた。コンテンツをつくってくれる者がいないのなら、どうやって金を稼ぐ?

混乱により最も強く打撃を受けたのは、ビッグテック台頭のあおりを直接食らったニュースメディアと出版業だ。新聞は一九九〇年代半ば、商用インターネットが始まったころからすでに縮小しはじめていた[注35]。『コロンビア・ジャーナリズム・レビュー』誌によると、現在、アメリカ国民の六二パーセントがフェイスブックを中心とした何らかの形のソーシャルメディアからニュースを得ている。

しかし、特許の問題でも明らかになったように、テクノロジービジネスのみならずほかの業界でも「情報はタダであるべき」という考えには代償が伴う。グローバルなサプライチェーンと投資活動の複雑さゆえに、特許保護とイノベーションのあいだに横たわる因果関係をはっきりと説明するのは難しいが、全体的な傾向はあまり好ましくない方向へ進んでいると思える。ある調査によると、特許法の改正はアメリカ経済に一兆ドルもの犠牲を強いているそうだ。特定の種類の発明を特許で守るのが難しくなったため、バイオテクノロジー分野へのベンチャーキャピタルの投資が近年減ってきている。ちなみに、特許を守るのが難しくなったという理由から、出資先をアメリカからヨーロッパやアジアへ移そうと考えている投資家を、私自身、何人も知っている。それらはどれも、国が保護すべき高度に専門的な仕事なのに〔注36〕。

## カルテルと談合

大規模テクノロジー会社は、カルテルさながらの方法を用いて、会社にとっておそらく最も貴重な資源――従業員――の確保に努める。例えば、一連のビッグテック企業は互いの従業員を引き抜くことはしないという協定を結んでいる。通常、企業同士が裏取引を通じて、従業員があるオファーを土台にしてほかのオファーの提示額をつり上げようとするのを防ぐことに同意し、人件費の上昇を低く抑えようとするとき、それは談合とみなされる。一方シリコンバレーでは、そのような協定には、片方のあるいは両方の会社が才能ある人材が――そして彼とともに会社の独自情報とアイデアと秘密が――他社に流れていくことを阻止する、という意味が込められている。
　裁判文書を通じて二〇一一年に明らかになったように、二〇〇七年にスティーブ・ジョブズがグーグルに電話をして、ある採用担当者がアップルの人材を雇い入れようとした、と抗議した。それを受けてシュミットは人事部にこうメールを書いている。「私たちにはアップルから誰も採用しないというポリシーがあるはずだ。……すぐにやめて、なぜそんなことが起こったのか説明してくれるかな？　早くアップルに返答しなければならないんだ」[注37]
　グーグルにいたころ、シュミットは人材を引き抜いてはならない会社を集めて「電話禁止」リストをつくっていた。これは法的に見て危ういやり方だと言える。基本的に、個人が職場を選ぶ権利を制限するからだ。彼自身もそのことを自覚していた。ある裁判資料によると、シュミットはメールを通じてグーグルの人事部長から競合他社との引き抜き禁止協定を見せてほしいと頼まれたことがある。それに対しシュミットは、その情報については「紙の記録が残ってはあとで裁判沙汰になるかもしれないから、口頭で」共有したい、と答えたそうだ[注38]。のちに、ある上級民主党上院議員の職員が私にこうコメントしている。「そんなことをする連中は刑務所に入れられてしかるべきだ」。ところがそうはならず、グーグルとアップル、そしてこのスキャンダルに関与していたもう二つの企業――アドビ（Ａｄｏｂｅ）とインテル（Ｉｎｔｅｌ）――は裁判外で和解し、損害賠償として四億一五〇〇万ドルを支払うことに同意した。

グーグルで働いていたころについてインタビューしたとき、ピーター・ハーターは私にこう語った。「これらの企業は、あまりに強力で裕福になり、政治家や才能ある人材も取り込んでいたので、普通のルールが適用されなくなった」[注39]

ほしい知的財産がどうしても盗めないとき、最大級の企業は単純に札束を積んでそれを買い上げる。例えばグーグルは、過去一〇年で一二〇を超える会社を買収した（フェイスブックは七九件、アマゾンは八九件だった）。しかしそのような買収は、攻撃的であるのと同時に防御手段でもあると言える。フェイスブックは二〇一四年に、バーチャルリアリティ分野で前途有望なオキュラス（Oculus）というスタートアップを買収した。、その理由は、フェイスブックがその分野に参入するためというよりも、むしろ将来脅威になるかもしれないオキュラスの有望なオペレーティングシステムを駆逐しておきたかったからだ[注40]。スナップチャットとインスタグラムとワッツアップを買収したのも、フェイスブックのユーザーを奪いかねない新しいソーシャルネットワークが開発されるのを防ぐためだった。アマゾンはわずか五六〇万ドルであるスタートアップを買収し、その音声アシスタント技術をほぼそのままコピーして、アレクサを開発した[注41]。そんなビッグテックのなかでも、最も大々的に買収を行っているのは、もちろんグーグルだ。グーグルは創業以来二〇〇を超える買収を成功させた[注42]。

巨大企業の貪欲さと、ワシントンがそのような合併を止めるためにほとんど何もやってこなかったことを考えると（第九章で詳しく述べるように、合併はボーク時代の価格の低下による「消費者利益」という考えに矛盾しているとはみなされないからだ）、プラットフォーム企業が関心をもつ（あるいはもつかもしれない）もののまわりにブラックホールが広がり、イノベーションが止まってしまったのも不思議ではない。ビジネスの世界では、そのような空白は「キルゾーン」と呼ばれている［注43］。ベンチャーキャピタリストやテクノロジー系経営者の数人が私に話したように、グーグルやフェイスブック、あるいはアマゾンが参入してきそうな分野で会社を立ち上げようなどと考える者はいない。例外は、最終的に巨大企業から人的資本として買い上げられることを目指す「タレント農場」をつくることぐらいだろう。これではイノベーションも新しい雇用も生まれるはずがない。もとから巨大な存在を、もっと豊かにしているだけだ。

しかも、毎年のようにマージンを二桁ずつ増やしながら豊かになる一方で、投入費用はほかの業界よりもはるかに少なくて済むのである。アップルは四〇年にも満たない期間で、世界で最初の一兆ドル企業に成長した。他社もそれに肉薄している。グーグルは二〇〇四年八月一九日に、底値八五ドルで上場した。その日の終わりまでに、およそ一〇〇ドルに上昇し、九〇〇〇人のグーグル長者が誕生した。次の日は一〇八ドル、二〇〇五年の二月には二一〇ドルになっていた。そこからグーグルの快進撃が始まった。当然だろう。当時明らかにされたＩＰＯ資料および財務書類が示すように、グーグルはただのテクノロジー企業ではなかった。事業内容説明書の八〇ページにこう書かれている。「我々はテクノロジー企業としてスタートし、ソフトウェア、技術、インターネット、広告、そしてメディアのすべてを一つにまとめる企業へと進化した」［注44］。アドセンス（AdSense）は紙幣印刷機だった。災いが迫り来るのに気づいたヤフーは、グーグルの株式と引き換えに、特許訴訟を取り下げる。ビッグテックは成熟した。それからの年月で、ビッグテックは誰も想像できなかったほどに大きく育ち、力をつけていった。「カプトロジー」と呼ばれる新しい科学的説得技術のおかげで。

# 第6章

# ポケットのなかのスロットマシン

CHAPTER 6

# A SLOT MACHINE IN YOUR POCKET

本書の冒頭で触れたように、私がビッグテックに対して覚える不安の大部分は文字どおり私の家に送られてきた。二〇一七年初頭、クレジットカードの請求書を開けて、一・九九ドル、五・五〇ドルなど、アップルから一連の小さな額の請求があったことに気づいたときだ。一瞬、楽曲や映画をダウンロードしたのを忘れていたに違いないと思った。でも、一カ月のうちに、三件や四件の、ときには一〇件から一五件も請求のある日が何日も見つかった。本当にそれらのすべてを忘れているのなら、私は脳に何らかの障害を抱えていると考えざるをえないだろう。前月の請求書も確認してみると、そこでもあちこちに少額の請求が見つかった。ただし、数が少なかったので見落としていたのだ。そこで私はインターネットを使って、その日までの最新の請求項目を確認した。すると、いちばん新しい請求の日付は、まさにその日を示していた。電卓を出して、すべての項目を加算してみると、その合計額は何と九四七・七三ドルにもなっているではないか。

なぜだろうか？　もちろん、最初はハッキングを疑った。どこかの地下室でコンピュータオタクの誰かが（それとも、モスクワと深い関係のある悪徳サイバー犯罪者のグループが）私のアカウントに侵入して、少しずつ現金を流出させたに違いない。しかし、まえがきですでに指摘したように、しばらくのちにアップルで私のアカウントを使っているのは私一人ではないことに思い当たった。当時一〇歳だった息子のアレックスにパスワードを教えていたのだ――パスワードを使うときは、必ず私に声をかけるように伝えてはいたけれども。もしかすると、アレックスならこの請求に心当たりがあるかもしれない。

階段を下りると、アレックスはいつものようにｉＰｈｏｎｅを手にしてカウチに座っていた。私は横に腰をかけて、優しく話しかけた。

「アレックス、私のアップルのアカウントを使った？」

ゲームに夢中になっている彼は、顔を上げようともしない。

「アレックス、こっちを見て」

彼は顔を上げたが、画面はまだ点滅を続け、楽しげな効果音が聞こえてくる。

「ちょっとそれを止めて。いい？」

むっとした表情で、アレックスは電話を横に置いた。

「ここにたくさんの請求が来ているの」。私は説明した。そして、請求書の項目を順番に読み上げる。

アレックスは首を横に振った。「僕じゃないよ」。横ではまだゲームの効果音が鳴っている。息子は私の話に集中していないようだ。

請求書の日付と時刻をもう一度確認したとき、私はあるパターンに気づいた。請求項目のすべてが平日の午後、アレックスが学校から帰ってくる時間以降だったのだ。その時間、家に彼のほかに誰もいないことも多々ある。

「ねえ、アレックス。本当にあなたじゃないの?」。私は語気を強めた。

「ちょっと待って……いくらだったたって?」。アレックスが尋ねた。

「だいたい数ドルほどだけど」。少し考える時間を与えてから、私は続けた。「全部アップストアから」

アレックスの顔が突然真っ青になった。「あっ」彼は言った。「それなら」

そこからすべてが明らかになった。すべての始まりはグーグル検索だった。アレックスがウェブ上で「いちばんおもしろい」サッカーゲームを探すと、「FIFAモバイル」というゲームが検索結果リストのいちばん上に現れたのだった（アレックスは気づかなかったが、それは有料広告だった）。アレックスはすぐにアップルのアップストアへ行って、そのゲームを無料でダウンロードした。「FIFAモバイル」は最高だ! 本当に楽しくてワクワクする。しかしまもなく、アレックスはもっと有能な選手がチームにいたほうが、ゲームがはかどることに気づいた。でも困ったことに、本当のスター選手——大好きなロナルドやメッシ——は無料では手に入らない。代わりに〝FIFAキャッシュ〟を使えば、彼らを買うことができる。もちろん、FIFAキャッシュは現金で買うことになる。続けてアレックスは、もっといいものを見つけた。少し多く支払えば〝パック〟が買えて、選手やチームにたくさんの技やスキルを覚えさせることができるのだ。

この仕組みは、業界では「ルートボックス（ガチャ）」と呼ばれている［注1］。

期待どおり、優れた選手を増やせば、試合に勝つのは簡単だった。アレックスは勝つことが増え、ますますＦＩＦＡキャッシュに課金し、勝ち試合をさらに増やしていった。毎回一・九九ドルをつぎ込んでいるうちに、彼のチームはまるで本物のレアル・マドリードのように順位を上げていった。「ＦＩＦＡモバイル」はアレックスのスコアを、統計を、順位を記録した。近所のチーム内での順位ではない。全世界での順位だ。アレックスは世界を相手に戦っていた。そしてまさに連勝中だったのだ。ところが問題は、順位が上がるほど対戦相手も強くなることだった。強豪と張り合いつづけるには、もっと有能な選手が、もっといいスキルや技が必要になる。しかも、たとえ彼がゲームに疲れて、めったにないことだがほかの何か、例えば宿題とかに没頭していても、スマートフォンが光って、大きな試合が目前に迫っていると教えてくれるのである。それらすべてが、サッカーに夢中の一〇歳児にとって本当に楽しくて、ワクワクする出来事だったのだ。だがその彼でさえ、事態が自分の手に負えないものになっていることに気づいた。

話し終えたとき、アレックスは肩を落として頭をうなだれていた。「しかたなかったんだよ！」と彼はぼやくように言った。「僕、……僕は知らない。ゲームが勝手にやったんだ」。彼は頭の霧だとかトランス状態だとか言いながら、自分を見失ったのだと主張した。私は、あまりいい気はしなかったが、息子をこのまま無罪放免にするのは嫌だった。そこで、請求額を折半し、彼の分を小遣いや手伝いなどを通じて返済させることに決めた。

もちろん、「FIFAモバイル」は彼のスマホから削除された。

## 〝説得〟の技術

この出来事を通じて、私は母親としては恐怖を覚え、ビジネスジャーナリストとしては興味をそそられた。なぜ「FIFAモバイル」は、ふだんは行儀がよく、分別もわきまえているアレックスを、中毒と呼べるほどゲームに熱中させることができたのだろうか？　ゲームをつくった人が際だって優れた才能をもっていたのか？　それともただの偶然か？　あるいは、まったく違う理由があるのだろうか？

そこには実際に、まったく別の理由が潜んでいた――とても大きくて、儲けの高い理由が。少し掘り下げただけですぐにわかったのだが、アレックスを夢中にしたおもな要因を思いついたのは「FIFAモバイル」の開発者ではなかった。彼らの作品が応用した仕組みはすでに数年前に、スタンフォード大学の説得技術研究所で開発されていたのだ。それが「カプトロジー」と呼ばれていることを、私はのちに知った。デジタル革命時代のほかの多くの製品と同じように、カプトロジーも高い理想から生まれた技術なのだが、次第により現実的な目的のために使われるようになったのである。研究所を設立したのはスタンフォード大学心理学教授のB・J・フォッグ。彼はB・F・スキナーの単純な行動モデルをより実用的な学問につくりかえようとしていた。餌でネズミを操ってレバーを引かせるのではなく、人間の習慣を改善することが目的だった。

私が個人的に出会った多くの技術者と同じで、フォッグも友好的だが、どことなく風変わりな人物だ。頭の切れる人で、現代のテクノロジーにおいて最も重要な分野のパイオニアであることに間違いはない。しかし、少し間の抜けた部分もあり（自身のウェブサイトでぬいぐるみといっしょにポーズをとっていたりする）［注2］、自分がやっている仕事にどれほどの影響力があるか、あまりよく理解していない。私はコラムのなかでフォッグの研究所について言及したのだが、それを読んだ彼のほうから、私に接触してきたのだった。彼は自分が中傷され、仕事が「誤解されている」と感じたのだ［注3］。二〇一六年の選挙介入スキャンダル以降、ソーシャルメディアの悪用に対する関心が高まっていたなか、フォッグには複数の評論家やジャーナリストから批判が浴びせられていた。テクノロジーを用いた〝説得〟の悪影響についてフォッグがじゅうぶんに人々を警告してこなかった、というのが批判の理由だった。しかし、実際にインタビューしてみてわかったのだが、フォッグはほかの技術者の多くと同じで、イノベーションの優れた点に目を向け、その話ばかりして、暗黒面については無頓着なのだ。

「私はハイテク家庭で育ったんだ。ガレージに誰も触ろうとしない電子レンジがあって。きっと、放射線でも発していたのだろう」とフォッグはジョークを飛ばした［注4］。「言語にも関心があって、大学で英語と修辞学を学びたいと思っていた。アリストテレスに出会って、こう考えたんだ。〝これらすべて［説得の力のこと］は技術に応用できる！〟って」。最終的に、フォッグはスタンフォード大学で博士号を取り、技術が人々にどのような影響を及ぼすかを研究した。「でも、それだけでは満足できなかったので、例えばあなたの性格を共有する、あるいはあなたを喜ばせるコンピュータがほかのコンピュータよりも説得力があるのか、調べてみたいと思うようになった。ところが、誰もそんな研究をしていない。例外は、テレビゲームに携わる人々だった」

そこでフォッグは、例えば兵士志願者を勧誘するために軍がつくったテレビゲームや、人々にもっとフルーツを食べさせるためにドール・フード社が開発させたゲームなど、すでに応用されている数十件の説得技術を研究するためにグループをつくった。方法として、心理学者B・F・スキナーの研究を参考にした。スキナーは行動の変化を促す最も効果的な方法は、「間欠的不規則報酬」と呼ばれる仕組みを応用することだと発見した人物だ。一九五〇年代にスキナーは、実験用ネズミは一貫した餌――例えば、レバーを引くたびに五粒の餌玉――が与えられると満足することに気づいた。ところが、一回引いたあと、次は七回引いたあと、その次は二三回引いたあとなど、不規則に餌を与えた場合、ネズミは異常なまでに餌を欲しがったのである。いつ餌が出てくるかわからない場合、ネズミはレバーを引くのをやめようとしないのだ。その後の研究を通じて、人間にも同じ原理が当てはまることがわかった。スロットマシンがまさにこの仕組みを利用している。スロットマシンがほかのどのギャンブルよりも依存性が強く〔注5〕、ほかのすべてのゲームを足したよりも大きな収益を上げているのは、そのためだ。

同様に、不規則な報酬はビッグテックの世界でも蔓延している。スマートフォンこそが、ポケットに入るスロットマシンとして機能する〔注6〕。そこから得られる〝餌〟はまったくもってくだらないものなのだが、それでも私たちは不規則な報酬――ゴシップに満ちたEメール、かわいいスナップ写真、おもしろそうなニュース――を期待してレバーを押しつづける。スマホだけでなくそこにインストールされているアプリの多くもスロットマシンだ。私たちの関心を乗っ取るために、欲求を歪めるために、性格を変えるために設計されている。フォッグは人々のために研究した。運動や禁煙など、いいことをするのを促そうとしていたのだ。依存を促す技術を広めていると批判されて劣勢に立たされた（加えて、いくつかのネガティブな報道後に殺害の脅迫も受けた）フォッグは、コンピュータと人の相互作用を扱う彼のクラスは、説得という哲学的および心理的概念をアルゴリズムに置き換えることを目的にしていて、「暗黒面をつくるつもりはなかった」、と説明する。「研究の目的は、説得技術を社会的に有益に使う方法を示し、促進することにあった。それに成功したかどうかはわからない……」。消え入りそうな声でそう語った。

その答えは、〝成功〟をどう定義するかで変わってくる。事実として、フォッグの研究室はスタンフォード大学で最も人気が高く、最も影響力の強い研究室の一つになり、インスタグラムをはじめとした数多くのスタートアップの創業者を輩出した。しかし、フェイスブックのようなインターネット・プラットフォームの人気が高まるにつれて、説得技術のうわさも広まり、アプリの開発者たちが大衆の行動に影響を与えるために、こぞってカプトロジー技術を採用しはじめたのである。フォッグ自身も二〇〇三年から二〇〇四年にかけて、孤立した人々、特に高齢者をサポートするために、オンラインでの友情を強化することを目的としたスタートアップを（全米退職者協会の協賛を得て）立ち上げた。その後、フェイスブックから電話がかかってきた。

「彼らは『あるプラットフォームを立ち上げる予定があって、あなたにそのプラットフォームで動くアプリをつくることに協力してもらいたい』と言ってきた。私は、彼らがすべてのピースを一つにまとめたのだと悟った。マイスペース（Myspace）とは違って、フェイスブックは（ザッカーバーグのハーバード人脈のおかげで）信頼できる立場にあった。彼らは人々に性能とスキルで貢献する場を与え、それらをフェイスブックの一部として受け入れるだろう。それがユーザーの数を増やすはずだ。結果、雪だるまのように、ますます多くの人がフェイスブックに集まってくるに違いない」

「新しいアプリをテストするのに最適な場所だ！」と、フォッグは興奮した様子で話した。「自分のアキュラ・レジェンドに乗り込んで母に電話で『母さん、フェイスブックっていう名前を聞いたことはないだろうけど、あいつらはついにやったよ。母さんも始めなよ。どのみち最後は始

めることになるんだからさ』と言ったのを今でも覚えている」[注7]

フォッグ自身のスタートアップは本格的に活動することはできなかったが、彼はグーグルのラリー・ペイジと会って、その点について興味深い話をしている。

「私の論文を指導したテリー・ウィノグラードは、ペイジの論文指導者でもあったんだ。だから私がウィノグラードに頼んで、ペイジを呼び出してもらった。ペイジは私たちがやっていることを見て、こう言ったんだ。『君はそれを世に出さなければならない……今すぐに』。当時の私は技術を完璧にすることにこだわっていたけれど、彼の助言は正しかったと思う」[注8]

その後、フォッグは学者として、「大量対人説得術」というタイトルの授業を行った。当時のフェイスブックのユーザー数は二五〇〇万人（現在の二三億八〇〇〇万人（訳注：二〇二〇年三月現在は約二六億人）とは比べものにならない）。授業でフォッグは、フェイスブックでテストされ広められるアプリをつくる機会を学生に与えた。もちろんフェイスブックにとっては、ユーザー数を増やす絶好の手段だ。ユーザーの誰もが、（フェイスブックは友達といっしょに使ってこそ楽しい、をモットーに）Eメールと連絡先をフェイスブックと共有するよう求められたのと同じことが、アプリでも行われた――つまり、アプリの開発者は当該アプリのユーザーの情報だけでなく、彼らがそのアプリを使うように〝招待〟した友人の情報も手に入れることができたのである[注9]。これが、世間を騒がせたイギリスのケンブリッジ・アナリティカのデータ漏洩問題の引き金になった。アレクサンドル・コーガンという学者が調査アプリを開発し、それをフェイスブックで広めたのだが、そのアプリを使って彼は調査に回答した二五万人の個人情報を集めただけでなく、回答者とつながっている八七万人の情報も手に入れたのだ。ケンブリッジ・アナリティカはその情報を利用して広告を展開し、二〇一六年の米国大統領選挙がドナルド・トランプ有利に進むように仕向けた。ネットワーク効果が最もあくどい形で利用されたのである。

フォッグは素朴にも、学生たちが高貴な目的のためにフェイスブックを利用する努力をするよう望んでいたが、学生の一部は金儲けのことだけを考えていた。「フェイスブッククラス」と呼ばれるようになっていた彼の授業は、二〇〇七年に七五人の学生をビッグテックのキャリアへと送り出した。「このクラスを開催する承認を得るのは、本当に難しかった」とフォッグは回想する。「親たちは、我々はフェイスブックの勉強をさせるために我が子をスタンフォード大学へ行かせたのか、などと言っていた。一方私たちは大学に対して『これは本当に重要で、研究しなければならないテーマなのだ』と言い張った」

当然のことながら、フォッグらはコースを宣伝するためにもフェイスブックを利用した。「授業には一〇〇人の学生がいて、それだけでも多いのに、最後のプレゼンテーションの時間には五五〇人が殺到した。多くは、シリコンバレーのトップクラスの投資家、エンジニア、イノベーターだ。立ち見席しかなかったので、終わったときには私は疲れ果てていた。回復するのに一カ月

ぐらいかかったほどだ」［注10］

学生の一部は健康やウェルネス目的のアプリを披露した。一例を挙げると、オレゴン街道を走破するためのトレーニングをする人々向けにつくられたアプリ。デートアプリをつくった学生もいた。フォッグは良心を信じていたが、現実はそう甘くなかった。リンクをクリックさせたり、ページにとどまらせたり、そのページにさらに長く滞在させたり、何かを買わせたり、ほかの人に何か買うよう勧めさせたり、とにかく何でもいいから、誰かを説得することに継続的に報酬が与えられたのだ。コースが開かれた一〇週間で、学生たちはフェイスブック上で一六〇〇万もの人々と交流した［注11］。

フォッグの学生の一人だったのがトリスタン・ハリスだ。湾岸地区で負傷を負った人々の支援者だった母親一人に育てられた若い技術者だ［注12］。ハリスはもの静かで思慮深く、スタンフォード大学の学生のなかでも飛び抜けて聡明だった。子供のころはマジシャンまたは心理学者になることを夢みていた。しかし、考えを変えたのはスタンフォード大学に入り、コンピュータ・サイエンスに魅了されたからだ。特にコンピュータの知能がもつ、人間の多様性を改善する力に興味をそそられた。フォッグのクラスでは、ハリスはB・F・スキナーが発案したクリッカー・トレーニングと呼ばれる有名な犬の調教法を研究し、同じ間欠的不規則報酬を用いて人間の行動に変化を起こさせることができるかどうかを調査した。

ハリスはスタンフォード大学でオンライン体験のデザインだけでなく、ウェブサイトのデザインも、感情に大きく作用することを学んだ。例えば、リンクドイン（ＬｉｎｋｅｄＩｎ）の初期設計では、各ユーザーの個人的なつながりが公開されていた。誰も他人から知り合いの少ない敗者と思われたくはない。そこで人々がもっと多くの人を招待することに没頭したので、ネットワークはどんどん大きくなり、そこで提示されるオファーの価値も高まっていった。もちろん、すべて無料だ［注13］。どうやら社会的な圧力は人々の意識を〝乗っ取る〟［注14］有効な手段のようだ、とハリスは学び、その仕組みを中毒性の高いテクノロジーがうまく機能するプロセスだと（正確に）理解した。終わりなくつねに変化を続けるコンテンツ――ツイッターのフィード、仮想サッカーランキングのリアルタイム更新など――を用いて、モバイルゲームやアプリは、私たちに何か大切なものを逃してしまうのではないかという感情を呼び起こすように〝設計〟されている。だから私たちは絶え間なくスマートフォンなどをチェックしてしまう。ある調査によると、その回数は一日で平均二六一七回にもなるそうだ［注15］。私たちは自分で自分のコントロールができていると思っているかもしれないが、実際には関心の商人によって操作されているのだ。

すでに見たが、これは私たちの精神的健康にも大いに悪影響を及ぼしている。ストレスが増え、不安になり、病気になるリスクも高くなる。アレックスを夢中にした「ＦＩＦＡモバイル」のようなゲームアプリを依存性物質に分類する精神医学の専門家も増えてきた。二〇一八年、世界保健機関（ＷＨＯ）は「ゲーム障害」を国際疾病分類の改訂案に加えた。オンラインゲーマー――世界でおよそ二六億人、アメリカでは三世帯のうち二世帯に一人は該当者がいる――の多くが自らをコントロールできていないという結果を示す研究の数が増えつづけているからだ。「私のところにはキャンディクラッシュ・サガ依存症に悩む患者がやってくるが、彼らはコカイン障害の人々ととてもよく似ている」と、二〇一八年の六月に『ニューヨーク・タイムズ』紙でゲーム依存症について指摘したのは、ラトガーズ大学精神医学部の部長を務めるペトロス・レヴォニス博士だ。「彼らの生活は破綻し、人間関係も維持できず、体調も崩れる」[注16]

当然ながら、大人よりも多くの時間をソーシャルメディアやゲームやアプリに費やす子供たちが特に影響されやすい。フォートナイトのような大ヒットゲームには二〇〇種類もの説得技術が含まれているので、家族――おもに息子――がゲーム依存症に陥った人々を支援する団体が次々に誕生している。しかし残念なことに、それは負け戦でしかない。親がどれだけ熱心に自制や我慢や責任を呼びかけても、その努力は子供たちがゲームから得るドーパミンの影響力には遠く及ばない。フォートナイトの開発者が『ウォール・ストリート・ジャーナル』紙のインタビューで、「数年とまではいかないとしても数百時間」子供たちをくぎ付けにするゲームをつくることが目的だった、と話したのは現実離れした話ではないのだ。フォートナイトを生み出したエピック（Ｅｐｉｃ）は、仮想商品の販売ですでに二〇億ドルを売り上げている[注17]。

加えて、人には社会から認められたいという欲求もある。私たちのほとんどは自分が一〇代だったころを思い出せば、この現象が最近始まったことではない事実に気づくだろう。しかし、今と昔には大きな違いがあり、現在ではインスタグラムやスナップチャットのようなプラットフォームが、この欲求を本格的な依存症のレベルにまで高めているのだ。考えてみよう。平均的なティーンエイジャーは一日の七・五時間をスクリーンやスマートフォンを眺めながら生きているのだ[注18]。彼らが孤立し、社会とつながりが希薄になり、以前の世代よりも鬱病に対する抵抗力を失っているのは不思議なことだろうか?[注19] これだけでもじゅうぶん恐ろしいことなのに、さらに恐ろしいことに、この状況は、この状況を生み出したプラットフォーム企業らによって金儲けのために利用されうるのである。二〇一七年に『オーストラリアン』紙で暴露されたフェイスブックの資料によると[注20]、同社の経営幹部は広告主に対し、フェイスブックはリアルタイムで投稿、インタラクション、画像を監視することで、一〇代の若者がどんなときに「不安」を覚え、自分を「無価値」だとみなし、「ストレス」を抱え、「役立たず」だと思い、「失敗作」だと感じるのかを追跡でき、弱まった彼らが「自信を付ける必要に駆られるその瞬間」に極めて精巧なターゲティング広告を打つことができると、自慢したそうだ。この点について、じっくりと考えてみよう。まさに人々の関心の終わりなき不当な商品化ではないか。その際、個人への影響などについてはほとんどまったく考慮されていないのである。

　このようにして、現代のデバイスは私たちが気づかないうちに、あるいは少なくともそれほど意識しないうちに、欲求を生み出している。デバイスがなければ、まるで手足を失ったかのように何もできないという不安を、私たちに植え込んでいる。アレックスの誕生日に開いたパーティで、彼の友達の一人にスマホを置くように言ったとき、その少年は怒って、危うく私に襲いかかりそうになった。もっとエスカレートした事例もあって、『Wired Child（ネット内の子供）』の著者である心理学者のリチャード・フリードの患者の少女は、デバイスを取り上げられたのをきっかけに暴れ出したので、両親が彼女を担架に縛り付け、精神科へ送り届けなければならなかったそうだ。両親によると、娘はまずスマートフォンに夢中になり、次第に孤立し、成績が下がり、鬱に陥り、暴力的になり、最後には自殺すると言いはじめた。フリードによると、残念ながらそのような例は増えつづけている。

　フリードはこう言う。両親には「幼い子供たちや一〇代の若者たちがテクノロジーに夢中になるのは、テクノロジー業界と心理学が実質上誰にも気づかれないうちに融合してしまったことの影響である」という事実が理解できない。「消費者ハイテク業界の多大な富と極めて洗練された心理学的研究成果の融合が、若者にとってドラッグと同じような魅力をもつソーシャルメディア、テレビゲーム、スマートフォンの開発を可能にした」。大量の心理学者や社会人類学者が巨大企業に（数多くの小規模な企業にも）雇われ、技術者をサポートしながら最新の説得技術と研究を製品づくりに活かす方法を探している。より多くの子供たちの関心をもっと巧妙に引きつける製品をつくるために。

フェイスブックが子供たちを意図的にだまして高額を使わせようとしているという暴露があったことを受けて、二〇一九年初頭には消費者や子供の擁護団体が連名で米国連邦取引委員会に対し、同社を詐欺の疑いで調査するよう要請した（閲覧可能な集団訴訟の文書によると、フェイスブックは子供たちのことを、カジノの隠語で高額を投じるギャンブラーを意味する「クジラ」と呼んでいた）[注21]。同じころ、グーグル傘下のユーチューブで、小児性愛者らが子供の動画のコメント欄をわいせつなコメントで埋め尽くした出来事をきっかけに、ネスレやディズニーのような有名ブランドがユーチューブで広告を買うのをやめた。上記二件の内容はそれぞれ大きく異なっている。しかし共通しているのは、ユーザーのコンテンツとデータの収益化にもとづくビジネスモデルにより、子供たちが危機にさらされているという点だ。

そしてこの危機は計画の一部なのだ。競い合って消費者の関心を集める。それこそが現在の資本主義の焦点になっている。企業やブランドはさまざまな心理状態を生み出そうとするが、彼らにとって最も好ましいのは〝熱中〟だろう。人々に製品を好きになってもらうだけではもの足りず、製品を愛してもらってもまだ足りない。それがなければ生きていけない、というほどの強い欲求を生み出そうとする。かつてのたばこやアルコール業界、あるいはテレビ業界がそうであったように（もちろんこのリストにはセックスも加えられるが、マーケターにとっては残念なことに、通常セックスは無料で手に入る）。実際に、現在の大企業の多くは、彼らの商品に対してニコチンのような欲求を呼び起こす方法を発見している。そしてビッグテックが用いるその方法の多くが、説得技術研究所で生まれたのである。

## スマホに潜む悪魔

トリスタン・ハリスは才能ある学生だった。スタンフォードを卒業後、いくつかのスタートアップを立ち上げ、成功に導いている。そのうちの一つでは、特定種類のポップアップ広告を開発したのだが、その種の広告は当時のウェブではいたる所で使われていた。二〇一一年、グーグルがハリスの会社の一つを買ったことをきっかけに、彼はグーグルに加わり、さらなる情報を求める人々をクリックに誘うように設計されたテキストボックスの開発に従事した。しかし、グーグルで過ごす時間が増えるにつれ、彼にはグーグル社員たちが少し〝散漫〟であるような気がしてきた。表面上は楽しそうに仕事に取り組んではいるけれど、彼らは気を散らしやすいし、ぴりぴりしているし、張り詰めているし、燃え尽き症候群の傾向も見られる。ハリスは、彼らが次の薬を求める薬物依存者と多くの特徴を共有していることに気づいた。ハリスはコンピュータの影響から同僚の注意力を守るために、マインドフルネスプログラムを始めようとした。出席者は多くなかったが、特に驚くことではないだろう。仕事はいくらでもあったので、忙しい彼らはマインドフルネスに貴重な時間を奪われたくなかったのだ。

「情報が豊かになれば、ほかの何かが不足する」と述べたのはノーベル賞を受賞した経済学者のハーバート・サイモンだ。「情報が何を消費するかははっきりしている。受け手の注意だ。したがって、豊富な情報は注意の欠如を引き起こし、その注意を過剰な情報源に振り分けなくてはならなくなる。その情報源がさらに注意を消費する」

ビッグテックが人々の関心を奪う方法はあまりに包括的で、あまりに強力なので、それを見極めるのは容易ではない。彼らの技術が人々をまさに非人道的なペースで追い立てるため、明確に考えることすら難しい。人は皆、集中して問題を、特に今の私たちが抱えている複雑な問題（資本主義の修正、気候変動に対する取り組み、政治の二極化の是正）を解消する能力を失っている――これがハリスを最も悩ませた問題の一つだった。人々の多くは自分の受信トレイにある日々のEメールやソーシャルメディアの通信にすら専念できないのだから、そのような大きな問題に集中して取り組めるはずもない。事態はさらに悪化していて、携帯電話を手にもって使っていないときでさえ、それが近くにあると知っているだけで、注意が散漫になってしまう。研究を通じて、携帯電話が遠くにあればあるほど、仕事の効率が実際に上がることが確認されている（ポケットよりも机の上、机よりも別の部屋のほうがいい）〔注22〕。

同じ研究が、さらに深い問題を提起している。技術が学習に必要な集中力を一つの世代全体から奪っているのだ。子供の健康に関する全国調査で得られたデータによると、一九九〇年代に注意欠陥多動性障害（ADHD）を患っていたのは人口のおよそ三パーセントに過ぎなかったが、それが今では約一一パーセントに増えている。心配せざるを得ない上昇のしかたで、医師の多くはデジタルメディアの普及が関係していると考えている〔注23〕。私の母校であるコロンビア大学でも、新入生たちが基本カリキュラムの基礎を学ぶのに必要な時間すら集中できないと嘆いている。彼らは週に二〇〇ページから三〇〇ページほどの読書もできないほど、集中力が続かない。コロンビア大学の教務主任であるリサ・ホリボーは、教授陣は「五〇年前に比べて集中力の持続時間が大きく変わった今、どうやって授業をすればいいかをつねに考えている」と指摘する〔注24〕。

まさに堂々巡りだと言える。長時間の読書ができなければ、複雑なアイデアや思考を展開するのに必要な情報を吸収することができないので、現在の大局的な問題が解けるはずもない。したがって、どうすれば無数の悪影響に悩まされることなく技術をうまく使いこなせるか、という問題を解決するしかない。

注意力を奪う技術をつくったメーカーがこの問題に気づいていない、というわけではない。実際には、彼らはじつによく理解している――少なくとも、自分たちの生活のために。興味深いことに、技術者の多くは定期的に〝デジタルデトックス《解毒》〟を行う。フォッグもその一人で、ハワイにいた彼は私に電話でこう話した。「寝ているあいだ、私は無線LANをオフにして、デバイスを遠くに置くことにしている――多くの人がハワイまで来て、スマホをずっと眺めているのを見ると頭がおかしくなりそうだ！」。また、彼らは我が子をできるだけデジタル世界から遠ざけようと躍起になっている。教室で電子メディアやデバイスを使わないなど、型破りな教育方法で知られるヴァルドルフ学校は、シリコンバレーで大人気だ。ベビーシッターには、両親が職場で人々を魅了するアルゴリズムを書いたり、デバイスやアプリ、プラットフォームをつくったり、宣伝したりしているあいだ、家で子供たちにスマホを使わせないよう徹底的に言い聞かせている。子をもつ元フェイスブック従業員は『ニューヨーク・タイムズ』紙の記者にこう語った。「スマホのなかには悪魔が潜んでいると、私は確信している」［注25］

これは完全な偽善なのだろうか？　それとも彼らは本当に後悔している？　おそらく、そのどちらも含まれているのだろう。事実として、自らが知らず知らずのうちに解き放った純然たる破壊力に気づき、その罪を償おうとしている技術者の数が増えはじめている。例えば、ワールド・ワイド・ウェブをつくったティム・バーナーズ＝リーは活動家に転身し、ウェブをビッグテックの強力な手から解放しようと努力している。元グーグル社員のジェームズ・ウィリアムズはシリコンバレーを去り、哲学者としてオックスフォード大学で説得技術の倫理について研究している。仮想現実の先駆者として知られるジャロン・ラニアーは最近の著書『今すぐソーシャルメディアのアカウントを削除すべき10の理由』のなかで、ソーシャルメディアが犠牲者の文化をつくり、経済や民主主義だけでなく、自由な考え方という点でも、思考の多様性を損なっていると主張した。

## 大覚醒?

誰もが知り、誰もが感じているが、誰もどう表現すればいいのかわからない。物事がいくらか制御不能になっていることに気づいているのだが、ほかの方法で生活する自分を想像できない。頭で考えるのではなく、むしろ本能的に反応する。人生が悪い方向に進んでいるような気がする。ストレスを感じ、取り残されたような気になり、体調が優れず、つながりを失い、損失感を覚える。現政権の支離滅裂な政治だけの問題でも、二極化された政治だけの問題でも、ただの仕事の不安の話でも、コンピュータ時代に道を譲る産業時代の激動だけの問題でもない。それ以上でもあり、それ以下でもある。

「今の状況を俯瞰してみると、新しくて強力でとても危険な新技術を発明したという意味で、一九四六年に似ている」とハリスは言う。「私たちは自分自身の［社会］体制を操作するシステムを開発した。自分たちの頭脳が追いつかないほど強力なシステムを」［注26］

そこで思い出さずにはいられないのは、メアリー・シェリーだ。一八一八年にかの有名な『フランケンシュタイン』を書いた人物である。当時は多くの点で現代にも似ている激動の時代で、シェリーのようなロマン派の人々は先人たちが「信仰の危機」を宣言したのにならって、「感情の危機」を宣言した。フランケンシュタインがつくりだした怪物は、ジキル博士とドラキュラと並んで、永遠に忘れ去られることのない怪物三傑に数えることができるだろう。ただし、ほかの二体とは違って、シェリーの怪物には名前がない（多くの人がフランケンシュタインを怪物の名前だと勘違いしているが、実際には怪物をつくった人物、ヴィクター・フランケンシュタイン博士の名だ）。名前がないのは、この怪物が飼い慣らすにはあまりに理解不能で、自由で、荒々しいからだ。

この名無しの怪物とは違い、ビッグテックの最大の特徴は〝実体の無さ〟だ。ビッグテックは私たちが見たり触れたりできる何かではなく、ビットやバイトで表される抽象的な形で流通している。これは、経済が発展してきた長い歴史のなかでも前例のないことだ。車輪、ローマ水道、印刷機。産業時代のおもな発明――これまでの技術革新の高み――は、どれも感覚的に理解できたし、同時に複数の発明を知覚することもできた。自動車、電球、電話など、誤解のしようがなかった。列車が轟音を立てて通り過ぎると、それが何かすぐにわかったし、どっちに向かっているのかも、人を乗せているのか、家畜を運んでいるのかなども明らかだった。

ビッグテックは広大で、あらゆるところに浸透しているが、その活動はまったく目に見えない。静かで、形も色もにおいもない。見えないので、理解もできない。それなのに奇妙にも私たちは、それが目指す先を歓迎して受け入れているのだ。おかしなことに、セールスマンには疑ってかかることを自慢にしているのに、きらびやかなハイテク新製品に対してはガードを下げてしまう[注27]。この意味で、ビッグテックとそのユーザーの関係は、かつてケーリー・グラントが演じたこそ泥と、彼の被害者だった金持ちで優雅な女性たちの関係に似ている。女性たちの首からネックレスを、耳からイヤリングを外すグラントの魅力や上品さを想像してみよう。女性たちは身近にグラントがいるというだけで心から喜び、宝石が奪われていることには気づかない。

そうなっている理由の一部として、テクノロジーそのものがもつ独特な美しさを挙げることができる。轟音を立て、煙を噴き上げながら田舎を横断する機関車が産業革命を代表するイメージだとするなら、情報時代を代表するイメージは薄くて光沢のあるｉＰｈｏｎｅだろう。ｉＰｈｏｎｅは大衆市場向けにつくられたもののなかで最も美しい製品と呼べるのではないだろうか。しかも美しいだけでなく、すばらしい機能も兼ね備えている。これほど手になじみ、見た目も美しく、さらには情熱に火をつけ、思考を刺激した製品がほかにあっただろうか？　カナダ人の通信理論家であり哲学者でもあったマーシャル・マクルーハンはかつて、テクノロジーの新しい波にはかならず以前のすべての波が含まれていると論じた〔注28〕。スマートフォンにも電話、カメラ、ビデオ、蓄音機など、すべてが一つに納められている。そのすべてがコンピュータチップのおかげだ。コンピュータチップはどんどん強力に、どんどん小さくなってきた。そして今、量子コンピュータは超高速で動作するという。

スマートフォンの力は理解できないものであると同時に極めて強力だ。まさに魔法そのもの。人は車のエンジンがどんな仕組みになっているかをおおまかに理解しているし、理解していない場合は、ボンネットを開けて自分の目で見ることができる。しかし、ｉＰｈｏｎｅのカバーを外して、なかで何が起こっているのかを見たことがある人がいるだろうか？　このポケットサイズの小さなコンピュータがどうやって写真を送受信したり、インターネットにアクセスしたり、二時間の映画をストリーミングしているのか、理解している人が、どれぐらいいるのだろう？　ほとんどの人にとって、それは不思議なことで、魔法としか言いようがない。実際のところは、Ｅメールを運ぶ電子信号の送信の仕組みは、空中を移動する音波の動きと大差はないのだが、障害が起きないかぎり、そのようなことを考える必要もないというのは、すごいことだ。

人生でこれほど神秘的なものはほかにほとんどないのに、それでも当たり前のように存在している。似ているものをあえて探すとするなら、宗教ぐらいだろう。宗教も同じように人をとりこにすることがある。実際のところ、心理的および社会的な意味で、今のビッグテック熱は奇妙なことに一七三〇年代の第一次大覚醒を彷彿とさせる。第一次大覚醒もつかみどころのない変化で人々に火をつけた。大覚醒は説教壇（現代で言うところのプラットフォーム）で熱弁を振るい、大西洋岸の人々を揺り動かしたジョナサン・エドワーズ、ジョージ・ホウィットフィールド、ジョン・ウェスリーなど数人の聖人の功績だったが、それと同じように、テクノロジー革命の高僧たちも一握りの大物たちでしかない。ブリンとペイジ、ザッカーバーグ、ベゾス、マスクなどだ。民衆に対し、自分たちに従わなければ永遠に地獄が続くと脅し、従えば永遠の命を与えると約束する聖人たちと同じように、ビッグテックの発する言葉もまた、理性以下のレベルに訴えかける。トリスタン・ハリスの言葉を使うなら「脳幹の底」、抵抗力が最も弱い場所だ。

ハリスは一年ほど、グーグルにある自分の説教壇から物事を変えようとした。しかし二〇一二年までに、彼は同社のエンジニアたちが、自分らが設計しているもの——例えば新しいEメールが届くたびに鳴るビープ音やチャイム——の影響力にほとんど注意を払っていないことに危惧を覚えはじめていた。彼らは細かい点の微調節に莫大な金額と時間を費やしながら、「自分たちは本当に人々の暮らしをよりよくしているのだろうか？」という大きな疑問にはまったく目を向けようとしない。

ネバダ砂漠で行われた悪名高いイベント「バーニングマン」で啓示的な瞬間を得たハリスは、

一四四枚のスライドからなるプレゼン資料をつくり、それを一〇人のグーグル社員に送った（のちに五〇〇〇人に拡散された）。そのタイトルは「ユーザーの注意力を尊重し、散漫を最小にする呼びかけ」。タイトルページには「かつて歴史上で、三つの企業――グーグル、フェイスブック、アップル――の一握りのデザイナー（そのほとんどが男性で、白人で、サンフランシスコに住んでいて、二五から三五歳のあいだ）の決断が、世界の人々の注意力にこれほど大きな影響を与えたことは一度もなかった」などの文言が書かれていた[注29]。このプレゼンは中級エンジニアに動揺を引き起こしたが、ハリスによると、最高幹部たち（ペイジはハリスと個人的に面会もした）は彼が提案したような形にビジネスモデルを変えることにはまったく前向きにならなかったそうだ。あまりにも多くの金額がかかっていたからである。

スライド・プレゼンテーションのおかげで、ハリスはグーグルに（当然）新設された「最高倫理責任者」の地位を得ることができた。しかし、自分のアイデアを実行に移すことはできなかった。社内には、「グーグルはユーザーが求めているものをつくっているだけで、それの何が悪い？」という共通認識が広がっていたからだ。「誰も悪役になろうとはしなかった」とハリスは説明する。「それは単純に標準的な技術とビジネスモデルとみなされていた」。しかしながら、彼にはほかの〝内部の〟人々の大半に見えていなかったものが見えていた。テクノロジーの巨人と消費者の利害がもはや一致していなくなっていたことに気づいたのである。

「文化と政治がさらに自己中心的になるような形でひっくり返されようとしているのには理由がある」とハリスは言う。「これらの会社のエンジニアの大部隊が、人々にもっと多くの時間ともっと多くの金銭をオンラインで消費させるために働いている。彼らの目的は、人々の目的とはまったく違う」。「システムを内側から変えるのは不可能だ」と判断したハリスは、二〇一五年にグーグルを去った。以降、タイム・ウェル・スペント（有意義な時間）という名の非営利団体を通じてゲリラ的な活動を行いながら、テクノロジー企業に基本価値を見直すよう求めている［注30］。

「例えば火曜日の夜に一人でいる場合、あなたは孤独を感じなくて済むように、何千もの「グーグルの」エンジニアがあなたをスクリーンの前にとどめるための仕事をしていることを望むだろう。彼らには孤独を和らげようと努力することができる」とハリスは言う。「ここが重要なポイントで、開発者には選択肢があるのだ。彼らは共感とつながりをデザインすることもできるし、閲覧者数を最大限にするように設計することもできる。「故意に不健康で依存性の強い製品を売ってきたたばこメーカーと同じで、彼らには選択することができた」とハリスは指摘した。

シリコンバレーにいる人々の多くは、あるいは資本主義とは人々が欲しがるものを売ることだと信じる人の大半も、何が正常かを決めるのはグーグルやフェイスブックやアップルの仕事ではないと言うだろう。プラットフォームは人間の善と悪の両方をただ単に反映しているだけだ、と。しかし、多くの人がこの考えを否定するに違いない。ハリスもその一人だ。ハリスが所有するシンクタンクであるセンター・フォー・ヒューメイン・テクノロジーの仕事の一つは、デジタル技術に適した、人にとって健全で、会社にとっても経済的な新しいビジネスモデルを開発することにある。プライバシーから独占、あるいはテクノロジーの健康への影響にいたるまで、綿密に調査する彼らの声を聞くことは、企業にとって賢明な戦略だろう。

連邦取引委員会は二〇一八年の後半に、ヨーロッパの規制当局の指示に従い、私の息子アレックスをとりこにしたような「ルートボックス」の使用状況に関する調査を行うと発表した。その目的は二〇二二年までに五〇〇億ドルの市場価値をもつと予想されているゲーム業界の企業が意図的に子供たちをくぎづけにする技術を用いているのかどうかを調べることにある。「ルートボックスはゲーム業界で蔓延していて、手軽なスマホゲームから最新のテレビゲームにいたるまで、どこにでも見られる」と、調査を呼びかけたニューハンプシャー州の上院議員マギー・ハッサンが指摘している［注31］。それ以来、テクノロジー企業が子供を相手に商売をする方法と、子供相手に提供するコンテンツや広告のあり方を見直す法律の制定が相次いでいる。その多くを後押ししたのはハリスのような活動家や、コモン・センス・メディアの創立者兼CEOであるジェームズ・P・ステイヤーのような人物だ。ステイヤーが中心となって、カリフォルニアでは新しいプライバシー法が定められただけでなく、そのほかにもオンライン上の子供たちを守るための数多くの提案がなされている。これからの数年で、業界は製品が私たちの脳、特に子供たちの脳に与える影響に責任をもつよう、親、活動家、あるいは規制当局からの圧力にさらされることになるだろう。問題は、彼らがそれにどう反応するかだ。

## 人道的技術？

テクノロジー企業は時代を先取りするための努力を惜しまず、子供向けに製品やサービスを調節している。すべてのビッグテック企業のなかでも、製品の中毒性に対する批判に最も真摯に応じているのはアップルだろう。その理由の一つとして、同社がグーグルやフェイスブックとは違って、個人データをターゲティング広告に利用することをビジネスの中心に据えていない点を挙げることができる（ただし、同社のビジネスモデルが人々の関心に依存していることは確かで、その証拠に、アップストアの一〇周年記念を祝うプレスリリースではアングリー・バードやキャンディクラッシュなど、多くの人々をくぎ付けにしているゲームが称賛されていた）［注32］。『ニューヨーク・タイムズ』紙が二〇一八年に発表したところによると、アップルのデバイスにもユーザーの位置情報を追跡する機能をもつアプリが存在するが、その数はわずか二〇〇程度で、アンドロイドの一二〇〇に比べるとはるかに少ない［注33］。加えて、アップルはいくつかの大きな変化も取り入れた。ハリスをはじめとした活動家や、最近では大型ヘッジファンドのジャナ・パートナーズやカリフォルニア州教職員退職年金基金などといった投資家側から、圧力があったからだ。カリフォルニア州教職員退職年金基金は二〇億ドルに相当するアップルの株を保有しているのだが、二〇一八年に同社に書簡を送り、子供たちの精神的な健康に対するデバイスの影響を制限するためにペアレントコントロール機能をもつ新しいソフトウェアの開発を要請したのだった［注34］。これを受けてアップルは、ユーザー（あるいは親）がアプリの使用状況を追跡したり、受け取る通知の数を減らしたりするための一連の機能を追加した［注35］。

グーグルやフェイスブックに人々の関心を〝ハイジャック〟するような行為を根本的に改めさせるのは、難しい課題になるだろう。フェイスブックよりは（まだじゅうぶんではないにしても）世間の声に理解を示すグーグルは、フィルターバブルの問題などに対処するために、ユーチューブのアルゴリズムの一部を書き換えた。また、すでに指摘したように、今後子供向けのコンテンツを専用のプラットフォームに移すことも検討している。しかし、グーグルやフェイスブックがデータ収集や関心の収益化にあまり依存しないビジネスモデルに転換できるとは考えにくい。彼らも従来の企業と同じで、今まさに多くの利益を上げている何かを変えることには消極的だ。おそらく、規制当局からの厳格な指示がなければ、すぐには変わらないだろう。実際のところ、そのような動きはゆっくりとではあるが、確実に始まっている。市場が健全なら、いくつかのスタートアップがオンラインで過ごす時間ではなく実用性を前面に押し出した新しいビジネスモデルをひっさげて競争に加わり、現状のパラダイムをぶち壊すのかもしれない。実際に、そのようなスタートアップがいくつか登場したものの、それぞれの市場を独占するグーグルとフェイスブックの前で、勢いを得ることができずにいる［注36］。

かつてフィルターバブルをなくすためにユーチューブのアルゴリズムを書き換えようとした（そして失敗した）元グーグル社員のギョーム・シャローは私にこう語った。「単純に、これら大企業にはビジネスモデルを変える理由がない。変えるにはスタートアップの力が必要だ。ところが、スタートアップには互角に戦う大きさがないし、成長するための資金を得ることもできない」。なぜなら、巨大企業が発するネットワーク効果があまりにも強固なため、誰も競合技術に投資しようとしないからだ［注37］。そのようなネットワークとその破壊力がどのように作用し、消費者技術だけでなくあらゆる業界にどれほどの影響を及ぼしているかを、次の章で見ていく。

# 第7章

# ネットワーク効果

CHAPTER 7

THE NETWORK EFFECT

Eメールは終わりのない贈り物だ。何年も前から、フェイスブックとグーグルは自らを、自由の、情報の民主化の、世界をつなぐ者の、チャンピオンと位置づけようとしてきた。しかし、両社の内部でやりとりされているメールを見てみると、実情はまったく異なっていることがわかる。例えば、二〇一八年の冬にイギリスの議員団が二〇一二年から二〇一五年までのフェイスブック内のメールを大量に公開したのだが、それを見ると同社の主要幹部の二枚舌っぷりが垣間見える。

大企業がほかには目もくれずに成長を目指すのは驚きではない。それこそが――少なくとも現代のアメリカ合衆国とヨーロッパのほとんどの国では――民主主義なのだから。しかし、巨大テクノロジー企業が成長を維持し、それどころか加速するために、ほかの業界なら間違いなく規制の対象になっているはずの反競争的な方法を大々的に用いている事実は受け入れがたい。

代表例として、競合他社を押しつぶすためにフェイスブックがその大きさと規模を利用している点を挙げることができる。ネットワークが広がるにつれて、フェイスブックは独占的な力を手に入れた。鉄道や公共事業と同じで、フェイスブックは特定の人々に接触しようとする者がアクセスせざるをえないプラットフォームを運営している。したがって同社は、自らのビジネスを立ち上げるためにネットワーク、あるいはデータを必要とする者から、欲しいものをほとんど何でも要求することができる。同じように、なんらかの理由を付けて同社の誇る大量のユーザーデータ（基本的にほかの企業がフェイスブックに加入する唯一の理由だ）にアクセスする権利を拒むことも可能だ。

イギリスの議員団が公開した二五〇ページに及ぶEメールと資料から明らかになったのだが、フェイスブックはエアビーアンドビー、リフト、ネットフリックスなど、自社と直接競合しないと判断した企業に対してはデータにアクセスすることを認めている。カナダ・ロイヤル銀行など、非テクノロジー企業もそうだ。しかし、ツイッターが所有するビデオアプリのヴァイン（Vine）など、フェイスブックからライバルとみなされた会社はデータへのアクセスが拒否されたり、ネットワークから締め出されたりした。二〇一三年にツイッターがヴァインをリリースしたとき、実際にフェイスブックはツイッターがフェイスブックのフレンドデータにアクセスするのを遮断した。ザッカーバーグがそう望んだからだ［注1］。

ほかにも、ザッカーバーグがフェイスブックのユーザーデータにアクセスするアプリ開発者から料金を徴収する案を検討していたことや、開発者のもつユーザーデータをフェイスブックのネットワークと共有することを強いる計画を立てていたことも、Eメールから明らかになった。それどころか、フェイスブック上で広告を買わない開発者には特定のデータへのアクセスを制限することも考えていたようだ。「彼らのほうからフェイスブックに何も共有してこないのは、私たちにとって好ましい状態ではない。共有コンテンツが私たちのネットワークの価値を高めるのだ」と、ザッカーバーグは書いている。「究極のところ、私が思うに、プラットフォームの目的は……フェイスブックに対する共有を増やすことだ」。最高執行責任者のシェリル・サンドバーグも別のメールで同じ考えを披露している。「世界における共有という意味だけではなく、フェイスブックへの共有も最大化することを目指すという考えは、とても重要だと思う」とサンドバーグは書いたのだが、彼女とザッカーバーグが世間に対して何度も口にしてきた「世界をもっとオープンに、もっとつながりのあるものにする」という言葉とはまったく相いれない考え方だ[注2]。

どうやら、ネットワークを広げるという点に関しては、歯止めがきかなくなっていたようだ。不思議なことではない。なぜなら、のちに見るように、ネットワークにこそ価値が宿るのだから。フェイスブックはどんな手を使ってでも、ネットワークを広げなければならなかった。だからこそ経営陣は会社の評判を落とすリスクを冒してまで、アンドロイド・アプリにユーザーの通話を記録する許可を与えたのである。これは新しい次元のプライバシー侵害だと言える――しかし、そのおかげでより多くのデータを集めて、フェイスブックの成長力を高めることができたのだ[注3]。

## 生活のためのオペレーティングシステム

二〇一一年、連邦取引委員会がグーグルの調査を開始した（この時期、アメリカだけでなくヨーロッパやアジアでも一連の規制当局が同社の競争慣行を調査しはじめていた）。グーグルがさまざまな市場で独占的な地位を占め、その力を競合他社の駆逐のために使っていた疑いがあったからだ。イェルプ（Ｙｅｌｐ）が不満を表明したことが、調査のきっかけの一つになった。イェルプは個人の生活に深く根ざし、非常に地域的な情報（ポートランド在住のユーザーに最も評判のいいデイケア・サービス、ボストンで最高のタイ料理店など）に特化した人気検索エンジンだ。

いざこざはすでに数年前から始まっていた。まだ生まれたばかりだったイェルプは、ユーザーがイェルプに投稿した地元サービスのレビューなど、コンテンツの一部をグーグルが利用することを認め、同社とのあいだに契約を結んだのだった。当時まだ地域的な検索に力を入れていなかったグーグルはイェルプのサイトにある地域コンテンツにアクセスすることができるし、イェルプは閲覧者の数を増やすことができる。まさにウィン・ウィンの関係だった。テクノロジー起業家のラッセル・シモンズとともにイェルプを立ち上げたジェレミー・ストップルマンは「あのころは、敵になるよりも友になるほうがよかった」と振り返る［注4］。それに、イェルプにはトラフィックを増やすためにグーグルの力が必要だった。結局のところ、最大のプレーヤーとしてネットワーク効果に恵まれるグーグルこそが、ほとんどの消費者がネットの旅を始めるときに選ぶ検索ハイウェイなのだから。

そもそも、イェルプのような〝垂直検索エンジン〟はグーグルの検索ビジネスとはまったく性質が異なっている。垂直検索は、グーグルが主戦場とする〝広範囲の〟検索ではなく、非常に細かい特定タイプのコンテンツに特化している。しかし、ローカル検索の人気が高まってきたため、グーグルもこの分野に参入することに決めたのだ。加えて、スマートフォンが普及し、アマゾンが成長したため、グーグルは大きくなったテクノロジー市場での立場を固める必要に迫られていた。人々の生活全般のオペレーティングシステムになるつもりなら、大小に関係なく、検索市場のひとかけらでさえ譲り渡すわけにはいかない。そこでイェルプと契約を結んだ数年後、グーグルはユーザーが地域サービスのレビューや評価ができるように、イェルプと同じような〝ローカル検索〟機能を追加した。グーグルにイェルプのビジネスモデルを模倣されることを（正当に）恐れたストップルマンは、契約を延長しないことに決めた。二年後、グーグルはイェルプを五億五〇〇〇万ドルもの高額で買収しようと試みたが、取引は成立しなかった。

争いが始まったのは、そのときからだ。当時は、「スマートフォンで行われる検索のおよそ半数が地域的な情報に関するものだった」と語るのは、イェルプの政策部長で、グーグルの反競争的なビジネスに注意を払うよう規制当局に働きかけた中心人物でもあるルーサー・ロウだ［注5］。ロウによると、グーグルはトラフィックを増やすために、自らのローカル検索の結果をイェルプやほかの競合他社の上に表示するようになった。その理由は、そのほうがユーザーの利便性が上がり、検索結果が「より好ましい」ものになるから［注6］。大量の複雑な連邦取引委員会資料を見れば明らかなように、ここで言う「好ましい」とは単純に、グーグルにとって好ましい、という意味だ。

ロウは指摘する。「当時の彼らはすでにもつネットワークの優位性を大々的に活用して、イェルプのコピーである自らのサービスに人を吸い上げようとしていた」。記録公開依頼の最中に誤って『ウォール・ストリート・ジャーナル』紙の手に渡ったメモのなかに［注7］、連邦取引委員会のメンバーの試算が書かれていたのだが、それによると、より公平な競争の場をつくった場合、グーグルは「年間一億五四〇〇万ドルの損失」を製品検索で被っていたと考えられる。その文書には「ショッピングやローカル検索など、グーグルが垂直的な属性をすでに有している分野で、同社はそのような属性へのユーザートラフィックを増やすために、さらなる投資と対策をする必要を強く感じていた」とも書かれていた［注8］。そこで幹部会議が開かれ、たとえ検索の質を落としてでも、競合を避ける方法を見つけなければならないという決断が下される（「ラリーは、「グーグルは」もっと露出を増やさなければならないと考えた」と脚注にある）［注9］。こうして、検索結果の最上位にグーグルの情報が優先的に配置されることになったのだ。「アルゴリズムがイェルプやシティサーチ（CitySearch）のようなローカルサイトをユーザーの検索にとって重要とみなした場合、グーグルは自動的にその［検索結果リストの］上にグーグルローカルを表示した」［注10］

リークされた資料が明らかにしているように、グーグルにおけるこの「絶対に必要な」競争手段は会社の最高レベルが考え出した方策だ。資料の一部では、当時グーグルでローカルとマップとロケーションサービスの部門を担当していたマリッサ・メイヤーが、自社のサービスに有利になるように検索結果を操作すべきだと主張している［注11］。ほかの場所では、グーグルの首席エコノミストであるハル・ヴァリアンが「独占禁止法の観点から、［コムスコア（comScore）が］我々のシェアを甘く見ているのはありがたい」と述べている［注12］。

これまで数年をかけて、三つの大陸で規制当局に対してグーグルが不当に自社のプロダクトを優遇していると訴えつづけてきたロウは、次のように語る。「グーグルの真の動機は、インターネットにおけるすべての活動の仲介者になることだ」。自らのネットワークとエコシステムの力を利用すれば、イェルプのようなライバルをインターネットから完全に消し去ることができることを、グーグルは知っている。ロウによると、数年のあいだ、「アンドロイドフォンを開くとそこにはグーグルプレイスというアプリがプリインストールされていて、それをクリックするとレストランなどに関するイェルプのレビューが表示されるけれども、イェルプの名前もリンクもまったく表示されない」状態が続いた。

それが変わったのは二〇一一年、イェルプのスタッフが州検事総長やそのほかの規制担当者に、グーグルがビジネスを展開しようとする分野でライバルに不利な状況をつくっていると訴えはじめたときだ。ロウはハワイで開かれた会合のことをよく覚えている。そこでイェルプのスタッフが行ったアピールがあまりにもすばらしかったので、検事総長の数人が姿勢を正し、強い関心を示した（そのうちの数人はそれ以来グーグルに対する訴訟を担当している）。聴衆のなかにはグーグルのスタッフもいたのだが、ロウによると、会合のあと彼らは「幽霊を見たかのような顔をしていた」そうだ。その日以来、グーグルはイェルプに対する扱いをいくらか改善したものの、そのころまでにすでに「損害が生じていたし、グーグルはじゅうぶんな数の支持者を抱え、イェルプをもはや必要としないほど独自のレビューを集めていた」とロウは説明する。イェルプは生き残ったが、グーグルに比べればほんのわずかでしかない市場シェアを維持するのがやっとの状態だ。これもネットワーク効果のなせる技だ。

極めて異例なことに、連邦取引委員会の競争局から訴訟勧告が出たにもかかわらず、最終的に訴えは却下された。却下されたのはワシントンでのグーグルのロビー活動が功を奏したからだと、私が話した事情通の多くが考えている。同社は政治家を直接説得するために最高幹部を送り出しただけでなく、ロビー活動の一環として研究に資金も提供した。例えばジョシュア・ライトの研究だ。ライトはグーグルに対する訴訟が中止になる直前に連邦取引委員会に加わった［注13］。

グーグルの最高法務責任者であるケント・ウォーカーは、これらの懸念を否定こそしないが、大きな問題ではないという立場をとる。「ロビー活動については、連邦取引委員会の専門員、さらに競争局、経済局、法務部の三組織すべてが、我々のつくるイノベーションに関して、グーグルはおもに消費者のために活動していると認めたことを思い出していただきたい」［注14］。私はふだんのウォーカーを優れた人物――会社が巻き込まれた法的な問題を解決することだけに専念する人物――と評価しているが、この言葉に関しては鵜呑みにする気になれない。結局、グーグルの元弁護士であるレナータ・ヘッセが司法省の反トラスト主任代理に任命された（そして、ラリー・ペイジが連邦取引委員会の役員と会合した）のち、訴訟は最終的に消えてなくなった。

しかし、問題そのものはまだ存在しているし、新しい超党派のグループが訴訟の再開を呼びかけてもいる。その一方では、グーグルはEUの規制当局を相手に同じような争いを繰り広げていて、同社が検索分野から中小企業を追い出すために反競争的手法を用いているかどうかの調査が続いている。例えば、同社は携帯電話市場で権力を乱用したという理由で、二〇一八年に欧州連合から四三億ドルもの罰金を科せられた。その前年には、検索結果においてライバルよりも自社のショッピングサービスを優遇したという理由で、およそ半分の罰金を科せられたばかりだ。

この訴訟は、二人のイギリス人技術者のアダムとシヴァン・ラフ夫妻が二〇〇六年にイギリスで立ち上げたオンライン価格比較サイトに端を発したものだった。二人はプログラミングに長けていて、ショッピング用の検索に適したアルゴリズムを発明した（「グラスゴー発マドリッド行きの飛行機で火曜日にいちばん安いのは？」や「HEPAフィルター付きで最高の掃除機は？」など）。簡単なように聞こえるが、決してそんなことはない。この例のような「ディープ検索」をサービスとして提供するのは、一般的な検索よりもはるかに難しいのだ。しかしラフ夫妻はそれに成功し、わずか四八時間のうちにサイトを立ち上げ、ファウンデム（Foundem）と名付けた。サイトにはコンピュータから家電まであらゆるものを探し求める人々のトラフィックが殺到した。

ところが、そのトラフィックが止まった。シヴァン・ラフによると、本当に突然止まったそうだ。彼女は私が『フィナンシャル・タイムズ』紙で発表した、ネットワーク効果を利用して独占を強めようとするビッグテックのやり方について書いた記事を読んで、二〇一七年に接触してきたのだった。より正確に言うと、グーグルから流れてくるトラフィックが止まったそうだ。ヤフーやMSNなど、ほかの検索エンジンではファウンデムが検索結果のいちばん上に来るのに、グーグルではかなり下になっている。研究を通じて、ユーザーは上位五位までにしか注意を払わないことがわかっているので［注15］、実質上、ファウンデムはウェブから消えてしまったようなものだ。

グーグルがイェルプとファウンデムを検索結果リストから実質的に追放し、効果的にライバルの息の根を止めた。そのやり方は、鉄道や電話回線などかつての〝生命線〟が競合他社や消費者に対して用いたやり方に似ている。彼らが好きに決める値段で、やり方で、ネットワークへのアクセスを提供する。それが気に入らなければ、アクセスを拒む［注16］。例えば一九〇〇年、アメリカでは六つの鉄道会社が無煙炭市場の九〇パーセントを所有または支配していたので、買い手は高額を支払わなければならず、鉄道会社は多大な利益を上げていた。そのため、独立した石炭会社は運営を続けるのが困難だった［注17］。この問題は、のちに「商品条項」が制定され、プラットフォームと商業の分離が行われたことで是正された。この例のような分離は、のちに銀行業などほかの分野にも適用され、例えば銀行持株会社はさまざまな業種に属する自分の顧客と競合することができなくなった（とはいえ、規制の抜け穴を介せば、そのような制限を回避することはできた）。

もちろん、インターネットは現代の鉄道だ。世界の商業とコミュニケーションが行われる公共のインフラストラクチャとして欠かせない。それに、一九世紀の規制当局が「鉄道問題」と呼んだ問題と、現代のインターネット問題はとてもよく似ている。本書のための調査の一環として、私は一八七八年にチャールズ・フランシス・アダムズが書いた『Railroads: Their Origins and Problems（鉄道　その起源と問題）』というとてもよく書かれた小冊子を読んだ［注18］。鉄道会社の経営者であり規制者でもあったアダムズは同書のなかで、アメリカとヨーロッパにおける鉄道の誕生について語り、鉄道会社を一握りの実業家だけではなく一般大衆にも奉仕するように強いるのがいかに難しいかを説明している。「鉄道問題」と題した章のなかで、アダムズは次のように述べている。「発展が進むにつれて、現行の貿易法では、所有し独占する人々によるこれら近代的交通の使用を、ひいき目に見ても不完全にしか規制できないことが明らかになってきた」

この章のタイトルを「インターネット問題」と書き換えれば、私たちが今置かれている状況にぴたりと当てはまる。アマゾンはアメリカにおけるオンライン小売り売上の三分の一以上を独占している。この数字は、以前予想されていたおよそ五〇パーセントから同社自身が下方修正したものだ。下方修正の理由としてアマゾンは第三者販売の会計方法を変更したからだと説明するが、規制当局から独占禁止法違反を指摘されることがないよう、先手を打つ形で数字をいじったのだと疑われている。

グーグルはアメリカにおける検索エンジン市場の八八パーセントを、モバイル検索に限れば九五パーセントを独占している。全アメリカ人の三分の二がフェイスブックを利用しているが、そのフェイスブックは近年インスタグラムとワッツアップを買収したことで、ソーシャルメディア・アプリの上位八つのうち四つを所有している。これらの企業に加えて、世界で最初の一兆ドル企業になったアップルは、強大なエコシステムを利用して自らの製品とサービスを優遇し、ライバルをネットワークから遠ざけていると非難を浴びている[注19]。これはプラットフォームを所有することと、プラットフォームを使ってビジネスを行うことの両方で生じる問題だ。

しかし、グーグルもほかのビッグテックも、独占からメリットを得ている事実を認めようとしない。ケント・ウォーカーに言わせると、イェルプやファウンデムのようなライバルがうまくいかなかったのは、グーグルとはまったく関係がないことだそうだ。「さまざまなサービスが衰退していったのにには、グーグルの検索結果の進化とは無関係な数多くの理由が存在していることを、おびただしい量の計量経済学データが示している」と、彼は言う。ウォーカーはさらに、グーグルの検索結果が改善されただけでなく、アマゾンなどのほかの巨人たちも台頭してきたと指摘する。確かにそうなのかもしれないが、その一方で、検索分野は中小企業を市場から完全に締め出す力をもつ巨大企業同士の競争に発展してきたのも明らかだ（今ではアマゾンが検索分野におけるグーグルの最大のライバルになっている）［注20］。

ラフ夫妻は、グーグルが意図的に彼らを市場から追い出そうとしたと信じている。二人にはグーグルで働く知人がいたし、世界の技術者コミュニティともつながりがあったので、トラフィックが減ったとき、グーグルの人々に連絡を取ろうとしたのだが、無駄だった。グーグルが数年前からフルーグル（Ｆｒｏｏｇｌｅ）という名で独自のショッピングサービスを開発しようとしていたのは周知の事実だったが［注21］、だからといって、彼らがサボタージュまでするとは、ラフ夫妻は想像していなかった。

「三年半のあいだ、私たちは公式、非公式、さまざまな経路を通じて接触を試みました。でも、何が起きているのか、まともな説明は得られませんでした」と、シヴァン・ラフは説明する。そうこうするうちに、二人はウェブサイトで同じような体験を訴えるプログラマーや、グーグルの主要ビジネスにあまりにも近づきすぎたために実質的に市場から追い出された起業家がほかにもいることを知った。ラフ夫妻とまったく同じような経緯で検索結果から消し去られたと主張する者もいたし、自分たちの顧客やクライアントにグーグルが圧力をかけてきたと主張する人もいた。訴訟にあまりにも多くの費用がかかったため、弱小企業が廃業に追い込まれた、という話もあった［注22］。ラフ夫妻は活動を続け、最終的には二〇〇〇万人を超えるユーザーを獲得したものの、次第に資金が減り、グーグルからのトラフィックがない状態では、事業に必要な日々のニーズを満たすのがやっとだった。「グーグルは門」とシヴァン・ラフは言う。「そこから締め出されたら、あとは死ぬだけ」

シヴァン自身の言葉を借りると、二人は最終的に「イギリス人であるのを（紳士的な態度を貫くのを）やめた」。規制当局に訴え出たのである。こうしてファウンデムが筆頭原告になり、二〇〇九年に欧州委員会のグーグル検索反トラスト訴訟が始まった。審議を率いたのは欧州競争政策委員長にして極めて厳格なことで知られるマルグレーテ・ベステアーで、彼女が二〇一七年にグーグルの罪を認めた。EU法に従って、検索エンジン内の不正を取り除く目的でアルゴリズムを書き換える方法を見つけるための期間として、グーグルには一八カ月の猶予が与えられた。しかし二〇一八年にラフ夫妻がベステアーに手紙を送り、グーグルの「コンプライアンス機構」――これもまた、同社の機密アルゴリズムに依存している――がうまく機能しているとは思えないと訴えた。「グーグルがオークションにもとづく〝救済策〟を導入してから一年以上がたつのに、グーグルの違法行為による競争、消費者、イノベーションの妨害は依然として衰えることなく続いています」。そしてこう付け加えた。「そのため、グーグルに対するコンプライアンス違反訴訟を開始することを切に望みます」[注23]

今後の数カ月か数年のうちに、ＥＵが実際に行動を起こす可能性はじゅうぶんにある。しかし、おそらくラフ夫妻にとってはもう手遅れだろう。二人はすでに生計を立てるためにサポートが必要になっているし、ファウンデムも収入を得る手段というより、むしろ反抗の証――法的な争いに勝つための決意――として運営している状態なのだから。ラフは言った。「私たちはあきらめません。グーグルは方法を変える必要に迫られるでしょう」

## エコシステムの力

グーグルが本当に恐れているのは新興企業ではなく、もう一つの巨大企業、アマゾンとの競争だ。現在のところ、検索エンジンでグーグル相手に健闘しているのはアマゾンだけである。近年、一般的な情報ではなくて特定の商品を探している人はアマゾンで検索するようになった。そのため、広告料も巨大オンラインショッピングサイトへ流れつつある。世界最大の広告購入者であるWPP（全世界の大手企業の広告代理店）は三億ドルを「クライアントのために去年アマゾン検索広告に」費やし、そのうちの七五パーセントはグーグル関連の広告に使う予定だった予算から流用した。グーグルの面々がいらだちながらジェフ・ベゾスの動向に注目しているのも、不思議な話ではない。

これらすべてが、分散型インターネット経済と言われていたものが一握りの冷酷な寡占企業を生み出し、それら寡占企業が権力を使ってスタートアップの成長を、雇用の創出を、労働市場をむしばみはじめたという不快な事実を照らし出している。過去二〇年のあいだで、アメリカにおける産業の七五パーセント以上が富と影響力の集中の高まりを経験している。アメリカで経済が最も成長した第二次世界大戦後の数字と比べると、違いは一目瞭然だ。ブルッキングス研究所によると、一九五四年は上位六〇社がアメリカの国内総生産（GDP）の二〇パーセントを占めていた。それが今では、上位二〇社で二〇パーセントを超えるのだ［注24］。

なぜそうなったのだろうか？　理由の一つとして、世界的な競争を挙げることができる。世界的な競争がプレッシャーとなり、アメリカの企業は戦後に一般的だった労働者、企業、地域社会に公平な富の分配から遠ざかってしまった。二つ目の理由は反トラスト法の変化だ。しかし、あまり知られていないが、理由はもう一つある。プラットフォーム技術に依存するビジネスモデルが引き起こしたネットワーク効果だ［注25］。集中はどこでも起こりうるが、最も顕著なのが情報経済の分野なのである（マッキンゼー・グローバル・インスティテュートによれば、収益化が可能で世界のどこにでももたらすことができるデータや知的財産に立脚する産業分野、つまりテクノロジー、医薬、金融などで、集中が最も起こりやすい）［注26］。

集中こそ、現代が直面する経済的および政治的課題だ。かつて経済諮問委員会の委員長だったジェイソン・ファーマンは、多くの主要市場で集中が新規参入の障壁になっていると確信している［注27］。学者のデビッド・オーターは、企業の合併が労働者の収入の減少と関連していると考える［注28］。マッキンゼー・グローバル・インスティテュートの最近の調査も同じ結果を示し、特にテクノロジーが経済全般における労働分配率を減らした経緯を指摘している［注29］。一方、少数の〝スーパースター〟企業が、利益だけでなく生産性の点でも、ほかに大きな差を付けて先行していることを示す証拠も見つかっている［注30］。要するに、最大級の企業、特にデジタルと深い関係にある経済分野（テクノロジー、金融、メディア）に属する大企業は、生産性が異常に高いのだ。ほかの企業はそれほどでもない。その結果、経済全体としては伸び悩んでいる［注31］。

マッキンゼー・グローバル・インスティテュートが二〇一八年に行った調査でも「巨人対巨

人」という側面が浮き彫りになった。その調査は年間収益が一〇億ドルを超える世界最大級の公開および非公開企業のおよそ六〇〇〇社を分析した。すべての企業を合わせると、全世界における企業税込所得の六五パーセントを占める。このグループのなかでも、上位一〇パーセント（スーパースター企業）が経済利益――企業の投資資本に資本コストを超える分の利益を掛けた額――の八〇パーセントを独り占めしていた。上位一パーセントだけでも、全体の三六パーセントを占める［注32］。上位一〇パーセントにどんな企業が含まれているのか、誰もが予想できるだろう。利益率の高いビッグテック企業（フェイスブック、アップル、アマゾン、グーグル）、そしてビッグテックと同じようにソフトウェア、データ、特許、ブランドなどの無形資産の価値を活用している企業だ（そこにはテクノロジー系の企業だけでなく、金融、バイオテクノロジー、製薬分野の会社も多く含まれている）。また、ネットワーク効果により、そうした企業が迅速かつ大規模に市場を獲得し、スタートアップの世界で「ファースト・スケーラー・アドバンテージ（最初に規模をつくった者の利点）」と呼ばれるものを手に入れることも知られている。

このプロセスが加速したのは、私たちが物理的な商品にもとづく〝有形〟経済から、実体のない何か――知的財産、アイデア、データ――にもとづく経済へと移行したからだ。イギリスの学者ジョナサン・ハスケルとスティアン・ウェストレイクは優れた著書『無形資産が経済を支配する：資本のない資本主義の正体』のなかで、この移行が経済の法則をひっくり返すだろうと固く主張する。グーグルとフェイスブックは市場シェアを増やすために、工場も、原材料への投資も、組立ラインに並ぶ人の数も増やす必要がない。だから過去の大企業に比べてはるかに速く成長できるのだ。今の経済では、モノ――工場や設備などの有形資産――をたくさんもっている者が敗者に、無形資産を活用する方法を知る者が勝者になる。

この転換の中心にあるのがネットワーク効果だ。ツイッターのユーザー、ウーバーの運転手、エアビーアンドビーのホスト、インスタグラムのインフルエンサーなどが構成するネットワークでは、ネットワークをなす個々の点よりもネットワークそのもののほうがはるかに高い価値を有する。重要なのは、ユーザーがユーザーを獲得するという点だ。それにより、市場シェアの大半を素早く獲得することに成功する者が、業界全体を一夜のうちに支配できる。すでに見たように、これはグーグルだけに限られた話ではないが、現代では市場を制圧するのがはるかに容易になった。そのための条件は大きいこと、そしてネットワーク全体のデータと知的財産を活用する方法を知ることだ。無形資産は従来の製品やサービスなどよりもはるかに、本当にはるかに速く、そして広く、拡大する可能性をもっている[注33]。ネットワーク型ビジネスは、大きなものがどのようにしてさらに大きくなるかを知る格好の研究材料だと言える。

しかし、この種のフィードバックループには裏の面もある。ヴァリアンとカール・シャピロがこう指摘している。「[プラットフォーム内の]ポジティブなフィードバックは、弱いものをさらに弱くする」。言い換えれば、ネットワーク時代のスーパースターでさえも、負けることがあるのだ。ただし、新興企業に負けるのではなく、ほとんどの場合はほかのスーパースターの手に落ちる［注34］。

この変化が従来型の企業にとってどれほど強く影響するかを知るために、自動車業界を見てみよう。今のところ、自動車全体の価値において、ハードウェアがおよそ九〇パーセントを占めている。しかし、自動運転やデジタルアプリの重要度が増すにつれて、この比率も大きく変わると予想されている。モルガン・スタンレーの試算では、自動運転車の場合、ハードウェアが価値の四〇パーセントを、ソフトウェアが四〇パーセントを、車内でストリーミングされるコンテンツが残りの二〇パーセントを占めると予想されている［注35］。ここで言うコンテンツには、ソフトウェアが媒介するゲーム、広告、ニュースなどが含まれる。この変化の一因になっているのが、ミレニアル世代の人々は自分のお気に入りのアプリのすべてを車にもインストールすることを好む、という事実だ。しかし同時に、もう一つの要因がある。自動運転車の車内からは、ブランドのアイデンティティが消えてしまうのだ。

「ハンドルを自分で操作することがなくなれば、消費者は自分がどんな車に乗っているのか、気にかけなくなるだろう」。そう語るのは、いくつかの大手自動車メーカーにアドバイスしてきたコンサルタント会社、アプリコの社長を務めるニック・ジョンソンだ。また、ジョンソンは『プラットフォーム革命』という本も書き、シリコンバレーの巨大企業がほかの会社や業界にどのような影響を及ぼしているかについても論じている。今の社会では、車はもはや触れるものでも感じるものでも、豪華な衣装のように〝着飾る〟ものでもなくなった。電話と同じように、使うための道具になった。その際本当に大切なのはソフトウェアプラットフォームを中心に開発されるソフトウェアやアプリであって、それらを包む殻がプラスチックでできているか、それとも金属かはさほど重要ではない。この点については、ノキア（Ｎｏｋｉａ）やブラックベリー（Ｂｌａｃｋｂｅｒｒｙ）がうんうんとうなずくだろう。実際に自動車メーカーのＢＭＷが最近行った調査では、人々の七三パーセントが、自分のもつデジタル生活を新しい車にそっくりそのまま持ち込めるのなら、ほかのブランドの車に乗り換えてもいいと回答している。

この問題には、ゼネラルモーターズも直面している。ＧＭといえば、（アメリカ合衆国とカナダの五つの工場を閉鎖した、などの理由で）一万四三〇〇人を解雇または早期退職させたため、二〇一八年にドナルド・トランプや労働組合などからいっせいに非難された。その際、大統領も組合も、ＧＭが雇用を中国やメキシコに移していると主張した。しかし、ＧＭにとって本当の問題は、人件費の問題でも、アウトソーシングや鉄鋼の関税の問題でもない。自動車が〝スマートデバイス〟の一つになろうとしているネットワーク時代において、同社が自動車産業の経済価値に関して、今後も大きなシェアを維持できるかどうか、という点が問題なのだ。そしてこの問題には、製造業のみならず、（すでにアマゾンによって数が減った）小売業、（アマゾンとグーグルによって脅かされている）健康業、（テクノロジー・プラットフォームと銀行業が融合して生まれる金融テクノロジーにのみ込まれようとしている）金融業など、あらゆる産業が直面している。

現在、最高の自動車用ソフトウェアやアプリをもっているのは、グーグルやアップル、あるいは中国のバイドゥなどといったテクノロジー企業だ。どの会社も自動運転の技術とプラットフォームの開発に資金を注ぎ込んでいる。今のところはまだ、ドライバーが車内でできることと言えば、音楽をストリーミングしたり、GPSの情報を使ったりするなど、携帯電話にあるデータに車載システムを介してアクセスすることとぐらいだ。しかし、そのようなプラットフォームがより深く車と結びつけば、人は冷却水の残量からエンジンの温度、あるいは安全情報にいたるまで、あらゆるデータを見ることができるようになるだろう。今のところ、そうした情報を見られるのは自動車メーカーだけだ。新しい製品やサービスを通じてそのようなデータを現金に換えることで、大きな利益を生むことができる。

このような世界で、企業は競争というものをどう捉えればいいのだろうか？「こうすべきではない」という悪い例を見せてくれたのがノキアだ。かつてフィンランド発の携帯電話メーカーとして一世を風靡したノキアの名を覚えているだろうか？読者のなかには、一九九〇年代に同社のレンガのような携帯電話を使って、人生で初めてのテキストメッセージを書いた人がいるかもしれない。その後しばらくしてからアップルのiPhoneが登場し、さらにグーグルがアンドロイドOSを開発した。両社ともに、かっこいい製品だけでなく、開発者向けにプラットフォームを提供することにも成功した。両社を中心にアプリのエコシステムが発展していった一方で、シンビアンと呼ばれたノキアのオペレーティングシステムは絶望的なまでに古くさかった。二〇一一年、ノキアの株価はどん底にまで落ち込み、そこから回復することはなかった[注36]。

シンビアンの開発を率いたジョー・ハーロウは当時『フィナンシャル・タイムズ』紙に対して、ノキアは単純に「デバイス主導からソフトウェア主導へ」移行するのに出遅れたと語っている[注37]。正しい分析だ。しかし、そこにはもっと大きくて深い問題もあった。ノキア以前のあるいは以後の多くの企業と同じように、ノキアは価値の大部分がまもなくハードウェアからソフトウェアへ、とりわけそのソフトウェアが稼働するプラットフォームへ移行するであろうことに、気づかなかったのである。そのようなプラットフォームを中心に広がる開発者とユーザーのネットワーク効果こそが、価値を生み出す――製品そのものの価値などよりはるかに大きな価値を。

自動車メーカーも静観しているわけではない。GMの最高経営責任者であるメアリー・バーラは何年も前から、GMはテクノロジー企業だと言いつづけている。鉄鋼や人的労働からデータへの依存を強めていることの証だ。二〇一八年、バーラは大規模な人員削減を行い、その理由を、電気自動車と自動運転車の開発にリソースを分配し直すためと明言した。また、業界内で新たなパートナーシップも生まれている。例えばフォードのスマートデバイスリンク連合は、スマートフォンのアプリと自動車をつなぐプロトコルの標準化を目指すオープンソース・コミュニティだ。しかし、巨大テクノロジー企業がつくったようなプラットフォーム・エコシステムをつくることができる、あるいはつくろうとする大手自動車メーカーは存在しない。それが問題だ。なぜなら、ある会社が市場の三〇パーセントから四〇パーセントを支配して初めて、ネットワーク効果が生まれはじめるのだから。それほど大きなシェアを獲得するには、世界最大手の自動車メーカー同士が手を結ばなければならない。これまで目の敵にしてきた最大のライバルを、今後は協力者とみなす。会社にとっては大きな転換だ。しかし、ほかに方法はないと思われる。エコシステムを発展させ、そのなかでソフトウェアとデータを所有することが、自動車業界だけでなく、ほかの多くの業種でも成功への鍵となるだろう。

## ドーピングを得たネオリベラリズム

ネットワーク効果は確かに強力だが、それだけですべてを説明することはできない。グーグルやフェイスブックのようなプラットフォーム企業の一見したところ衰えることを知らない成長を理解するには、スティーブ・ジョブズに代表されるヒッピー的な理想に満ちた時代から、ピーター・ティールらを生み出した自由放任主義の時代にかけて、シリコンバレーで政治がどう変化してきたかを見る必要がある。「ものすごく大きな変化だった」と四〇年以上テクノロジー分野で活動してきたロジャー・マクナミーが説明する。「シリコンバレーの一般人はリベラルだが、トップ企業のトップの人々は、強欲は善だと考える傾向がある」

当然だろう。一九八〇年代以降、アメリカのビジネスのほとんどはトリクルダウン理論——豊かな者が豊かになると、それ以外の人々も潤う——にもとづく「市場が最善を知っている」説を信じつづけてきた。いわゆるシカゴ学派が広めた考え方だ。シカゴ学派は製品が安価もしくは無料である限り独占には相当しないと考える。この反トラスト哲学から最も大きな恩恵を受けているのが、インターネット・プラットフォームだろう。マクナミーが著書『Zucked』のなかで述べているように、「グーグルは検索分野における独占的な立場を利用して、Eメール、フォト、マップ、ビデオ、生産性アプリ、あるいはほかの種類のアプリで巨大なビジネスをつくりあげた。そのほとんどにおいて、グーグルは既存ビジネスの独占的な力からくるメリットを、新規事業に転用することに成功した」。経済史を遡ると、これは驚きでも何でもないことがわかる——情報技術の経済を発明した人々にとっては、独占の力こそがすべての中心であり、目的でさえあったのだから。

## 大きなものがさらに大きくなる仕組み

シリコンバレーのネオリベラル《新自由主義的》な考え方は、経済学者で二〇〇二年からグーグルでコンサルタントを務めたハル・ヴァリアンの仕事にも見て取ることができる。二〇〇一年、〝ビッグアイデア〟について話し合うためにテクノロジー業界の大物や彼らのおっかけが集まる場所として知られるアスペン研究所で、エリック・シュミットはヴァリアンに出会った。シュミットはヴァリアンに、グーグルには「利益につながるかもしれない」オークション・モデルがあることを伝え、それを完璧にするために手伝ってくれないかと尋ねた［注38］。カリフォルニア大学バークレー校情報学大学院の学部長だったヴァリアンは、データ市場に精通する最高の経済学者の一人だった。影響力のある書籍『情報経済の鉄則　ネットワーク型経済を生き抜くための戦略ガイド』の共同執筆者であり、デジタル時代に合わせた特殊なトリクルダウン理論は彼の名を拝して「ヴァリアンの法則」と呼ばれている。ヴァリアンの法則は、富裕層が今日所有しているものは、技術のコスト削減効果のおかげで、のちに中産階級が、最終的には労働階級が所有することになると、不当にも、仮定している（ビッグテック評論家のエフゲニー・モロゾフがこの考えを、より現実に即した形に言い換えている。「贅沢品はいつもそこにある。ただ均等に分配されていないだけだ」）。

ちょうどそのころ、ヴァリアンは数々の講演を行い、さらにはデータ経済という新規分野で生まれる中心理念について一連の論文を執筆していた。そこに記された考えを読むと、現在のプラットフォーム企業の最高幹部たちが、彼らのイノベーションが私たちの経済、政治、そして社会にどれほどの悪影響を及ぼす力を秘めているのかまったく理解していなかった、という話は信憑性を失う。

ほかの経済学者の多くと同じように、ヴァリアンもシカゴ学派の理論を信じ、シカゴ学派の理論の延長線上でネットワーク効果やビッグデータの力について論じた。彼は、ネットワーク効果を利用できる会社は、得るデータから「消費者行動をこと細かに観察および分析できる」ため、「甚大な市場支配力を手に入れるだろう」と考えた[注39]。そのような会社の規模が大きくなれば、消費者との関係を基盤にして、ある種の独占支配が手に入る。ヴァリアンはこう表現する。「拡大した関係性により、売り手側は〝彼らの〟消費者の購買習慣やニーズを、潜在的なライバル会社よりもよく理解できるようになる。私自身、過去にアマゾンで本を買ったことがあるのだが、私の見たところ、アマゾンの個人的なレコメンドサービスはうまく機能しているようだ。アマゾンと違って、新規の販売店は私の購買履歴に関する詳しい情報をもっていないので、私にとってはサービスが劣ってしまうだろう」[注40]（特に、「グーグル対ファウンデム」のケースがそうであったように、売り手に支配的なプラットフォームの利用が許されない場合がそうだ）。

最終的に、ヴァリアンはグーグルで主席エコノミストの座に就き、情報経済という新経済の予言者としての地位を築いた。グーグルにできるだけ多くの利益をもたらすために、彼が雇い入れた〝計量経済学者〟のチームがネオリベラルな理論と数学的な考えとデータを組み合わせる。ヴァリアンはペイジ、ブリン、シュミットの三人に協力する形で、より効率的なオークション・アルゴリズムの開発に携わり、最後にはオークション・モデルをつくりあげた。これがのちにグーグルにとってすばらしい金鉱になったのである。

彼の任務の一つは、グーグルが集める数多くのノイズのなかから、シグナルを選り分けることだった。内部演算能力をウォール街の取引さながらに精密に計算および割り当てするオークション・モデルを開発することで、会社のリソース割り当てに対するデータ運用を刷新し、効率を高めた（この経験をまとめた論文には『Using a Market Economy to Provision Compute Resources Across Planet-wide Clusters（全世界に広がるクラスターに演算リソースを提供するために市場経済を利用する方法）』というタイトルがついていた）[注41]。予想通り、ヴァリアンの新データ経済理論は彼の雇用主にとって好都合だった。ショシャナ・ズボフが書いたように、グーグルやほかのビッグテックが実践するこの種の監視資本主義では、「契約や法支配は、新しい見えざる手による報酬と罰に取って代わられる」[注42]。新しい見えざる手とは、シリコンバレーのアルゴリズムのことだ。

ヴァリアンと彼のチームはほかに類がなく、大企業の大半がデータサイエンティストとデータエコノミストを大量に雇い入れる時代の先駆けになった。商取引を支配していた既存の法則は、ビッグテックにとってはほかの多くの法則と同じで、破られる運命にあった。

## 信頼の管理人？

公平を期すために指摘しておくが、ヴァリアンら先駆者は、グーグルやほかのシリコンバレーの大企業が追究する、ネットワークに依存する新しいビジネスモデルには多くの欠点があることを認めてきた。そのうちの大きな欠点の一つが、プライバシーの問題だ。二〇一一年には興味深い発言をしている。一人のユーザーとして、プラットフォームがヴァリアン自身の個人情報を本人の同意なく第三者と共有するのは気に入らないと話したのだ［注43］。ただし、この問題はそれほど大きなリスクを伴わない、と付け加えた。本人の同意なしで第三者に情報を売ると信頼を破ることになるので、経済的には効率がよくない、というのがその理由だ。

そのヴァリアンよりもさらに無自覚な発言をしたのが彼のボスであるエリック・シュミットで、二〇〇九年のCNBCのドキュメンタリー番組「Inside the Mind of Google（グーグルの頭のなか）」のなかで、人々はグーグルを信頼して最も個人的な秘密も託すべきかと尋ねられたとき、こう発言している。「判断が重要だ。誰にも知られたくないことは、最初からしなければいい」。

これを言い換えると、「あんたらのプライバシーは俺たちには関係ない」だ。

ノーベル賞を受賞した経済学者のポール・ローマーによると、人々がかっこいい新型のｉＰｈｏｎｅを手に入れるためにプライバシーを犠牲に差し出すのは、「この市場に圧倒的な情報の非対称性が存在する」事実と関係している。彼は「両当事者は、相互の利益のために取引が行われているかどうか、じゅうぶんに理解しているのだろうか？」とあえて問いかける。もちろん、ローマーは（私と同じように）じゅうぶんに理解されないまま取引が行われていると言いたいのだ。彼の考えでは、現代のデータ市場の複雑さにより、「［個人のデータがプラットフォーム企業によりどのように利用されるかに関する長く骨の折れる議論をへたうえでの］〝同意〟という考え方は無意味になってしまった」。当事者間で知識の差が生じると、市場自体の公正さが損なわれる。「このような問題についてハル・ヴァリアンなどと議論を繰り返してきたのだが、そのたびにフラストレーションが増えていった」とノーベル賞を受賞した直後に私に話している。「人々に一万八〇〇〇語からなる文書を与え、それを読んで理解しろと迫るのは不正な行為だ」と、ローマーは断じる。

では、どうすればこの問題を解決できるのだろうか？　手始めに、「プライバシー」という言葉を使うのをやめるべきだと、ローマーは指摘する。「そんなもの、もはや存在しないのだから」。今後は透明性と明快さを重視すべきだ。取引条件の「一部ですら誰も――最高でもユーザーの五パーセントしか――理解できない」のなら、会社はそんな取引をしてはならない。さらには、「企業の側に立証責任を課すべき」で、「偽りの開示」を通じて責任を逃れるようなまねをさせてはならない[注44]。

アップルや、今もテクノロジー業界では主要な役割を担うIBMなどの一連の企業がようやく目を覚まし、ユーザーのプライバシーを保護することこそが競争の利点になると気づきはじめた[注45]。例えばアップルは競合他社との差別化を図る目的で、プライバシー情報をもっとわかりやすく提示するための新しいウェブサイトを公開した。一例を挙げると、そこでは検索データを〝クラウド〟ではなく個人のデバイスに保存するアルゴリズムが紹介されている。デバイスに保存することで、どのデータをアップルが見てもいいか、ユーザー自身が以前よりも多く管理できるようになるという仕組みだ。

アップルはまた、「差分プライバシー」と呼ばれる技術の普及にも熱心だ。この技術を使えば、アップルはユーザーが何をやっているかなどの情報を得ることができるのではあるが、データの一部が送信前に暗号化されるので、その情報が誰からのものなのかまではわからない。したがって、一定量のプライバシーは守られることになる。そうして集めたデータは、アップルのエコシステム内で販売されるデバイスとサービスの改善に利用される。ユーザーに、ユーザー本人が予想もしていなかったほかの企業からハイパーターゲティング広告を送りつけるためではない。つまり、グーグルやフェイスブックのやり方とはまったく違っている。これですべての問題が解決できるのだろうか？　答えは「ノー」だ。しかしその一方で、アップルのやり方は、ロシアがアメリカに対してフェイスブックを通じて行ったような形で、選挙の不正操作に使われることはない。また、ティム・クックが「プライバシーは基本的な人権だ」とみなしていると聞くのも新鮮だ。

ＩＢＭの最高経営責任者（訳注：二〇二〇年四月に退任）ジニー・ロメッティは、ビッグテックへの信頼を高めるために、データに関する一連の新しい原則と取り扱い方法を発表した。指定の契約期間を超えてデータをサーバーに保持しない、クライアントのデータをいかなる国のいかなる政府監視プログラムにも提供しない、あるいは、クライアントが自らの末端データのみならず、そのデータを用いたアルゴリズム〝学習〟にも権利を有する、などの誓約が含まれていた。

「私たちは、差し迫るすべての問題をデータで解決できる時代に突入した。しかしながら、それが可能なのは、データの扱いに信頼を置くことができる場合に限る」と、二〇一七年にロメッティは電話インタビューに応じて私に語った。「私たちは自分自身のことをクライアント・データの管理人とみなしている。正しいことをするのに規制される必要はない。私たちは一〇〇年も前から、ずっと正しいことをやってきた」

アップルもＩＢＭも、信頼の管理人として完璧なわけではない。両社ともにデータを追跡するアプリを所有している。また、ＩＢＭには、消費者だけでなく、ほかの企業や政府とも取引できるという利点がある。しかしこの二つの会社は、企業もこの問題に取り組むことができるという事実を示してくれている。

プライバシー、透明性、独占支配力にまつわる心配は膨らみつづける一方だが、いったいいくつの企業がこの問題をうまく乗り切ることができるのだろうか？　そうした企業は、市場や消費者、あるいは一般市民にどのような影響を及ぼすのだろう？　普通の経済法則が働かなくなった世界で大きくなった新巨大プラットフォーム企業を、どうやって規制すればいいのだろうか？これらはとても差し迫った問題だ。なぜなら、すでに見たように、アマゾンやグーグルだけでなく、エアビーアンドビーやウーバーのようなスタートアップからも、どこからともなくデジタル巨人が生まれてきて、現支配者を、消費者を、労働者を、さらには都市全体を、かつては考えられなかったスピードで一撃のうちに破壊してしまう可能性があるのだから。

# 第8章

# あらゆるものの“ウーバー化”

CHAPTER 8

THE UBERIZATION OF EVERYTHING

ウーバーの元CEOトラビス・カラニックにとって、二〇一七年の二月はさんざんな一カ月だった。カラニックがつくったユビキタス配車ビジネスは、以前から特にニューヨークやサンフランシスコなどの大都市で、議員や組合活動家から批判されることが多かった。それがピークに達したのが、元エンジニアのスーザン・ファウラーが同社ではびこるセクハラや性差別をブログで暴露したことを皮切りに、一連のスキャンダルが明るみに出たときだった。ちょうど同じ月、グーグル親会社のアルファベットが所有する自動運転車開発企業のウェイモ（Waymo）がウーバーを連邦裁判所へ告訴した。あるソフトウェアエンジニアがウェイモの機密情報を盗み、自動運転車を開発しようとしているウーバーへ手渡した、が訴えた理由だった。

そのわずか五日後には、会社の報酬制度に不満を漏らしたドライバーをCEOのカラニック自らが怒鳴りつけているところを映したショッキングなビデオが公開された［注1］。ウーバーの車に備え付けられていたドライブレコーダーが記録したその映像のなかで、ウーバーブラック（uberBlack）という高級ハイヤーサービスのために九万七〇〇〇ドルもかけて高級車を買ったのに、報酬は下がる一方で、安い車を優先するためにウーバーブラックそのものが廃止されたので破産に追い込まれた、とドライバーが訴えている。それに対して、興奮したカラニックはこう答えた。「知ってるか？　世の中には、自分の失敗に責任をもとうとしない奴がいるんだ。そいつらは人生のすべてを他人のせいにする。幸運を祈ってるよ！」。ドライバーは「あんたにも幸運を。あんたはそれほど遠くへは行けないだろうが」と応じた［注2］。

実際、カラニックはその車でも、ウーバーのCEOという意味でも、遠くへ行くことはできなかった。その後、さらなるセクハラの告発、主要幹部の辞任などがあいつぎ、さらにはウーバーのネットワークをつくるためにさまざまな都市で自治当局による規制を回避するためのソフトウエアを使用していた疑いが浮上したため、司法省からも調査されることになった。二〇一七年六月、カラニックは休職を発表する［注3］。会社はさまざまな問題で調査を受け、ドライバーに危険な労働条件を強制した、あるいはデータを漏洩させたなどの理由で数々の訴訟にも巻き込まれた。また、「#DeleteUber（ウーバーを削除しよう）」の旗印の下で、大規模な抗議活動も繰り広げられた。結局、カラニックは六月のうちに出資者からCEOの座を追われることになる。彼のあとを継いだのは、イラン系アメリカ人の元銀行員で、バリー・ディラーの弟子でもあるダラ・コスロシャヒ。以前、ディラーが所有するオンライン旅行会社のエクスペディア（Expedia）を経営していた人物だ。ディラーは、コスロシャヒがウーバーのCEOになるのに反対した。「おいダラ、君は正気を失ったに違いない。あそこはとても危険な場所だぞ、と私は彼に言った」と、二〇一八年の『ニューヨーカー』誌のウーバーに関する記事でディラーが語っている［注4］。

危険であると同時に、ウーバーは——少なくとも紙の上では——豊かな会社でもあった。数多くの失態にもかかわらず、ウーバーのIPO前の評価額は過去最高値を記録し、会社は二〇一八年時点で各四半期に一〇億ドルを超える損失を出し、まだ利益を出していなかったにもかかわらず、評価額は七〇〇億ドルに達したのである［注5］。しかしカラニックを追い出したところで、しょせんウーバーはほかの多くのシリコンバレーの〝ユニコーン〟と同じで、利益よりも成長を重視する会社に過ぎず、根本的なビジネスモデルが変わることはなかった。問題は、ある会社が上場するとき、投資家たちは誰もが利益を期待していることにある。ウーバーは二〇一九年の五月一〇日に上場した。歴史上最も期待されたＩＰＯは、悲惨な大失敗に終わった。取引初日で株価が一九パーセント下落し、同社に数十億ドルもの資金を注ぎ込んだ投資家たちを水没させた。その理由の一つとして、ウーバーが上場する前にあまりにも肥大化していた点を挙げることができるだろう。同社が非公開だったころにすでに株式を買っていた機関投資家の多くは、追加購入する意義が見つけられなかった。しかし、この上場の失敗には、多くの投資家たちがもつ印象も反映しているとも思える。投資家は、市場トップのテクノロジー株は規模や破壊力をもつものの、いかなる金銭利益も生み出さないと感じているのである［注6］。

## 「いつもハッスル」

ほとんどの人と同じように、私は利用者としてウーバーと出会い、そしてほとんどの人と同じように、ウーバーの車が私の住むブルックリンを、ニューヨークの大半を、ほかの大都市の多くを席巻したスピードに驚いた。利用者が便利さを絶賛した一方で、公務員や市民は、交通量と渋滞を増やしたウーバーに対して不満を、さらには怒りさえ覚えた。二〇一五年、私はウーバー帝国に深く潜り込む機会に恵まれ、『タイム』誌（当時の私は同誌の編集局次長を務めていた）が選ぶ「年の人」にも名を連ねたカラニックをしばらくのあいだ取材することが許された［注7］。

当時、以前はグーグルにいて、のちにフェイスブックに行くことになるイギリス人女性のレイチェル・ウェットストーンというタフで用心深い人物がカラニックの下でPR部長を務めていて、私に数日間の密着取材を許すことはウーバーにも好ましいことだと彼女を説得するのにかなりの時間がかかった。ウェットストーンはウーバーの内情が世間に知れ渡るのを恐れていた。恐れる理由もあった。カラニックはまだ暴発していなかったが、危険人物であることは確かだったのだ。しかし、ほかの野心家と同じように、カラニックも『タイム』誌の赤い表紙に自分の顔が載るかもしれないという誘惑には勝てなかった。結局、私は彼に密着する許可を得て、特集記事を書くのに必要な素材を集めることができたのだが、同時にカラニックのイメージを守ろうとするウェットストーンにつきまとわれることにもなった。

カラニックはアメリカ合衆国を建国に導いた人物の一人として知られるアレクサンダー・ハミルトンを敬愛していて、その肖像をウーバーのサイトで自分のアバターとして使っている。カラニックは、激しい抵抗にもめげずに自分を押し通し——自己中心的だったと言えるかもしれない——アメリカの金融体制を確立した元財務長官のハミルトンについて「大好きな政治家だ」と言う。「ハミルトンは未来を見ることができたと同時に、その未来を地上の現実と結びつける術も知っていた。彼は演説家としてもすばらしかった。すばらしすぎたのかもしれない。彼は多くを語りすぎたと思う」

私がカラニックから受けた印象も同じだった。彼に密着していた時間でも特に印象的な瞬間のいくつかが、私たちがウーバーに対して覚える矛盾する感情を際立たせている。最初の瞬間は、ウーバーのボストン本部で開かれた会議で、そこには数十人のフルタイム従業員が出席していた。ほとんどはエリート大学出身のパーカーを着た若い技術者で、カラニックのことを神のようにあがめていた。ウーバー兄貴と同じ空間にいることができるというだけの理由で、彼らは興奮し、部屋はエネルギーに満ちていた。私たちが会社の食堂で最高級の軽食に舌鼓を打っていた一方で、カラニックは彼のキャリアについて、あるいは新事業の自動運転車について、質問攻めに遭っていた。会社は現時点ですでにかなり高額な給与と福利厚生（シリコンバレーでは自動運転車のエンジニアはおよそ二〇〇万ドル稼ぐことができる）を、例えばほかの会社がやっているようにＭＢＡ（経営学修士）の助成などの特典でさらに魅力的なものにすることを検討したことがあるのか、などの問いも飛び出した。「ここ、ちょっとアツくなってきたな」とカラニックが冗談めかして言うと、部屋には笑う者もいれば、真剣な顔でうなずく者もいた。

別のセッションでは、会社の別の側面が明らかになった。ウーバーはウォーターフロントの近くに大きな講堂を借りて、最も高い収益を上げているドライバーのなかからえりすぐりのメンバーを集めて祝典を開いた。ウーバーにとって、ドライバーは従業員ではなく契約相手に相当するのだが、しかし彼らこそが会社のイメージを世界に伝える人々なのだ。ウーバーは仕事を再定義する会社であり、運転免許証と自動車さえあれば誰でも自ら〝起業家〟になり、ほかの仕事をやりながらでも、自分の思うままに、自らの意志で稼ぐ機会が得られる、というイメージだ（出席者のなかには、子供の教育費を稼ぐためにドライバーをしているシングルマザーや、自分の学費のために運転している大学生も含まれていた）。

とても念入りに招待者を選んだにもかかわらず、この会合でも不満が底にたまっていることが感じられた。質疑応答のコーナーで、いつ会社は上場するのか、そして契約ドライバーはその分け前にあずかることになるのか、とおなじみの質問が出たとき、カラニックはいつになく居心地が悪そうだった。カラニックは口をつぐんだ。話す言葉を選んでいるようだ。「気にかけている問題ではある」。彼は言葉を濁した。「規制の観点から、慎重にやらなければならない。公開会社になれば、役所的な面倒が増えるから」。カラニックの声はそこで尻すぼみに消えていった。ドライバーたちに株式を分け与えると約束してしまえば、従業員に昇格しようと奮闘している人々をサポートすることになってしまうからだ。そうなれば、残業代や最低賃金保証、健康手当などを支給しなければならなくなる――ウーバーが多くの時間と資金を費やしてずっと避けようとしていたことだ。

カラニックが当時のウーバーが推し進めていた〝ノー・チップ〟ルールを正当化しようとしたとき、事態はさらに混迷する。その理由として、カラニックはチップを受け取ることを認めている業界は従業員に支払う賃金が少なくなる傾向があると指摘した。この説明に（実際のデータにより正しいことが証明されているのだが）人々は納得しなかった。おそらく、ウーバーが成長するにつれ、ドライバーの利益率が圧縮されつつあったからだろう。カラニックのプレゼンテーションに明らかに圧倒されながらも、ある中年の女性ドライバーが「ばかばかしい」とつぶやいた。その言葉に、私のまわりにいる人たちもうなずいている。カラニックはすぐに舞台裏に下りた。ドライバーやその家族には、不満を和らげるために無料でピザやポップコーンがふるまわれた。

現在では、ウーバーもチップを受け取ることを認めていて、ベテランドライバーには一定量のストックオプションも付与している［注8］。創業者のカラニックよりも明らかに冷静な頭の持ち主であるコスロシャヒは、前ＣＥＯから受け継いださまざまな問題を解決しようと奮闘したが、その一方で、彼が実権を握ってからもさまざまな問題が炎上した（特に顕著なのは、アリゾナでウーバーの自動運転車が時速およそ六五キロで走行中に道路を横断中だった女性を跳ねて死亡させた事件だろう）。

コスロシャヒが会社に改善をもたらしたことは間違いないが、従来のタクシーをより安価なフリーランス運転手で置き換えることにより、新しい都市輸送手段を確立するという「素早く動き、破壊せよ」タイプのビジネスモデルを刷新することはできなかった。実際、同社の動きは素早かった。二〇一〇年はサンフランシスコでわずか二台の車を使っていただけなのに、それが今では全世界で三〇〇万人ものアクティブ・ドライバーを雇って（会社は「雇う」という言葉を使うのを嫌うが）いるのである［注9］。

「いつもハッスル」を個人的な信条にしているカラニックは、ビジョナリー、破壊者、天才、愚か者など、さまざまな言葉で呼ばれてきた。しかし、一つ確かなことがある。彼の会社は、世界がこれまで見てきたものとまったく違っていた。グーグルと同じように、会社の名前が動詞として使われるようになっただけではない。ウーバーはいわば一つの業種を表す言葉になった。数えきれないほど多くの起業家たちが役員室へおもむき、「私は〇〇のウーバーをつくる」などと言っている。ウーバーそのものも、自動運転車からホバークラフトにいたるまで、さまざまな分野へ野心を示している。二〇二〇年までにロサンゼルス、ダラス、ドバイで飛行自動車を飛ばす計画だ（訳注：二〇二〇年一月時点で、二〇二三年の商用サービスの開始を目指して開発を進めている）。フランスでは、ウーバーを介してヘリコプターを使うこともできるし、サンフランシスコでは、ウーバーイーツ（UberEats）が注文から一〇分以内で料理を自宅まで届けてくれる。「街のなかである地点からほかの地点へ何かを動かすときは、私たちの出番だ」と、少し大げさにカラニックは私に話したことがある。

しかし、ウーバーが破壊しているのは輸送だけではない。従業員と労働者の契約も書き直している。過去数年にわたり、同社はエアビーアンドビーやタスクラビット（TaskRabbit）などに代表される「ギグ経済」の形成を牽引する企業のなかでも、際だって多産で積極的だった。これらの企業が私たちの働き方改革に加速をもたらす象徴的な存在だ。その働き方とは、これまで中産階級が享受してきた昔ながらの保護や特典を得ずに、技術を頼りに一日二四時間週七日働くこと。一方では、これらの企業は自分がすでに所有しているもの――家、車、自由な時間など――を収入源にするという魔法のような話を実現した。しかしもう一方では、このやり方は滑りやすい斜面みたいなもので、そこでは労働者が搾取されることになる、と主張する者もいる。専門家の多くは、ギグ経済の台頭が賃金の停滞のおもな理由であり、さらには労働組合の減少や産業全体の規制緩和などを理由に過去四〇年ほどの時間をかけてじわりと進行してきた労働者と企業のあいだの力の不均衡を加速する原因にもなっていると考えている。

## ギグワーカーの苦悩

ウーバーのような会社が増えたことで、〝ギグワーク〟（訳注：ネットなどを通じて単発の仕事を請け負う働き方）が新たなピークに達したようだ。典型例として、ニューヨークで働くタクシー免許を持たないタクシー運転手を想像してみよう。彼は一度に三つ以上の会社で働いていてもおかしくない。ウーバーとリフト、そして無認可のタクシー会社だ。そのような人々は、本質的に起業家だという主張はある意味正しい。彼らは自分のために働く自由がある。ウーバーの場合、ドライバーは働く時間を自分で決めることができ、考えようによっては、自分が自分のボスとして働くことになる。カラニックがいつも強調する利点だ。「自分で自分の時間をコントロールするということは、そこに本質的な独立と尊厳があるということだ」と彼は二〇一五年に私に話した。確かにそのとおりだろう。しかし、彼らが自分でコントロールできるのはそれだけだ。需要に応じてころころと変わるうえに、ほとんどの場合で客寄せのために低く設定されている会社の価格設定に口出しすることはできない。価格はアルゴリズムが決める。ニューヨークのドライバーにインタビューしたところ、ウーバーが市場シェアを拡大するにつれて価格が下がったそうだ。現在のところ、シェアはおよそ二〇パーセント。それに対して、いまだに使う人が少なくない独立系の地方タクシー会社はだいたい三〇パーセントのシェアを占めている。

ウーバーはドライバーのことを「自由で独立した」契約者だと宣伝するが、アルゴリズムを用いた自動管理システムのおかげで、彼らの仕事ぶりを監視し、彼らが〝ウーバーにとって〟最も有益な働き方から逸脱したら、それを罰することもできる〔注10〕。人工知能を使って、郵便番号をヒントにどの種類の顧客が乗車にほかの客よりも多くを支払うか知ることもできる。実際に余分に支払われた額は、ウーバーが全額ポケットに入れる。ドライバーに対する支払いは増やさない。基本的に、運転手の賃金は乗客の支払いと切り離して扱われるのだ。さらに、本来タクシーの運転手は「障害を持つアメリカ人法」の保護を受けるのが普通なのだが、ウーバーは自らのことを輸送会社ではなくテクノロジー企業とみなしているので、同法などの適用を受けようとしない。著書『ウーバーランド』を書くために、社会学者のアレックス・ローゼンブラットはアメリカとカナダの二五の都市で合計八〇〇〇キロ以上の距離をウーバーのタクシーに乗り、数多くのドライバーと話をした。その際わかったのは、ウーバー側が利益の大部分をかっさらう一方で、破壊的な技術がもたらすコストはドライバーが負担し、欠点を補っているのだった。

一方、ウーバーの最大のライバルであるリフトは、より優しくて穏やかな乗車サービスとして知られている。おそらく、CEOのローガン・グリーンがシェア経済の欠点について思慮深くオープンに話すことが多いという事実もその一因だろう（彼がドライバーに向かって怒鳴りつけている映像が暴露されたこともない）。例えばグリーンは、自動運転車が開発されたらアメリカでは運転手（高校以下の最高学歴をもつ男性にとって最大の職業分野）が大量に職を失う危険があると、懸念を明らかにしている。ドライバーのほうも、ウーバーよりもリフトのほうが収入も多く、仕事の満足度も高いと報告している（ドライバーにチップをもらうことを許したのも、リフトが先だった）［注11］。しかし残念ながら、両社の違いはごくわずかでしかない。大きく見れば、どちらのビジネスモデルもほとんど同じで、両社ともに会社と労働者の関係のバランスが大きく崩れ、労働者に不利な状況をつくりだしている。このことから、シェア経済にもとづく企業の問題はCEOではなく、むしろ根本的なビジネスモデルに潜んでいると言えるだろう。

## アルゴリズムが仕事を破壊する

タクシー運転手だけでなく、何曜日に仕事に就けばいいのか予定が立てられないスターバックスのバリスタから、特定の時間に特定のエリアに行くことを拒めば契約が破棄される配達員にいたるまで、さまざまな業種の労働者にとって、〝アルゴリズムによる管理〟が現実になった。それ自体は新しい現象なのだが、その副産物は労働者が技術の進化からずっと被りつづけてきた害と変わりない。イギリスの繊維労働者から旅行代理店職員にいたるまで、新技術は新しい仕事を生むのと同じぐらいの速さで古い職種を破壊してきたのだ。ただし長い目で見れば、技術は結果として新しい仕事を増やしてきたと言える。問題は、この〝創造的な破壊〟がいつまで続くか、だ。今のところ、政治や社会が対処するよりも速いペースで破壊が進んでいるように見える。ギグ経済がもたらす変化の深さと幅は前例のないものだ。従来の経済と比較して、ギグ経済の内部だけで働く労働者の数は、以前学者が予想したほど増えてはいないにもかかわらず[注12]、変化はあらゆる場所で、そしてほとんどすべての業種で生じている。

もしこのまま、すべての人が多かれ少なかれフリーランサーになったら、社会はどうなるのだろうか？　一つの仕事だけではリスクが大きいため、誰もが副業をもたざるをえなくなったら？これらが、ウーバーが多くの人に呼び起こした不安だろう。人は顧客としてはウーバーの便利さや低い価格に満足しているが、その一方で生存の危機を覚えている。

従業員の一人ひとりに起業家のように働いてもらいたいなどと言う企業が増えているが、この言葉は裏を返せば、企業が労働者に対して、株式や業績ベースの給与など、起業家が得てしかるべき報酬は出さないが、毎日二四時間休みなく必死に働いてくれ、と言っているのと同じだ。論理的に突き詰めていけば、ほかの職業がウーバー化されない理由が見つからない。実際、雑用係から放射線科医まで、数多くの職種がウーバー化されつつある。しかし、誰もがセーフティネットのないまま、必要とされるときだけオンデマンドで働き、つねに昇給や降格を繰り返すのなら、労働市場はさながら、ダーウィンの唱えた自然淘汰の実験室ではないか。「この点こそ、人々がウーバーに怒りを覚える理由だ」と、『ワイアード』誌の創刊に立ち会い、ニューコ（NewCo）と呼ばれる会議・イベント会社を経営するジョン・バッテルが言う。「これはテクノロジーの物語ではなく、社会の物語――私たちが新しい可能性にどう適応していくか、という話だ。企業、政府、そして社会のあいだに横たわる社会契約がこれからどうなっていくのか、という問題なのだ」

この問題は、シェア経済を営む会社とその労働者だけでなく、オンラインかオフラインかにかかわらず、労働を積極的に監視およびコントロールする技術を使うほかの企業にも影響する。アマゾンの倉庫では作業員がひどい扱いを受けていることがよく知られている。アメリカの労働安全衛生評議会が二〇一八年に発表したアメリカ国内で最も危険な職場のリストにも含まれていた。アマゾン従業員の多くは、デジタルな監視を原因とする平均以上のストレスと健康問題を訴えている[注13]。『ガーディアン』紙の調査では、ひっきりなしに事故やけがの報告があり、あるケースでは、負傷した労働者に対してアマゾンは、治療を許可するよりも先に解雇を申し渡したそうだ。労災申請が却下されたり、医療休暇を短縮されたりしたと報告する負傷者もいる。予想されたことだが、この種の管理体制は労働者を人間ではなくてロボットのように扱うのである[注14]。

私はかつて人工知能の専門家として有名なヴィヴィアン・ミンにインタビューしたことがある。

彼女はアマゾンから主任科学者の職をオファーされたのだが、上記の理由から申し出を断ったそうだ。ミンに向かってジェフ・ベゾスは、「技術が人々の生活をどれだけ改善するか」リアルタイムで実験するために彼女を雇い入れたい、とはっきりと申し出た。ミンは回想する。「最終的に判断の決め手になったのは、ジェフが〝改善〟という言葉を私とは違う意味で理解していたことだった……まったく違う意味で」。どう違ったのか、という私の問いかけに対して、ミンは「一例を挙げると」と言ってから、アマゾンが特許を申請したばかりの小さなリストバンドの話をした。それを装着した倉庫作業員が間違ったパッケージに手を伸ばそうとすると、バンドがブザーを鳴らして警告するのである。「そんなものをつくりたいなんて、私は絶対に思わない！」[注15]

（パートタイマーに健康保険を適用したり、全従業員のためにオンライン大学の授業料を負担したりしていることから）労働者の待遇で褒められることの多いスターバックスでさえ、アルゴリズムでスケジュールを決めるソフトウェアを使っていて、場合によってはこれが労働者の生活を脅かしている。労働者の生活に合わせて週のあるいは月のスケジュールを決めるのではなく、店の混雑状況などからソフトウェアが判断して従業員に出勤を強いるからだ。二〇一四年に『ニューヨーク・タイムズ』紙のジョディ・カンターがこの問題について第一面で報じたとき、当時スターバックスの会長だったハワード・シュルツは謝罪を強いられ、会社のスケジュールの決め方を刷新すると約束した[注16]。それなのにスターバックスのみならずほかの小売業者の多くでも、残念ながらアルゴリズム型のスケジュール管理が使われつづけ、今ではウーバーやリフトの〝ピーク料金〟と同じように、業界標準とみなされている。

もちろん、ハイテク・ギグ経済の到来がもつ意味は、労働者の種類によって異なっている。ウーバーのドライバーや配達員には、新しい奴隷制のように感じられるかもしれない。年金ももらえない、健康保険もない、労働者の権利が保護されることもない、アルゴリズムの意のままに働くだけ。ローゼンブラットの本で紹介されたドライバーの多くは、車やガソリン、メンテナンス、自営業者税を支払ったあとに、何とか最低賃金以上の儲けを出そうと懸命に努力している。私が行ったウーバーのドライバーたちとのインタビューから確かに言えることは、彼らの多くは、理論上の自由を手に入れるのと引き換えに、つねに待機を強いるテクノロジーにより、高水準の職業よりも生活の柔軟性が少なくなるのはしかたのないことだと受け入れている。都合の悪い、あるいはストレスに満ちた時間や場所ほど、運転した場合の報酬は多くなる。オファーを断れば、彼らには何も支払われない。また、彼らのほとんどは、自らが成長を後押しした会社の株式をまったく所有していないのも事実だ。

その結果として出現するのが大量の低レベル労働者（彼らがギグ経済の大部分を占める）で、「領主が現れて、『今日はお前とお前とお前を連れて行こう』とやっていた封建時代の刈入れどきのような労働市場ができあがる」と説明するのは、ウーバーのような会社が地域経済にどのような影響を及ぼすかを研究している非営利団体の一つ、新経済思考研究所の所長であるアデア・ターナーだ。

ターナーは、そして数を増しつつある同じように考える経済学者たちは、ギグ経済は労働市場の摩擦を減らすと結論づける。本当の需要を解消し、快適な状況をつくりだすという意味だ。しかし同時に、労働者ではなく、高等なテクノロジーや情報を活用できる雇用主にとって都合のいい断片化を引き起こす。ウーバーがすべてのデータを握っていて、ドライバーにはその一部すらも見ることができないという事実が、労働者と会社間に巨大な情報格差を生んでいることも、非営利団体のデータ&ソサエティ・リサーチ研究所の調査でわかっている。

「ドライバーは未知の料金などのリスクにもあえて投資する事業家である、という考えをウーバーが推進している」ため、ドライバーは利益にならない料金をキャンセルしたり、未知の料金を避けたりしていると、ドライバーとしての登録を抹消されるというリスクを冒すことになる。連邦取引委員会はウーバーのドライバーのことを「事業家消費者」[注17]と呼んだが（これは連邦取引委員会がウーバーの言葉を鵜呑みにしている証拠で、ドライバーを〝価値を生む者〟ではなく、ウーバーの価値を〝消費する者〟とみなす態度である）、ドライバーは消費者に関するデータにアクセスできないので、会社だけが信じられないほどの利益を上げることができるのだ。ローゼンブラットが指摘しているように、この種の情報格差はほかのビッグテック企業も活用している。例えばアマゾンはランキングの仕組みを通じて顧客をより高価な製品に誘導することができるし、グーグルは自らのことを中立な情報の仲介者とみなすが、その実、誰にも見えない場所では同社だけが存在を知る偏向に満ちたページランクのアルゴリズムが今も存在するのである［注18］。

これらの戦略により、「職場にはもはや権力の問題は存在しないという幻想」が生まれる。未来の仕事をテーマにしたハーバード・ビジネス・スクールのポッドキャストでそう説明するのは、米国労働総同盟産別会議の政策長であるデイモン・シルバーズだ。「現実では、ウーバーのような会社のほうが従業員についてより多くを知っていて、かつての鉄鋼企業や自動車会社などよりもはるかにしっかりと彼らの行動を把握している。労働者が集団としての力を失った一方で、デジタル技術、人工知能、安価な監視技術の組み合わせが雇用主にとって有利な情報をもたらす……かつてないほどの規模と強さで」［注19］

## スーパースターの一人勝ち

デジタル経済では、低レベルのギグワーカー――何でも屋、ヨガのインストラクター、子守役など――が貧乏くじを引くことになる。その一方で、高度な教育を受けた専門家にとっては、デジタルなギグ経済はこの上なく好都合だ。少しの時間で多くの金銭を、しかも今までよりずっと柔軟に稼ぐことができるのだから。例として、フリーランスで活動する経営コンサルタントの生活を見てみよう。この人はクラウドコンピュータやスマートフォン、ソーシャルネットワーク、ビデオ会議などを駆使して、いつでも、どこでも働くことができて、場合によっては顧客一人につき一日一万ドルを請求できるかもしれない。その場合、収入は六桁、あるいは七桁にもなる。しかも、同様の技術の発展により、彼ら新進気鋭のハイエンド・フリーランスらはごくわずかな出費でインドに拠点を置くヴァーチャルアシスタントを使うことができるし、自宅で、あるいはウィーワークのような仕組みを利用した安価なオフィスで働くこともできるので、営業にかかる費用は微々たるものだ。

結局のところ、デジタルギグ経済は従来のアナログ経済と同じぐらい両極端なのだ。これは由々しき問題だ。というのも、マッキンゼーや経済協力開発機構などといった一連の組織が、これからの一〇年から二〇年でフリーランス労働者、独立請負業者、あるいは複数の雇用主の下で働くパートタイマーの数が劇的に増えると予測しているのである。アメリカでは、労働力の三五パーセントがすでにそのような形で働いている。もし〝フリーランス国家〟が人類の未来であるなら、この新世界における格差は、現在の二極化を推し進めてきた勝者の総取り傾向をさらに悪化させるだけだ。

デジタル経済は、もつ者ともたざる者のあいだのギャップをすでに大きくした。勝者になるのは、テクノロジーを使い、支配し、自分のために活用できる者なのだが、この能力は教育と深く関連している。言い換えれば、もとから裕福な上流階級に属する者が勝つということだ。ハーバード大学のクラウディア・ゴールディンとローレンス・カッツは著書『The Race Between Education and Technology（教育と技術の競争）』のなかで、技術の進歩の波に乗れるのは、進歩した技術にアクセスでき、それを活用する能力をもつ者だけだと指摘する［注20］。

この新しいデジタル経済では、ネットワークプラットフォームとソフトウェアの影響で、消費者には価格が下がり、雇用主にはコストが削減され、そして高度に教育され優れた才能をもつ者は少ない時間で報酬の多い仕事ができるようになったため収入が増えた。しかし同時に、富が数少ない人々にさらに集中することにもなった。民衆の大半が、技術に、そしてそれを使う者に翻弄されるだけの貧しい人々であることも、その一因だろう［注21］。

「例として、一流の外科医を想像してみよう。彼は最先端のビデオ会議技術を使って、さまざまな国にいる数多くのクライアントに向けて、これまで以上に助言ができるようになると考えられる」。そう説明するのは、マッキンゼー・グローバル・インスティテュートの長であるジェームズ・マニーイカだ。「それに対して、末端の労働者は、就業時間をころころと変えてくるスケジュール・ソフトウェアによって、生活をめちゃくちゃにされるのだ」［注22］

ゾッとする話だが、決して新しくはない。一九八一年、経済学者のシャーウィン・ローゼンが

『The Economics of Superstars（スーパースターの経済）』というタイトルで論文を発表し、どの市場でも技術的な混乱は少数のプレーヤーに多大な力を授ける、と指摘した。例えばテレビの出現により、世界で最も収入の多いアスリートやポップスターは、ほかの分野よりも圧倒的に多くの報酬を得ることができるようになった。ローゼンは、スーパースターの出現はそのほかの大多数の収入に悪影響を及ぼすと予測したが、まさにそのとおりになった［注23］。現在、労働者の取り分はこの半世紀で最低の水準にあるのだから。その一方で、ウーバー、グーグル、アップル、フェイスブック、アマゾンなどといったシリコンバレー企業――ならびにそれらの最高幹部――はスーパースター効果を享受している。この点に疑いの余地はない［注24］。

この格差は、個別のギグ労働者だけでなく経済全般に対して、計り知れないほど大きな影響を及ぼしている。経済学者の多くは、賃金の上がり方が弱い理由として、技術が雇用を混乱させているからだと指摘する。ダラス連邦準備銀行の総裁であるロブ・カプランは、失業率はほぼ金融危機以前と同じぐらい低いのに賃金が上がっていない最大の理由はテクノロジーにあると、具体的には、非テクノロジー産業にテクノロジーがより広く、より深く浸透したことにあると確信している。また、トランプ大統領による法人税の引き下げも、この傾向を悪化させただけであり、長期的に資本を投資するよう促された企業は人ではなく技術に資本を投じるようになったとも考えている。

「私は毎月、テクノロジー分野の内外のCEOたちと三〇回から三五回ぐらい電話で話をするが、話すのは、どうやって非テクノロジー企業に［人の代わりに］技術を導入するか、という話題ばかりだ」。近い将来のうちに、コールセンターが、空港の手荷物係が、予約代理店が、それどころか自動車のディーラーさえも、技術で置き換えられるだろうと、カプランは予想している［注25］。

実際、彼の予想の正しさを証明する数字も見つかっている。投資銀行のウェストウッド・キャピタルのダニエル・アルパートのデータによると、前回の景気拡大が終わろうとしていた一九九八年当時、事業投資の四八・三パーセントが新しい構造物や産業設備（工場、機械など形のあるインフラストラクチャ）に、およそ三〇パーセントが情報処理設備やさまざまな形の知的財産などといったテクノロジーに費やされていた。それが二〇一八年では、建造物や産業設備に費やされたのは投資の二八・六パーセントに過ぎない一方で、テクノロジーと知的財産は五二パーセントに増えている。

この数字を見れば、投資のトレンドが有形のものから無形資産へと移りつつあることが明らかだ。この傾向はアメリカだけでなくほかの裕福な国でも見られ、例えばイギリスやスウェーデンでも、今では無形資産への投資が有形資産への投資を上回っている。新しい工場や機械への投資は新しい雇用を生む一方で、現在盛んに行われているデータ処理設備やソフトウェアのアップグレードへの投資は、少なくとも短期的には、雇用を減らす。これまで経験してきたように、労働者がそうした技術を使って自らの生産性を上げることができるようになれば、そのうち雇用も増えるのかもしれないが、そのような結果が期待できるのは、技術の進化のスピードに負けずに人の教育とスキルのレベルが向上した場合だけだ。しかしアメリカに限って言うと、残念ながら教育はデジタル革命に大きくおくれをとっている[注26]。

賃金が上昇しているのは、金融や情報技術などごく一部の分野だけだ。そうした分野でさえも、比較的少ない雇用しか生み出していない。例えば金融業は全企業利益の二五パーセントを占めるというのに、雇用の面では全業種の四パーセントでしかない。現在、アメリカで二五パーセントを超える利益を生んでいる全企業の半分はテクノロジー企業なのに、それら巨大企業――フェイスブック、グーグル、アマゾン――はゼネラルモーターズやゼネラル・エレクトリックなど、かつての巨大企業に比べるとはるかに少ない雇用しか生んでいない。ＩＢＭやマイクロソフトといった一世代前のテクノロジー企業に比べても少ないくらいだ。

加えて、ビッグテックによって事務系の仕事が破壊されるのではないかという恐れも高まっている。全世界の経営者を対象に行われた最近の調査によると、彼らの大多数はデジタルがもたらす混乱を理由に、今後従業員の三分の二を再教育または解雇しなければならなくなると予想している。

二〇一八年に私がインタビューしたとき、人工知能（ＡＩ）の専門家であるヴィヴィアン・ミンが、「世界的に見て中産階級の専門職が痛い目に遭うと思う」と語っている。その際ミンは、最近コロンビア大学で行われたある競争について話した。人間の弁護士のグループと人工的な弁護士のグループが、一連の機密保持契約を分析し、どちらのグループがより多くの抜け穴を見つけることができるか、競ったのである。ミンによると「AIは抜け穴の九五パーセントを、人間は八八パーセントを見つけたけど、契約を読むのに要した時間は、人間が九〇分、AIは二二秒だった」そうだ。ロボットの圧勝だ。そのような事実があるからこそ、ミンはアクセンチュアのような会社に協力しながら、もっとクリエイティブな仕事ができるように人々を再教育しているのである。人間の感情的知性と機械のIQを組み合わせることで、会計士が、セールスの事務スタッフが、低級のプログラマーが、今後も大量に解雇されずに済むように、と願いながら［注27］。

一方、勝者と敗者の格差の広がりは、従業員の給与にも反映されている。アメリカの企業のうち、最も収益性の高い一〇パーセントは、平均的な会社の八倍の利益を上げている（一九九〇年代は三倍に過ぎなかった）。そのように収益性の極めて高い企業で働く人々は申し分のない給与を得ているが、競合他社にはそれに近い額を従業員に支払うことはできない。ボンに拠点を置く労働経済研究所の調べによると、企業内ではなく、企業間の給与格差が労働者の賃金格差の主要な原因になっている。ロンドンの経済パフォーマンス・センターが行った調査では、トップ企業とそれ以外の企業の賃金格差が、アメリカにおける不平等の最大の原因であることがわかった。

経済パイの多くを占有しているトップ企業あるいはトップ分野が、ほとんどの場合でデジタル化が最も進んでいる事実は驚きに値しない。マッキンゼー・グローバル・インスティテュートがデジタル化されたアメリカにおける裕福な人々ともっと裕福な人々を分析したところ、より多くのテクノロジーを迅速に受け入れる業界ほど多くの利益を上げていることがわかった。この意味でチャートのトップに君臨するのはテクノロジーと金融なのだが、実際に多くの雇用を生み出している業界――小売り、教育、政府など――はひどくおくれている。つまり、二段重ねの経済が生まれたのである。とても生産的で、富の大半を占める上段と、低迷する下段の二重構造だ［注28］。

また、地理的にもデジタル格差が広がっていて、それがさらに勝者の総取り傾向に拍車をかけている。実り豊かなデジタル経済からより多くを搾り取るために、分野に関係なくあらゆる企業は高速ブロードバンド回線につながっていなければならない。そして、高速ブロードバンドの敷設率は地方よりも都市で三倍も高くなるのだ。また、都市の内側でも大きな開きがある。例えばニューヨークの場合、富裕層が暮らすマンハッタンでは住人の八〇パーセントがブロードバンドに接続している一方で、貧しい区画のブロンクスでは六五パーセントでしかない［注29］。したがって、回線が発達したごく一部の都市にスーパースター企業が集中し、そこだけでスーパースター社員を生んでいる。実際、経済イノベーショングループが二〇一六年に発表したレポートによると、アメリカにある三〇〇〇を超える郡のうち、わずか七五の郡が雇用拡大分の五〇パーセントを占めている。それがさらに引き金となり、才能ある者が一部の都市に集中し、不動産価格を引き上げるので、スーパースタークラブに所属していないほかの人々にはそこに入るのがさらに難しくなる。このようにして、アメリカやほかの多くの国における党派政治の中心で、貧富の格差が広がるのである[注30]。

これらすべてがどれほどの影響力をもっているのかを知りたければ、サンフランシスコやシアトル（外国ならイスラエルのテルアビブや中国のシンセン）のようなテクノロジーのメッカを訪れてみればいい。そこでは住宅価格の高騰だけでなく、ホームレス問題も深刻化していることがわかるだろう。一方、そのような都市では中流のアメリカ人を見つけることができない。中流の生活に欠かせないもの――住宅、医療ケア、退職後用の貯蓄――が、中産階級の収入ではもはや手が届かないからだ。テクノロジー企業が輩出した形ばかりの億万長者たちが、地方政府よりも強い力をもつようになってきたことが、その原因だろう。例えばシアトルでは、市議会が増えつづけるホームレスの問題に対処するために、地元の企業に従業員一人当たり五〇〇ドルの税を課すことを提案した。ところがスターバックスやアマゾンなどが反対したので、税額はあっさりと二七五ドルに引き下げられた[注31]。サンフランシスコでは、住宅整備やホームレス支援を充実させるために収益が五〇〇〇万ドルを超える企業にわずか〇・五パーセントの税を課す計画を二〇一八年に提案したのだが、ツイッターのジャック・ドーシー、ストライプ（Stripe）の共同創業者のパトリック・コリソン、ジンガ（Zynga）を創業したマーク・ピンカスら億万長者たちが、断固として反対した（法案は可決されたが、のちに裁判所に異議申し立てがなされた）。

二〇一八年、アマゾンが第二の本部となる場所を探していたときにも、この問題があらわになった。成長しつづける同社にとって、シアトルでさらに拡大するのは不可能だったのだ。アマゾンの従業員でさえ、シアトルの価格の高騰と渋滞する道路が耐えられなくなった。最初に白羽の矢が立ったのはニューヨークとワシントンDC。インフラ、人的資本、そして輸送の充実が決め手になったと、アマゾンは説明する。しかしながら、それらが両都市と同じぐらい充実しているほかの都市は、アマゾンの候補から外された。実際のところは、有力な上院議員に代表され、数十億規模の税控除や補助金を約束する都市（ニューヨークとワシントンDCがまさにそう）を探していたのだ。

両都市の政治家は、反対意見も多いアマゾンの受け入れを有権者に納得させるために、同社が来れば雇用機会が大幅に増えると主張した。しかし、ニューヨーク市民はその言葉を信じなかった。信じない理由もあった。研究によると、大企業を誘致するために助成金を拠出した自治体は話題になり、短期的には収入も増える反面、経済的に見た場合、ネガティブな結果に終わることがほとんどなのである。最近の調査では、都市による助成の七〇パーセントが、財産税の控除や雇用創出に対する税控除の形で行われることが明らかになっている。つまり、大企業は不動産に対して支払う税が少ないと言うことだ。これは裏を返せば、人的資源が損なわれていくことを意味している。なぜなら、財産税は学校などの公共サービスの資金になるからだ。言い換えれば、熟練した労働者と優れたインフラを必要としている雇用主は、それらをつくるのに欠かせない税を減らしていることになる。それなのに、そのような助成金の額は一九九〇年代に比べて三倍に膨れ上がっている。そのため、州は借金ばかり増え、数年前にくらべて不況に対する備えができていない。最終的に、助成額があまりにも大きかったことが大衆の怒りに火を付けたため、アマゾンを誘致する計画は破棄された。数多くの抗議活動が行われたことを受けて、ジェフ・ベゾスが同市から撤退することに決めたのである。

アマゾンはもとから公共部門や競合小売業者よりもはるかに多くの市場データを所有していたのだが、今回の第二本社選別の過程で、役人が署名し提出した入札や機密保持契約のおかげにより、競合都市にまつわる大量の情報を手に入れることに成功した。その情報を使えば、同社は経済的にさまざまな利点を得ることができるだろう。

## 労働者の逆襲

アマゾンには強大な力がある。しかし、数年前にポピュリストが行使した力はもっと強かったかもしれない。それがどれほどの強さをもつのか、ウーバーが身をもって経験した。同社の拡大に対して、メキシコシティとパリで暴力的な抗議活動が巻き起こったのだ。しかし、障壁となる規制に精通し、それを克服することに情熱を燃やすカラニックは、いつものように動じなかった。「都市には、現職で働いている人々を守るためのルールがたくさんあり、それらが都市の選挙民の、市民の、街そのものの前進を阻んでいる。それが問題だ」と二〇一五年にカラニックは私に話した。「政治的な進歩と現実の進歩を一致させる方法を見つけなければならない」。ウーバーの考える進歩とはとても単純でわかりやすい。どこでも、誰にとっても、輸送を水道水のように当たり前で信頼できるものにすること。

そのためなら、都市運営のルールを書き換えるし、必要なら踏みにじることも辞さない。二〇一五年にカラニックについてインタビューしたとき、エリック・シュミットは「不足しているからという理由で、政府に金銭価値をつくりだす権利を与えたのは誰だった?」と話した（グーグル・ベンチャーズは二〇一三年に二億五八〇〇万ドルもの額をウーバーに投資していた。実質上、カラニックに好きなだけ使えと金額の書かれていない小切手を渡したようなものだ）〔注32〕。「タクシー運転手には数百万ドルの運営許可を買うことなんてできないのだから、結局は金を持っている会社のために働くことになる」。彼の言うことには一理ある。ウーバーとリフトはタクシー業界を混乱に陥れたと非難されることが多い一方で、最近の『ニューヨーク・タイムズ』紙が明らかにしたように、役人は役人で数年前から悪徳金融業者と結託して、イエローキャブの公式運営許可の値段をつり上げていたのだ。その結果、多くのドライバーが職を失ったのである〔注33〕。四年前、シュミットは私に、体制を破壊するにはカラニックのような人物が必要なのだと思う、と語った。「彼は弱い立場から、産業構造に対して闘いを挑んでいる。無から何かをつくりだすタイプの人物だ。彼のような人は、［現状を］否定するので、人々から否定される」〔注34〕

おそらく、彼の言うことは本当なのだろう。四年前、私はボストンでカラニックが地元のビジネスリーダーを相手にスピーチする場面に立ち会ったのだが、そのとき彼は大胆にも「私には、五年後にボストンに交通がなくなっている世界が見える」と宣言した。ウーバーの現CEOであるコスロシャヒも、都市で同社が支配的な地位を占めることで、交通量や大気汚染が削減すると主張する。ところが最近になって、その逆を示す不穏な調査結果が発表されている。それによると、自動車の相乗り《ライドシェアリング》の広がりによって、自動車を所有する人の数は減るかもしれないが、都市の内部で車が移動する距離は増え、結果として交通量も汚染も悪化すると考えられるのだ〔注35〕。

そのような問題は、私がウーバーについて取材を始めた数年前から次第に明らかになってきた。しかし、典型的な「素早く動き、破壊せよ」タイプのカラニックは、それらについて議論するつもりはなかった。それどころか、そのような話題の一つでも持ち上がれば、ひどく不機嫌になった。私の知る多くのシリコンバレー族と同じで、ビッグテックにとって都合の悪い議題に話が及んだら、すぐにけんか腰になる。シリコンバレーの内側からも聞こえてくる彼または彼の会社に対する批判について質問すると、カラニックは目を細めて、ジェスチャーも明らかに変わった。「連中には私がわかっていない」とカラニックは言った。「私を駆り立てているのは、まだ解決されていない難問で、それには本当に有望で有効な解決策があるんだ。問題が何であるかなんてことには、興味がない。私はただそれに引き寄せられるだけ。もしかすると、そのせいで私は人とは少し違うやり方になっているのかもしれない」と、不本意そうに言った。「私は自分に忠実に情熱的にやっていこうとしているけれど、大きくなればなるほど、人の話に耳を傾け、彼らをもっと受け入れなければならないことも学びつつある。簡単に人を怒らせてしまう恐れがあることも」。カラニックがいつになく饒舌になったときもあって、そのときの彼は私に、「霧のなかをドライブしているような感じだ」と打ち明けた。「自分でハンドルに手を置いているのだけれど、あまりにも速く走っているので後ろを振り返ることもできないし、遠くまで前を見通すこともできない」と。

秀逸なたとえ話だ。カラニックだけでなく、すべてのビッグテックにも当てはまる。結局のところ、世界の労働者の生活を揺るがすほど強力な経済変化を引き起こしたのは、ウーバーだけではない。しかし、よかれあしかれ、ウーバーはその変化から恩恵を受けてきた。皮肉なことに、ギグ経済が引き起こした変化は労働運動にもポジティブな効果をもたらした。経済全体における労働分配率は第二次世界大戦直後レベルにまで下がっている。これは、経済の七〇パーセントが消費者支出に依存している世界では由々しき問題だ。労働者の多くが公共サービス、あるいは建築業や製造業などの肉体労働に属し、組合費が法に基づいて徴収される伝統的な労働組合が力を失ったことも、この問題に拍車をかけたと言える。現在の労働組合はアメリカ人労働者のわずか一〇・七パーセント――一九八〇年代初期の半分――しか代表していないのであり、そのように小さな労働組合では、新たな大企業の誕生にも、ギグ経済が引き起こすやっかいな問題にも、自動化の波にも、立ち向かうことができないのだ。

しかし、新しい労働運動が芽生えつつある兆しが見つかっている。今までより広い基盤を持ち、より柔軟で、よりデジタルな労働運動だ。最近になってニューヨーク市は、印刷店、街角のカフェ、職人による高級品メーカーなど、〝デジタル協力会社〟の発展を促すために二〇〇〇万ドルの基金を立ち上げた。ギグ経済の影響をもろに受けた高級サービス業者（ライター、グラフィックアーティスト、写真家）を対象にした「フリーランサーズ・ユニオン」は、今では三七万五〇〇〇人の労働者を抱え、伝統的な労働組合の衰退を相殺する存在になっている。

この事実は、ビッグテックの世界では「労働者階級」の意味が変わったことを示唆している。時間給を得る人のみを労働者とみなす場合、ホワイトカラーのフリーランサーの多くはそこに含まれない。しかし、左翼経済学者の多くが主張しはじめたように、職の安定や利益を定義に用いるなら、彼らは間違いなく労働者階級に属する。ホワイトカラーのフリーランサーといえども、年金や健康保険の不足から、高度な職業まで脅かしはじめたテクノロジーの普及により仕事を失う恐れにいたるまで、ほかの労働者と同じ問題や悩みを抱えているのだから。

このような経済と政治のミックスがもたらす可能性に、フリーランサーズ・ユニオンの創設者であるサラ・ホロウィッツは関心を示す。「イデオロギーの観点から見た場合、私は一九二〇年代のユダヤ人労働運動の流れを汲んでいる。この運動は縫製工場の労働者だけでなく、小規模の実業家たちも巻き込んでいた」と、ホロウィッツは説明する。そして実際、彼女は自分が立ち上げたコミュニティに、起業家的な熱意と戦略的思考の興味深いミックスをもたらした。例えば、クライアントが支払いを怠った場合、独立請負業者が倍額損害賠償と訴訟費用を求める訴訟を起こすことを可能にする法律がニューヨーク市で可決されたのも、フリーランサーズ・ユニオンの働きかけがあったからだ。また同団体はメンバーに弁護士を斡旋するアプリも開発したのだが、そこに登録されている法の専門家たちのほとんども独立しているか、あるいは小さな法律事務所で働いていたので、ホロウィッツは彼らのためにも組織をつくることにした（彼女はこのやり方を、会計専門職など、ほかの分野にも広げようとしている）。ホロウィッツは「労働運動は狭い意味で定義されるべきではない」としたうえで、民主党がすべての収入レベルのあらゆる労働者の不安に、今まで以上にしっかりと取り組むことを望んでいる。

そうするのに、今がちょうどいい時期なのかもしれない。ピュー財団の調べを通じて、ミレニアル世代の人々は労働組合に対して、彼らの両親の世代とは違う見方をしていることがわかった。ミレニアル世代の人々は労働組合に対する印象は二〇一〇年に最低水準にまで下がってからずっと上昇傾向にある。現在では人口の四八パーセントが労働組合を「いいもの」とみなしていて、この高い数字に最も貢献しているのがミレニアル世代だ。『ザ・デイリー・ショー・ウィズ・トレヴァー・ノアー』の脚本家であるカシャナ・コーリーは『ニューヨーク・タイムズ』紙で、ミレニアル世代の人々は「政府が公的医療と民間医療を骨抜きにしようとするときや、賃金が下がろうとしているときは、既存の労働組合に参加するか、自分で団体をつくるかして」、抵抗するのが正しいことだと心に刻み込んでいる、と指摘している。興味深いことに、この見方は左右関係なく、広く若者の支持を集めている。その証拠に、高齢の共和党員は二四パーセントしか労働組合を支援していないが、ミレニアル世代の保守派ではその数字が五〇パーセントになる。この事実は、二〇二〇年の民主党にとって大きなチャンスになるはずだ。ただしそのためには、党がシリコンバレーやウォール街の自由放任主義者の支配を免れていることが前提になる〔注36〕。

私と最後に話したとき、カラニックは労働が混乱していたもう一つ別の時代に興味を示した。一八〇〇年代後半、俗に言う「金ぴか時代」だ。いみじくも、彼は私に、ロン・チャーナウがジョン・D・ロックフェラーについて書いた著書『タイタン』を読んでいるところだと話した。ロックフェラーはカラニックと同じで、独力で成功をつかんだ人物であり、世界最大にして最強の独占企業、スタンダード・オイルをつくりあげた。その際、規制当局も、労働組合も、政治関係者も打ち負かした〔注37〕。ロックフェラーの前例こそ、独占的なビッグテックに立ち向かうときに多くの政治家や規制当局が参考にする物語である。

# 第9章

# 新しい独占企業

CHAPTER 9

THE NEW MONOPOLISTS

グーグルに就職しようかと検討していたころから一〇年がたった二〇一七年、私は再び同社のニューヨークオフィスを訪れた。『フィナンシャル・タイムズ』紙でグローバルビジネスのコラムニストになったばかりのころだ。食べ物は一〇年前と変わらずおいしかったが、社員がグーグルにもつ印象と、外部の者の同社に対する見方のあいだには大きな隔たりが生じていた。私が独占支配の問題に言及したとき、公共政策担当者の女性は心から驚いていた。「私たちは四六時中、ほかの巨大テクノロジー企業から脅かされていると感じています」と彼女は答えた。「市場に競争が足りないなどという主張は、理解できません」

私には彼女の言い分が理解できた。すでに指摘したように、グーグルにとってアマゾンが大きなライバルに成長していたのだ。だが、二つや三つの巨大企業が互いに張り合ったところで、経済的には競争とみなされない。競争と呼ぶには、さまざまな大きさの数多くの会社が市場に参入し、繁栄できなければならないのだが、この意味では競争が減りつづけている。ビッグテックにはいくつかの利点があり、それらが独占的に支配する力を発揮しているからだ。その利点とは、不均衡な情報量、ネットワーク効果、オープンソース分野の小規模な競合他社から容易にアイデアを奪える能力、門番《ゲートキーパー》使用量（現金ではなくデータの形で）、他者が使わざるをえないプラットフォームを所有していること、そのプラットフォームを使って自ら商売できる事実、有力者のみがワシントンで行使できる法的・政治的圧力などである。同じ年のうちに、私は政治的な圧力を目の当たりにすることになる。ワシントンで影響力の強いシンクタンクとして知られるニューアメリカ財団の設立者であるエリック・シュミットが、ある政策通を、アイデアが気に入らないという理由で叩きつぶしたのだ。

バリー・リンはサプライチェーンの経済について予見的な研究を行い、アメリカの製造業が中国に対して劣勢に立たされるようになった仕組みを説明した［注1］。リンは私と同じで、地方経済や中小ビジネスを支持していて、最近はどのような過程を通じてビッグテックが経済を支配し、ほかの会社の設立と成長を妨げることになるのかについて、調査をしていた。そしてニューアメリカ財団のオープン・マーケッツ部を構成するリンの研究グループが、同シンクタンクのウェブサイトに論文を掲載し、グーグルに対して反トラスト法を適用したEUを称賛したのだった。（当時グーグルの親会社アルファベットの会長だった）シュミットはすぐに、かつてヒラリー・クリントンが長官だった時代の国務省で政策長を務め、今はニューアメリカ財団の長であるアン・マリー・スローターに電話をかけ、反感をあらわにした。

その直後、スローターはリンに対して、「オープン・マーケッツとニューアメリカが決別するときが来た」と話している。その際スローターは、決別の理由はリンの仕事ではなく、彼の「協調性のなさ」が組織全体を危機に陥れたからだと強調したことが、のちに暴露されたEメールから明らかになった。そのメールを見たリンは、彼が一年前の二〇一六年にスローターから受け取ったメールを思い出した。そのメールは、グーグルとアマゾンとフェイスブックの市場支配に関する会議――リンが開催に直接携わっていて、会議自体は好評だった――の準備中に送られてきたものだった。そのメールでスローターは、グーグルは会議で同社の立ち位置が正しく反映されていないと心配しているようだとほのめかしていた。「私たちは、いくつかの極めて重要な点において、グーグルとの関係を拡大しようとしている」とスローターはリンに書き、「あなたが他人の財源をどれほど危険にさらしているか、よく考えてみろ」と迫った〔注2〕。

結局、リンはニューアメリカ財団から追い出されることになった（その原因がシュミットの圧力であったことを、グーグルもスローターも否定している）〔注3〕。しかしのちに、影響力の強い独立シンクタンクとして、オープン・マーケッツ・インスティテュートを設立するにいたる（私は同組織の顧問団に属している）。そして、ビッグテックの独占支配力に関するリンの懸念が、ワシントンの政策論議でも中心的なテーマになり、リベラル派にも保守派にも同様に影響を与えるようになった。

同シンクタンクとの関連で最も影響力のある研究は、リナ・カーンという若い法学者が書いた『Amazon's Antitrust Paradox（アマゾンの反トラストパラドックス）』という論文だろう。二〇一七年の一月に『イェール・ロー・ジャーナル』誌で発表されたこの論文は、デジタル時代にはかつての独占力の考え方が通用しなくなった理由を説明している〔注4〕（ロースクールに入る前の二年間と、卒業後の一年間を、カーンはオープン・マーケッツで働いていた）。

信じがたいことだが、控えめな三〇歳の学者であるカーンは長らく軽視されてきた独占禁止法というテーマに携わったという理由で、ハイテク巨人の世界では一番の敵とみなされるようになった（あるいは、カーンのアイデアの一部をEUの競争委員として採用したマルグレーテ・ベステアーに次ぐ二番手かもしれない）。カーンの斬新さは、「権力について研究する経済学者としての関心から来ている。……権力こそが現代バージョンの経済学をなす要素だ」と、彼女は二〇一九年に私のインタビューで発言している。

学術論文が世間に広まることはめったにないが、彼女の書いた論文は政治家たちから大いに関心を集めた。わずか一〇〇ページにも満たない論文を通じて、カーンはアメリカの現状における反トラスト法の解釈――競合を規制し、独占的慣行を抑制する――は、現代経済の成り立ちにまったく適していないことを明らかにした。

およそ四〇年にわたって、独占を禁止する方法を研究していた学者たちは、一九七八年にロバート・ボークが書いた『The Antitrust Paradox』を手本にしながら、短期価格効果の側面から独占力を定義しようとしてきた。例えば、アマゾンが消費者のために価格を下げるとき、市場は効果的に機能していなければならない。それに対して、カーンは単純ながらも強力な理屈で反論した。アマゾンのような企業が複数の産業分野を支配したり、競争と選択を抑圧したりするために略奪的な価格戦略を用いるとき、商品の価格を下げるかどうかに関わりなく独占的である、と。

「私は、アマゾンに対するウォール街の見方と、従来の経済理論から同社を見た場合の見解が大きく食い違っていることに興味を引かれた」と、カーンは話す。

カーンの示した新しい考え方は広く受け入れられ、今ではアメリカでもヨーロッパでも、ビッグテックに対する一連の反トラスト活動における中核をなしている。専門家たちはすでに数年前から、ごく少数の巨大企業への権力の集中が、賃金の停滞から不平等の増加、あるいはポピュリスト政治の台頭にいたるまで、さまざまな社会問題の原因になっていると指摘してきた[注5]。そして今、カーンの論文が突然現れて、問題の理解のためのロードマップを示しただけでなく、問題に取り組む強力な法的ツールにもなったのである。

「基本的なレベルでは、私は市場における力の不均衡と、その現れ方に関心をもっている。力の不均衡はテクノロジー業界だけでなく、ほかの産業分野でも見ることができる」と、航空や農業などさまざまな分野における独占について鋭い論文を書いてきたカーンは語った。「多くの人は市場のことを語るとき、独占的な力をグローバル化とテクノロジーの産物とみなし、法律や法制度から完全に切り離されたものと考える」。しかし、カーンや彼女の同僚らの多くは違う考え方をしている。「もし市場が、民主主義の社会に生きる私たちが自由や民主主義のビジョンと一致しないと考える方向へ進もうとするとき、それに対処するのは政府の義務だ」[注6]

カーンの論文は、そのタイトルが示すように、アマゾンに焦点を当てている。アマゾンはさまざまな観点で、FAANGのなかでも最も強力で支配的な会社だ。現在、アマゾンがアメリカにおける電子商取引《Eコマース》において一社単独で最大のシェアを占め、ブラッド・ストーンが『ジェフ・ベゾス　果てなき野望』で名付けたように「エブリシング・ストア（どんなものでも買える店）」にまで成長した。しかし、多くの人が覚えているように、アマゾンは初め、書籍を低価格で売るだけの会社だった。ただし、略奪的としか呼べないような価格戦術を用いたので、出版社にとっては――もちろん、街角にある普通の書店にとっても――脅威の対象だった。アマゾンが出版業界に対する全面攻撃で用いた戦略が、ほかの業界や市場でも、同様の攻撃を始めようとしていた企業が選ぶ標準的なやり方になった。

## 「安さ」の幻想

アマゾンが書籍ビジネスに参入する際にとったアプローチのなかで、完全に欠けていたものは何かと問われたら、私は「繊細さ」と答えるだろう。ストーンが著書で書いたように[注7]、ベゾスは従業員に向けて「チーターが病弱なガゼルに襲いかかるように、小さな出版社に挑みかかれ」と指示した[注8]。この「ガゼル・プロジェクト」には、電子書籍市場で独占的な地位を得るための手段として、ベストセラー本の大幅な割引も含まれていた。アップルがデジタル音楽の分野を支配するために使った方法と似ている。加えてアマゾンは電子書籍端末のキンドル（Ｋｉｎｄｌｅ）を原価割れで販売する。この二つの戦術を通じて、消費者のネットワークをつくりあげた。消費者はアマゾンに頻繁に戻ってくるようになった。同時に、アマゾンは印刷された本もオンランでディスカウント販売しはじめる。カーンが論文で指摘した略奪的な価格戦術を用いて。電子書籍が一冊売れても利益はごくわずかでしかなかったが、戦略自体は大当たりだった。二〇〇九年、キンドルがリリースされてからほぼ二年がたった時点で、電子書籍の全販売数において、アマゾンがおよそ九〇パーセントを占めていたのだ。

アマゾンの価格戦術により、電子書籍の〝適正〟価格に対する消費者の考えが変わってしまい、書籍ビジネスの経済そのものが永久に歪められてしまうのではないかと恐れた大手出版社は、市場支配を取り戻そうと躍起になった。二〇一三年にペンギンがランダムハウスと合併するまで「ビッグシックス」と呼ばれていた大手出版社六社のうちの五社が、アップルと手を組むことに決めた。アップルが出版社に対して、出版社が消費者に請求する価格を決めること――つまり、アップルは勝手に電子書籍の価格を半額にしたりすることはできない――と、出版社が設定した価格の三〇パーセントをアップルが徴収することに同意したからだ。ビッグシックスの一つに数えられるマクミランは、アマゾンに同様の契約を迫ったが、アマゾンは矛先をかわし、独占力を行使していると言って逆にマクミランを非難した。

アマゾンの時価総額のほんのかけらほどの価値しかもたない一出版社が、市場で独占的な力を行使しているというのは皮肉にしか聞こえないが、司法省にはその皮肉が理解できなかったようだ。というのも、司法省はアップルと出版社が共謀を図ったとして、独占禁止法違反で訴えることに決めたのである。数多くの専門家や政治家が、司法省は間違っていると指摘した――結局のところ、アマゾンの価格戦略こそ、市場シェアを拡大するための試み以外の何ものでもなかったのだから。それでもなお調査員は、同社は大幅な割引販売にもかかわらずつねに利益を上げていたので、略奪的価格設定を行ったとみなすにじゅうぶんな「説得的な証拠が欠けている」と判断した。

しかしカーンに言わせれば、調査員の考え方には二つの点が欠けていた。一つ目は、通常の店舗での割引販売とは違って、アマゾンのようなデジタルプラットフォームで商品を安売りすることは、プラットフォームの運営者に大きな利点――低価格を通じて集めるデータ――をもたらすという点（消費者が何も買わなくても、プラットフォーム上をブラウジングするだけでも情報は集まってくる）。二つ目は、アマゾンは電子書籍で意図的に被った損失を、さまざまな方法を通じて取り返すことができるという事実だ。同社はその時点ですでに、書籍以外の小売部門でも支配的な立場を獲得していたのだから。司法省は価格決定力にのみ注目し、「特定の事業分野（書籍でなくても、例えばおむつや白物家電でもいい）が競合をなくすために赤字を出していないか、それによって消費者の不利になっていないか」という点のみを判断材料にした。

しかし、プラットフォーム技術の影響で様変わりした出版業界には——そしてそのほかの小売業界にも——以前の「価格」という考え方は通用しない。「司法省が見落としていたのは、原価割れの価格が、実際の小売店が損失を出したときにはありえない形で、アマゾンの支配を強めることに役立ったという事実だ」とカーンは説明する。

この成功に気をよくしたアマゾンは、ほかの多くの分野にも同じ戦略を用いて、最終的には伝統的な小売店だけでなく、電子商取引の分野でも競合他社を打ち負かしていった。例えば、ベビー用品の市場では、アマゾンはクイッツィというライバル会社を支配的な地位からたたき落とした。ボットを使ってクイッツィの製品価格を監視し、それをもとにリアルタイムで自社の製品の価格を下げたのである。最終的にアマゾンは、靴小売業のザッポスなど多くのライバルと同じように、クイッツィも買収した。

アマゾンはオンラインショップの入り口になった。ある調査によると、アメリカの消費者の四四パーセントが欲しいものがあるとき最初にアマゾンで探すそうだ[注9]。小売業者であるだけでなく、マーケティング用のプラットフォームでもあり、デリバリーと流通のネットワークでもあり、支払いサービス、クレジット業者、オークションハウス、大手出版社、テレビ番組と映画のプロデューサー、ファッションデザイナー、ハードウェアメーカーでもあるばかりか、クラウドサーバーおよび演算能力のホストとして最大手でもある［注10］。より多くの分野でシェアを広げるために利益を減らしたり損失を出したりしながらも、純売上高は数年間にわたって二桁の上昇を達成している。

アマゾンの価格は魅力的だ――正直なところ、私もよく利用するし、きっと本書を読んでいる読者の多くもアマゾンで買い物をしているのだろう。しかし、市場に競争をもたらすのは、消費者ではなくて規制当局の仕事だ。そして、規制者の視点からアマゾンをよく見てみると、完全に悪徳だとは言えないとしても、少なくとも競争精神に反していると思える活動をいくつも見つけることができる。例えば、アレクサには私たちを特定の製品に誘導する能力がある。ある試算によると、この種の誘導により、アマゾンは二九パーセントほど売上を増やすことができるそうだ［注11］。

しかし、利用者は金銭だけでなくデータも支払っていると考えると、アマゾンの価格はそれほど安くないと言うこともできる。二〇一八年にグーグル、フェイスブック、アマゾンなどのプラットフォーム企業や金融業界などが集めた個人データの価値は、控えめに見積もっても七六〇億ドルに相当すると言われている［注12］。しかもこの数字は、ターゲティング広告のためにデータを売るケースのみを考えに入れたものだ（ターゲティング広告はプラットフォーム企業の広告収入のおよそ半分を占める）［注13］。すべての個人データをまとめた場合の価値や、データを使って利用者の購買を誘導したときに生じる利益などは含まれていない。

グーグルの主席エコノミストのハル・ヴァリアンが一九九八年に書いた『情報経済の鉄則』を詳しく読むと、そのような企業の担当者は〝無料〟の製品は実際には幻想であることをよく理解していることがわかる。問題は、消費者である私たちのほうが、私たち自身の個人データがそれを集める会社にとってどれほどの価値をもっているのか、はっきりと理解していないことにある。「グーグルはなぜ、ブラウザ、アプリ、携帯電話用のアンドロイドOSなどの製品を配布しているのだろうか?」と、ヴァリアンは二〇〇九年に『ワイアード』誌に書いた記事で読者に問いかけたうえで、自分で答えている。「インターネットの使用率を高めるものはすべて、結果としてグーグルを豊かにするからだ」[注14]。製品を〝配布〟する代わりに、それよりももっと高価なものを手に入れる。そうやってグーグルやアマゾンは巨大な利益を得ながら、同時に自らのビジネスのまわりに見通すことのできない不透明な堀を築いているのである。

アマゾンは、今では流通業界の大部分を掌握しているため、UPSのような企業からかなりの値引き——ときには通常レートの七〇パーセント引きも——を要求できる立場にある。減った利益を補うために、配送会社はほかの小口顧客から徴収する料金を増やすしかない[注15]。結果、アマゾン以外の小売店はUPSやFedExから今まで以上に高い料金を請求されることになってしまったが、最近になってアマゾンは、まさにそうした小売店を相手に流通・配送サービスをスタートさせたのだ。ここまで来ると、まるで忍術だ。契約を結ぶ小売業者は、ほとんどの場合、もとからアマゾンと競合しているのに、さらにアマゾンを強め、自らの立場を弱めることになる。アマゾンはまるでラスベガスのカジノハウス――必ず勝つようにできている。「販売者は、アマゾンにいなければオンラインで多くを売ることはできないが、同時にアマゾンが最大の競争相手であることも知っている」と、ある販売者が二〇一五年に『ウォール・ストリート・ジャーナル』紙で不満を漏らしている［注16］。こうやって、アマゾンはさまざまな市場で支配を強めていく。ベゾスが巨大企業に育てたアマゾンは、今では数千台のトラック、コンテナ船、飛行機、ドローンを擁する配送と流通の怪物だ。元従業員の話によると、アマゾンの最終目的はすべての配送サービスに取って代わること。あらゆるものが買える店であり、しかもあらゆるものを送る者になる［注17］。

テクノロジー・プラットフォームの台頭により、新しいビジネスの成長は抑制され、起業機会は減っている［注18］。その理由の一つは、プラットフォームが、従来のビジネス、特に中小企業には不可能なほど迅速に、新規ビジネスに参入する能力をもつ点にあるだろう。第七章で指摘した、グーグルがイェルプのビジネスをコピーしてローカル検索分野にあっという間に参入した件を（そしてのちに広告収入を上げた件を）覚えているだろうか？　繰り返すが、ビッグテックには過去の鉄道や通信会社と同じように、市場をつくる力と、市場内で商取引を行う力の両方が備わっているのである。これはどう見ても、不公平な利点だ。

テクノロジー企業は独占的な地位を利用して、(多くの人の言い分では)不公平にも、異常に高い利益を上げていると一般に理解されている。二〇一八年の『エコノミスト』誌の試算によると、企業の集中により生じた超過利潤が合計で六億六〇〇〇万ドル分にも及び、その三分の二がアメリカ合衆国で生じ、さらにその三分の一がテクノロジー分野から来ていた[注19]。彼らに通常の経済法則をひっくり返す力があることを示す数字だと言える。

しかし、ビッグテックはこの点を躍起になって否定する。「我々はつねに、クリック一つで顧客が離れていくという不安に直面している。伝統的な企業と違って、あなたを顧客としてつなぎ止めておくのはとても難しい」とグーグルのエリック・シュミットが二〇〇九年に発言している[注20]。しかし、あるプラットフォームが市場で支配的な地位に達した場合、顧客がそこから離れる可能性は低くなる事実を、数多くの研究が示している。なぜなら〝切り替えコスト《スイッチング》〟が高くつくからだ。切り替えコストとは、単純に今回はいつもと違う店で買い物をしようと決断するのとは違って、あるプラットフォームから別のプラットフォームへ切り替えるときには心理的な負担が生じることを指している(新しいパスワードを覚えるだけでも負担になる)[注21]。つまり実際のところは、私たちは少し遠くまで歩いて別の店へ行くことはあっても、グーグルの調子が悪いからといって、マイクロソフトのＢｉｎｇに検索エンジンを変えようとはしないのである。普通の競争法則は、プラットフォームの世界には通用しない。

## 反トラストのパラドックス

経済的な競争という観点から見た場合、市場を所有している企業がその市場でプレーヤーとしても活動するのは、明らかに問題だ。だからこそ金融業界には、業者が自ら取引する資産を所有することや、自らがつくった市場で取引することを禁止するルールがある（頭の切れる弁護士やロビイストがそうしたルールの抜け穴を見つけることはあるが）。一方のビッグテックは、世界で最も大きくて、最も集中した企業でありながら、これまでずっと、そのような規制を受けずにやり過ごしてきた［注22］。部分的には、彼らのビジネスがもつ不透明さにより、何をどう規制すればいいのか、よくわからないからだと言えるだろう。しかしもう一つ、規制されてこなかった理由がある。規制する側の人間が、独占に関して、四〇年前から修正されていない古い考えをいまだにもっているのだ。

アメリカで最後に独占禁止政策が大幅に見直されたのは、一九七八年、ロバート・ボークの『The Antitrust Paradox』が発表されたときだった。ボークは独占禁止政策の最大の目的は「経営効率」を上げることにあると考え、一九八〇年代以降は消費者価格を基準に経営効率が測定されるようになった。これを機に、アメリカは〝国民〟の幸福に根ざした独占禁止政策から、レーガン政権の自由放任主義に好都合な政策へと転換した。しかし問題は、データが新しい通貨になった世界では、価格は経営効率を測る手段には――無意味ではないにしても――不向きなのである。そのため、一九世紀終わりのアメリカが、大企業の経済力が政治を腐敗させるのを防ぐためにシャーマン法を通過させたように、今回も独占禁止政策の抜本的な見直しを求める声が起こりはじめた。

実際、見直しが絶対に必要な時期が来ている。アメリカでは所得の不均衡と企業合併が金ぴか時代以来最高の水準に達しているが、これは偶然ではない。アメリカの独占禁止法が当時と同じぐらい弱く、非効率的になったからだ。前世紀の変わり目、スタンダード・オイルやUSスチールのような寡占企業は多くの点で政府よりも大きな権力を握っていた。彼らはしばしば政治家に賄賂も渡していて、ウィリアム・マッキンレーは「ホワイトハウスよりもウォール街のほうが経済をコントロールしていると暗に認めた」[注23]。今の多くのテクノロジー企業と同じだ。

金ぴか時代の悪徳資本家たちは、最終的に改革の推進者である最高裁判事のルイス・ブランダイスによって行く手を阻まれることになった。一九世紀の後半にケンタッキー州ルイビル――ブランダイス自身が「牧歌的」で「大きさの呪い」から解放された街と呼ぶ、多様で非中央集権的な中都市――で育った人物だ（ブランダイスの言葉は、世紀末の反トラスト解釈への回帰を提唱するコロンビア大学法学者のティム・ウーが再発見した）〔注24〕。

ブランダイスが若いころを過ごしたルイビルは繁栄していたが、工業は沿岸など国内のほかの地域に集中していたので、その意味ではまだ手つかずだった。小規模な農家、小売業者、専門家、製造業者らはみんな顔見知りだったし、協力しながら働いていた。いわば、アダム・スミスがうまく機能する市場の鍵とみなした、共通道徳の枠組みがすでにできあがっていたのだ。しかしブランダイスがボストンで弁護士になったころ、ジョン・D・ロックフェラーは石油産業で、J・P・モルガンは鉄道業で、帝国を築きつつあった。どちらも道徳的でも、効率的でもない寡占企業だ。立法府は買収されていたので、彼らをおとなしくさせることができるほどの力をもつ者もいなかった。

しかしブランダイスは勇敢だった。モルガンのニューヘイブン鉄道に対する訴訟を担当し、独占支配の裏側――カルテル価格、役人への賄賂、会計不正など――を暴き出したのである。結果、鉄道が解体されただけでなく、反トラストの解釈が見直されることになった。また、ウーの言葉を借りるなら、政府は「成功するためにあくどい、非道な、あるいは倫理にもとるビジネス手法を用いる者を処罰すべきだ」という考えが一般的になった。ブランダイスは、巨大企業は個人が自らの条件で仕事、競争、繁栄する権利を制限していて、人々から人間性を奪っていると確信していた。彼はこう書いている。「競争の抑圧よりも深刻なのは、産業の自由の、それどころか人間性そのものの抑圧だ」

この考えは、矛盾に満ちた独禁法取締官ことセオドア・ルーズベルト（権力を愛しも憎みもしたが、政府が企業を抑制することを望んでいた人物）によって一般に広められ、一九六〇年代まで続いた。しかし、ロバート・ボークをはじめとする保守的なシカゴ学派の台頭にともない、度を超した企業の力だけを問題視する考えは人気をなくしていった。反独占政策は、消費者のために価格を下げる限り、企業はどれだけ大きくても、力強くてもかまわないという考えに置き換えられたため、とても抽象的になり、弱体化した。

この根本的な方向転換により、航空会社からメディア、製薬会社にいたるまで、数多くの業界でかつてないレベルで統合が進んだ。しかし、ほかのどの業界にも増して「独占力」の新しい解釈を必要としているのは、製品やサービスが安価なだけでなく〝無料〟でもあり、個人データと引き換えに交換されるテクノロジー業界だ。

ウー、カーン、リンだけでなく、グーグルやフェイスブック、あるいはアマゾンを現代のスタンダード・オイルもしくはUSスチールとみなす専門家の数は増えつつある。政府よりも強い力をもち、自由民主主義に危機をもたらす企業に立ち向かうには、独占支配という考え方を広げることによって、それらの影響を抑えなければならない。ビッグテックがもたらした前例のない課題を前に、独占禁止措置の新しい尺度は消費者の価格と幸福の解釈を拡大するだけでなく、テクノロジー系の独占企業が支配する市場に新規企業も参入し、独自の製品で競争に勝つ余地があるかどうかという点にも疑問を投げかけるべきだろう。

「多くの場合で、その答えはノーだと言える」と、リナ・カーンが説明する[注25]。過去の例を――鉄道の反トラスト訴訟にはじまり、マーチャントバンクと商品所有権の分離にいたるまで――数多く調査した成果として、カーンは「もしあなたが何らかのインフラストラクチャを所有し、ほかの企業がそのインフラストラクチャに依存しているなら、あなたにはそれら企業と競争する権利が認められるべきではない」と主張する[注26]。

新しいルールは今すぐに必要だ。ビッグテック企業の成長がドミノ効果を引き起こし、ほかの経済分野でも集中が始まっているのだから。経済学者の多くは、この動きが経済全体の成長を妨げる逆風になっていると指摘している。一九九七年から二〇一二年にかけて、調査対象になったおよそ九〇〇の業種の三分の二で集中が進んだ。その際、各業種のトップ四企業の加重平均市場シェアが二六パーセントから三二パーセントに増加していた[注27]。なぜなら、どの業種に属していようが、すべての会社がFANGに抵抗するためには大きくならなければならないと考えるからだ。

過去数年にわたり、昔ながらの業種の巨人でさえ、競争に欠かせないと考えられる大きさを維持するのに苦労してきた。企業の合併と買収の数が過去最高を記録したのは二〇一八年で、その多くは既存のビジネスモデルを混乱にもたらした大型デジタル企業に抵抗するために大企業が行った合併吸収だった。例えば、ＣＶＳがエトナ社を買収したのは、ヘルスケア事業に乗り出してきたグーグルとアマゾンに立ち向かうためだ。アマゾンがホールフーズをのみ込んだとき、ウォルマートはインドの大手食料雑貨店であるフリップカートを買収した。

この現象は、メディアと電気通信の分野でとりわけ顕著だ［注28］。二一世紀フォックスをめぐるディズニーとコムキャストの争い、二〇一八年に連邦通信委員会に提出されたＴモバイルとスプリントの合併案などを見れば明らかだろう。この文脈でおそらく最も重要なのは、ＡＴ＆Ｔとタイム・ワーナーの合併を連邦地方裁判所が認めたことだろう。これが引き金となって、一連の買収劇が繰り広げられた［注29］。地方裁判所裁判官のリチャード・Ｊ・レオンはＡＴ＆Ｔとタイム・ワーナーの合併を承認した際、一七二ページに及ぶ意見書でこう指摘している。「これまでで、各市場でまったく異なる現状評価を得ていて、将来性もまったく異なる両当事者がかかわる反トラスト訴訟が一度でもあったとすれば、今回がそのケースだ。本件が裁判にかけられたのが少し不思議議に思える！」

二つの巨大メディア企業が手を組むことが消費者にとっていいことだとは思いがたい。しかし、この買収はメディア界がここ数年で大きく様変わりした事実を象徴していると言える。信じがたいことではあるが、ＡＴ＆Ｔとタイム・ワーナーの合併により誕生する数十億ドル規模のメディアコングロマリットですらシリコンバレー発の新しいライバル――ストリーミングサービスを展開するネットフリックスやアマゾン、あるいはフェイスブックとグーグル――に比べれば、たいした大きさではないのだ。最近では二〇一九年にアップルも、エンターテインメントおよびメディア事業に本腰を入れることを発表した。

司法省反トラスト局長のマカン・デラヒムは、合併によりアメリカの消費者にとって視聴料が高騰すると考えられるため、AT&Tはタイム・ワーナーを買収すべきではないと主張した。それでも裁判官は、より大きな企業からかけられる競争圧力に抵抗するには合併は避けて通れないとする同社の言い分を受け入れた。ここで言うより大きな企業とはビッグテックのことで、グーグルはユーチューブ上で、最大五〇チャンネルのプレミアムコンテンツを月額四九・九九ドルで販売している。アマゾンとネットフリックスはHBOから視聴者とタレントを奪うために、オリジナルコンテンツの制作に力を入れている（ネットフリックスは二〇一八年だけでコンテンツの制作に一三〇億ドルを費やした）。アップルとフェイスブックも、オリジナルの映像コンテンツをつくるために、二〇一八年にそれぞれ一〇億ドルを投じた。

二〇一七年、グーグルとフェイスブックの二社がデジタル広告市場の八四パーセントを牛耳っていた。レオン裁判官はタイム・ワーナー判決文の二ページ目で「フェイスブックとグーグルが支配するデジタル広告プラットフォームがテレビの広告収入を上回るようになった」ため、タイム・ワーナーのような会社が視聴料を低く抑えるのはますます困難になった、と指摘している。当然の成り行きとして、同じ年のうちにアメリカでは二二〇〇万人のケーブルテレビ利用者が受信を取りやめた。二〇一六年に比べて三三パーセントの増加だ［注30］。今のデジタルメディア時代に独占支配できる力をもつ者がいるとするなら、それは昔ながらのメディア企業ではない。

しかし、潮目は向きを変えはじめたのかもしれない。というのも、ようやく規制する側が、企業の集中が競争を脅かしていることに気づきはじめたのだ。二〇一七年、独占問題で主導権を握った欧州連合は、ライバルよりも自社のサービスを優遇したとして、グーグルに二七億ドルという記録的な額の罰金を科した。第七章で紹介した、イギリスを拠点にショッピングサービスを展開するファウンデムが主要な原告だったのだが、この裁判ではイェルプ対グーグル紛争や二〇一二年に却下された連邦取引委員会によるグーグルの提訴なども審議の対象になった。欧州競争政策委員長のマルグレーテ・ベステアーは、辛辣かつ的確な文書のなかで、「雇用を破壊し、イノベーションを抑制している」としてグーグルを非難した。翌年、モバイル市場における支配的な立場を悪用しているとして、欧州連合はグーグルに対しさらに高額の罰金、およそ五〇億ドルを科した［注31］。

反トラスト訴訟は複雑で時間がかかる。この点は確かだ。しかし、大きな反トラスト裁判が最後に行われてから二〇年以上がたつアメリカでも、ようやく変化の兆しが見えてきた。連邦取引委員会会長のジョゼフ・シモンズは反トラスト法の執行を「活発化」することを約束し、二〇一八年には競争と消費者保護に関する公聴会を開いた。この話題に関する大規模な公聴会としては、一九九五年以来初めてのことだ。特に下院民主党議員がこの問題について盛んに論じている。共和党の議員でさえ、連邦取引委員会と司法省に最大級のテクノロジー企業を調査するよう呼びかける民主党員の運動に加わっている。二〇一九年の七月には、フェイスブックが反トラスト法を理由に、連邦取引委員会の調査を受けたことを明かした。さらには、連邦取引委員会と司法省の両方が、ほかのビッグテック企業がかかわる問題を追及することを検討している。

司法省の反トラスト局長としてAT&Tによるタイム・ワーナーの買収を阻止しようとしたマカン・デラヒムは私に対して、消費者の幸福にとって価格だけが唯一の尺度ではないと思う、と述べたうえで、「データは重要な資産だ」と指摘した。デラヒムは原則として、ビッグテックのビジネスモデルや取引のやり方に反対しているわけではないが、支配的な地位の悪用には懸念を示している。批評家の多くが、グーグルがやっていることがまさに支配的な地位の悪用にあたるとみなしていて、デラヒムによると、司法省もこの点に関心を示しているそうだ［注32］。「立場を利用して、将来独占的な地位を脅かすことになるかもしれない新技術を虐げたり差別したりすることができるだろうか?」と、彼は問いかけた。「グーグルやほかの誰かが実践する慣行を調べることは、重要なテストであり、多くに人にとって優れた指針になるだろう」

## データの値段？

政策を〝どう〟変えていくか、反トラストおよび独占禁止問題をどう議論するか、現在の私たちに突きつけられた大きな課題だ。シカゴ学派の消費者価格説を用いることでテクノロジーの巨人の力を抑えることができると考える人がいる。「データがますます重要になるにつれて、消費者にとって便利な製品が増えるが、［競争の］障壁も高くなる」とデラヒムは言う。そして、「データをつくり、集めるための競争が必要だ」としたうえで、価格ではなく選択が消費者の幸福の尺度の一部であるべきだ、と指摘する［注33］。証券取引委員会会長のロバート・ジャクソンは、企業はほかのいかなる保有資産と同じように、データの価値も財務文書で報告すべきだと考える。情報が一般に公開されれば、市場におけるビッグテックの本当の力が、いくらか明らかになるだろう。

もちろん、そのためにはデータに値段をつけなければならない――そしてその努力は実際に行われている。投資家のロジャー・マクナミーが指摘するように、データとネットワーク効果を組み合わせた力が、消費者にとっての価値を生み出してきた。なおかつ、それらはビッグテック企業にとって、さらに大きな価値をもたらしてきた。「グーグルが新しいサービスを導入するたびに、消費者にとって価値が一段階上がるが、それ以上ではない。新しい検索、電子メール、マップ検索のたびに、ユーザーにはそのつどだいたい同じ価値が生成される」とマクナミーは言う。「その一方で、グーグルは少なくとも三つの形で価値を得る。広告を通じてデータポイントから価値が抽出できるし、データセットを組み合わせることによって広告価値を相乗的に高めることも、ユーザーデータの新しい使い道をつくることもできる。組み合わせたデータセットの最も有益な用途の一つは、詳細な過去の購買歴にもとづく将来の購買行動の予測だろう。話題にしただけの製品の広告がユーザーのもとに送られてくることがあるが、それを可能にしているのはデータセットの組み合わせにもとづく行動予測だ」［注34］

要するに、消費者がサービスを使うとき、得られる価値よりも多くの――はるかに多くの――価値を個人データの形で手放しているのだ。したがって、ビッグテックの真の価値は、私たちがデバイスを使いながらデータをつくりつづけてきたこの二〇年間で、うなぎ登りに高まったのである。そしてこの点が真実であると証明できれば、規制当局は、たとえ今のようにシカゴ学派の理論を用いたとしても、グーグル、フェイスブック、アマゾンら巨大企業は消費者の幸福の基準を満たしていないため、何らかの方法で規制または分割されるべきだと、断固として主張できるようになる。

その一方では、シカゴ学派の枠組みを超えて、ビッグテックの力が市場と政治経済をどのように歪めてきたか、もっと深く探る必要があると主張する人も多い。私もその一人だ。著書『The Curse of Bigness（大きさの呪い）』のなかでティム・ウーは、説得力のある言葉で新ブランダイス改革を提唱した。その改革には大規模な公聴会、大型合併に関する討論、結果として反競争的であることが明らかになった合併の強制分割（例えばウーはフェイスブックからインスタグラムとワッツアップを分離することを提案している）、規制当局に個別企業だけでなく経済分野全体を調査する権限を与える新しいルール（ヒースロー、ガトウィック、スタンステッドの三空港の共同所有権が公共の利益に反していることを証明するためにイギリスが用いた手法）などが含まれる［注35］。

ウーをはじめとして、オープン・マーケッツのバリー・リン、あるいは（連邦取引委員会の顧問を務め、最近ビッグテックと反トラストについて調査を始めた反トラスト法・商法・行政法に関する下院司法小委員会の委員でもある）リナ・カーンらは、合併の是非を決める尺度として、消費者の幸福ではなく〝国民の幸福〟を用いるべきだとも主張している。「数十年の経験から、シカゴ学派の手法には約束されたような科学的確実性はないことがわかった。経済は答えではなく議論を得た」と、ウーは書いている。

そのとおりだ。二〇〇八年の経済危機は、経済理論の分野で独占的な位置を占めるシカゴ学派を過去のものにすることができなかったが、今回のデジタル巨人の台頭はシカゴ学派にとどめを刺すいい機会だ。二〇〇八年も今も、一般のアメリカ人の多くは、社会体制が不正に操作されていると感じている。そのような状態は、経済にとっても、民主主義にとっても好ましくない。「新しいブランダイス運動はただの反トラスト運動ではない」とカーンは言う。むしろ、価値をめぐる議論だ。「かつて、反トラスト法は特定の価値観を反映していたが、価値が変わった今、私たちは想定外の場所へ来てしまった」。この国における企業の力は金ぴか時代以来誰も見たことのないレベルに達した。今こそ、変化が必要なのである。

ワシントンがこの声に耳を傾けるかどうかは、まだわからない。しかし、明らかなことが一つある。これは経済的な好況不況などというレベルを超える問題なのだ。民主主義のストレステストに落第して多大な犠牲を払いたくないのなら、反トラスト政策、政府機関による規制、あるいは幸福の再定義など、どんな手段を用いてでも、シリコンバレーの経済力と政治力を抑制しなければならない。

# 第10章

# 失敗するには速すぎる

CHAPTER 10

TOO FAST TO FAIL

偉大な経営学者として知られる故ピーター・ドラッカーはかつて、「アメリカの歴史におけるすべての大不況で、好況時のヒーローが〝悪役〟になった」と指摘した[注1]。数年後にアメリカが（そしておそらく世界が）次の大不況を迎えるときも同じことが言えるだろうかと、考えずにいられない。歴史的に見て、一〇年に一度は不況が訪れるのに、二〇〇八年の金融危機からすでに一〇年以上がたっている。当時、銀行は株価、住宅価格、そして給与の下落を引き起こしたものの、「つぶすには大きすぎる」存在だった。対照的に、テクノロジー企業は過去一〇年間、景気の上昇に貢献してきた。しかし次の不況では、ビッグテックが原因になる可能性が高い。

現代の最大級にして極めて裕福なテクノロジー企業を見る限り、それらが不況を引き起こすとは考えられないだろう。例えばアップル。ウォーレン・バフェットは、アップル株がもっとほしいと漏らしている（彼のバークシャー・ハサウェイはアップルの株を五パーセント所有している）。ゴールドマン・サックスは二〇一八年に世界で最初の一兆ドルの時価総額をもつ会社になったアップルと手を組んで、新しいクレジットカードを発行した。しかし、そのような明るい見出しの裏には、アップルがすでに模範を示している一連の不穏な経済傾向が隠されている。この会社をよく観察すると、ビッグテック企業――新たな「つぶすには大きすぎる」存在――が次の危機の種を蒔いていると考えられる。

最初に注目すべきは、ビッグテックが行う金融工学だ。ほかの最も大型で最も豊かな多国籍企業と同じように、アップルも大量の現金（二八五〇億ドル）をもつと同時に、多額な負債（一二二〇億ドル）も抱えている。その理由もほかの裕福な大企業と同じで、過去一〇年にわたって余剰金のほとんどをオフショア債のポートフォリオに移管してきたからだ。同時に、二〇〇八年の金融危機以来、同社は記録的な数の株式を買い戻すためや、配当の支払いのために安価な債券を発行してきた。二〇一七年の一二月にトランプの税法案が可決されて以来、四〇七〇億ドル分の買い戻しが発表されたが、そのおよそ四分の一がアップルによるものだ［注2］。

しかしこの買い戻しは、株式全体のじつに八四パーセントを所有するたった一〇パーセントのアメリカ人をさらに豊かにしただけだった［注3］。一〇年以上前から、株の買い戻しが企業にとって現金の最大の使い道になっていて、それが市場を活気づけていると言える。しかし、そのせいで貧富の格差も広がった。それが歴史的に見てもゆっくりとした成長のみならず、市場システムそのものの存続を脅かすポピュリズムの台頭を引き起こした最大の要因だと、経済学者の多くが信じている。

この現象は、アップルが模範例を示すもう一つのトレンドによって加速されてきた。世界経済における知的財産やブランド（そのどちらも同社は間違いなく所有している）など、つまり無形資産の占める割合が、有形資産に比べて増えたのである。ジョナサン・ハスケルとスティアン・ウェストレイクが著書『無形資産が経済を支配する』のなかで示したように、この転換は二〇〇〇年ごろから始まっていたのだが、二〇〇七年にｉＰｈｏｎｅが発売されてから顕著になった。デジタル経済はスーパースターを生む傾向が強い。ソフトウェアとインターネットサービスは拡張しやすく、ネットワーク効果の恩恵にも授かりやすいからだ。しかしハスケルとウェストレイクによると、経済を全体としてみた場合、デジタル経済は投資を減らすと考えられる。無形資産は会社が倒産した場合、会社といっしょに消えてなくなる可能性があるので、銀行が融資したがらないのだ。加えて、アップル（あるいはアマゾンやグーグル）などごく一部の企業が享受する勝者の総取り効果も、投資を減らす原因になっている。また、前章で見たように、スタートアップの不足、雇用の減少、そのほか私たちの分断した経済に生じる悪いトレンドのおもな原因でもあると考えられる。アップルやアマゾンが享受するこの種の力の集中が、合併・買収が記録的な数に増えた第一の理由なのだ。特に電気通信とメディアの分野では、多くの会社が多額の借金を抱えている。ストリーミングビデオやデジタルメディアなどという新しい環境で成長し、競争するのに必要だからだ。

しかし、高利回り債権の一部は不安定に見える。だからこそ、次の大不況は銀行ではなく、企業部門から発生すると考えられるのである。歴史的に見て、負債の急激な増加は経済危機の最良の予測因子だ。この数年間、社債市場は大盛況だった。先進国の企業は記録的な量の社債を発行し、市場は過去一〇年で七〇パーセントも成長し、二〇一八年には一〇兆一七〇〇億ドルに到達した［注4］。二流の企業でさえ、簡単に手に入る資金を利用した。しかし、おそらく予想よりも速いペースで金利環境が変わりつつある。この事実が、多くの企業にとって不利に働きそうだ。世界の金融システムを監視する国際機関である国際決済銀行（BIS）は、長期にわたる低金利が、通常よりも多くの〝ゾンビ〟会社を生み出したと警告している。それらの会社は金利が上がった場合、返済に必要な利益を上げることができないだろう。いよいよ金利が上がれば、損失とその波及効果がいつもより深刻になる恐れがあると、BISは警告する。

もちろん、次の危機が訪れた場合、アップルのような企業に代表されるテクノロジーのデフレ力のせいで、不況を乗り越えるのはさらに難しくなるだろう。これは熟考に値する大切な問題だ。テクノロジー企業が多くのものの価格を引き下げる。加えて、テクノロジー関連のデフレは、これまで長きにわたって金利がこれほどまで低く抑えられていたおもな要因でもある。結果、価格だけでなく賃金の上昇も抑えられてきた。テクノロジー関連のデフレなどの影響で金利が極端に低く抑えられているという事実は、もし危機が来た場合に、中央銀行にはそれを乗り切る余力が多くないことを意味している。アップルなど無形資産の権化たちは、過去一〇年、ほかのどの会社よりも金利の低さ、容易な借金、高い株価から大きな恩恵を受けてきた。しかし同時に、彼らは次の大不況の種も蒔いていたのである［注5］。

## 新しい〝つぶすには大きすぎる〟会社

ここで思い出すのは、米国財務省の金融調査局の経済学者と数年前に交わしたすばらしい会話だ。二〇〇八年の金融危機後に設立された金融調査局は、市場の問題を調査する小さいながらも重要な機関なのだが、トランプが大統領になってから予算が削減された。金融危機が起こりうる時期などの情報を求めていた私に、その人物は最大クラスの銀行や投資会社ですら小さく見えてしまうほど大きくて最高に裕福な会社、つまりアップルやグーグルなどが行っている債券の発行や社債の購入を調べてみろと、助言した［注6］。

金利が低い場合、年間収益が数十億ドルにのぼる高級な会社は自ら安価な債券を発行し、そうして集めた資金を使って、高利回りなほかの会社の債券を買い占めようとする。あり余った資金の使い道として、高いリターンが得られる可能性を探す——つまり、そうした企業は銀行のような活動をしているのだ。J・P・モルガンやゴールドマン・サックスがやってもおかしくないような形で、新規社債発行において主要な位置を占める。しかし見逃してはならないのは、そのような企業は銀行としての規制を受けていないという点だ。だからそれらが何を買っているのか、どれだけの資金を費やしたのか、市場にどんな影響が及ぶのか、把握するのが難しい。金融業者では当たり前の記録文書が単純に存在しない。それでも、資金力に富むテクノロジー企業が体制にとって重要な新しい機関になるかもしれないという考えには説得力があった。

このトピックに関する調査を続けた私は、二年後の二〇一八年に、私の予想を確証に変えてくれた驚くべきクレディ・スイスのレポートに出会った。レポートを書いたゾルタン・ポザールは、おもにビッグテックがオフショア口座で管理している一兆ドルの企業貯蓄を綿密に分析した。全企業のうち、最も多くの知的財産を所有している最大級の一〇パーセント――アップル、マイクロソフト、シスコ、オラクル、アルファベットなど――がこの種の貯蓄の八〇パーセントを占めていた[注7]。

ポザールの計算によると、その金額のほとんどは現金ではなく債権の形で保有されていて、うち半分が社債だった。トランプ政権下の共和党は、軽率な税改革案を通過させる中心的な理由として、アメリカの最も裕福な企業は海外に〝現金〟の山をもっていると主張したが、実際には現金ではなくて巨大な債権ポートフォリオだったのである。しかもそうした債権を保有しているのは、潤沢な金融資産をもつ銀行や投資信託会社ではなく、世界最大級のテクノロジー企業なのだ。シリコンバレーの巨大企業は、地球上で最も利益が大きく、最も規制が少ないだけでなく、市場全体にとっても極めて重要で、それらが保有している資産が売却や格下げされた場合、市場そのものが崩壊する恐れがある。思いも寄らないところに意外な発見があった。ビッグバンクではなく、ビッグテックが新しい「つぶすには大きすぎる」業界だったのである。

## ガバナンスよりも成長を優先

調べれば調べるほど、テクノロジー企業と銀行の共通点が見つかった。そのうちのいくつかは、“姿勢”にかかわる共通点だ。例えば二〇一六年の大統領選危機のあとにテクノロジー業界が見せた対応の仕方は、二〇〇八年の金融危機後の銀行業界の行動とソックリだ。金融危機の前後にどんな活動をしていたのか、当時のウォール街は躍起になってごまかそうとしたが、それと同じようにビッグテックの巨人たちも、選挙の不正操作に関係するありとあらゆる情報を自分から遠ざけようとした。

まず、彼らは悪いことは何もしなかったと言いつづけ、その逆を考える人たちはテクノロジー業界というものを正しく理解していないと主張した。これは、金融業者を批判する人々に返ってくる「あなたにはわからない」という態度とまったく同じだ。最終的にフェイスブックのマーク・ザッカーバーグはロシアが関係した三〇〇〇を超える広告の存在を議会に認めたが、それはマスコミや規制当局から極度の圧力がかけられたからだ。グーグルやほかの会社はフェイスブックほど極端な責任逃れをしようとはしなかったが、その差はごくわずかでしかない。アメリカのサブプライム危機のころのウォール街の金融業者と同じように、二〇一六年の選挙以降も、テクノロジーの巨人たちは基本的に受け身な態度に徹した。明かす情報はできるだけ減らし、それまで多大な利益をもたらしてきた、情報の不均衡にもとづくビジネスモデルを維持しつづけようとした。二〇〇八年の金融業者が見せたのとよく似た「否定とごまかし」の姿勢であり、それが当然ながらひどいPRにつながった。

しかし、それよりももっと本質的な類似点がある。メタレベルでは、ビッグファイナンスとビッグテックには、企業神話、不透明性、複雑さ、大きさ、の四つ類似点がある。神話に関して言うと、二〇〇八年以前のウォール街は、金融セクターにとっていいことは経済全体にとってもいいことだ、という考えを売っていた。ごく最近まで、ビッグテックも私たちに同じことを言いくるめてきた。しかし、そこには裏の面もあって、どちらの業界も〝イノベーション〟のネガティブな側面を認めたり、その責任を負ったりしようとしない。

数多くの調査を通じて、ソーシャルメディアの利用が増えるにつれて、自由民主主義、政府、メディア、あるいは非政府組織に対する信頼が低下することが明らかになっている［注8］。ミャンマーでは、大量虐殺を弁護するためにフェイスブックが利用され、中国ではアップルとグーグルが政府の要請に屈して検閲に加担している。アメリカでは個人データが集められ、金に換えられ、武器にされている。その仕組みを、私たちはようやく理解しはじめたところだ。加えて、独占企業が雇用やイノベーションを妨げている。今の時点ですでに、プラットフォーム企業の長所は短所を大きく上回ると主張するのがどんどん難しくなってきている。

経営の不透明さや複雑さという点でも、ビッグテックとビッグバンクは瓜二つだ。データをアルゴリズムとして理由するやり方は、サブプライム時代につぶすには大きすぎる世界的銀行がやった複雑な証券化に似ている。どちらも、疑わしい政治広告などといった、会社に利益をもたらすリスクや不正を、情報の非対称性を利用して隠す術を知る専門家のなせる技だ。

しかし、その複雑さが裏目に出ることもある。二〇〇八年以前のビッグバンクのリスクマネジャーが、何をブラックボックスに入れれば何が出てくるのか、まったく知らずにいたのと同じで、ビッグテックの幹部たちもテクノロジーの悪用によってバランスを崩す可能性がある［注9］。例えば、二〇一八年の『ニューヨーク・タイムズ』紙の調査を通じて、フェイスブックはユーザーにはプライバシーを保護すると約束しておきながら、アップル、アマゾン、マイクロソフトなど一連のビッグテック企業に対しては、重要なユーザーデータにアクセスする権利を認めていたことがわかった［注10］。

フェイスブックはソーシャルネットワークとしてできるだけ速く成長するために、二〇一〇年から二〇一七年にかけてデータ共有契約を結ぶようになった。これはビッグテック企業にとって基本的にウィン・ウィンの関係だ。なぜなら、データの共有によりさまざまなプラットフォーム間のトラフィックが増え、より多くのユーザーを取り込むことができるからだ。しかし、フェイスブックにも、ほかの会社にも、ユーザーのプライバシーに関する取り決めのすべての影響を把握することはできない。アップルはフェイスブックとそのような契約を結んでいたことを知らなかった、と主張したが、これはふだんからユーザーのプライバシーを守る企業を自負してきた同社にしては、かなり踏み込んだ発言だと言えるだろう。フェイスブックの「エンジニアや幹部たちの一部は……プライバシーの重視は迅速なイノベーションと成長の妨げになると考えている」と『ニューヨーク・タイムズ』紙は報告している。実際、フェイスブックは成長した。二〇一五年には一七九億ドルだった収益が、二〇一七年には倍増して四〇〇億ドルを超えていたのだ。

フェイスブックのやり方は目にあまるが、ガバナンスよりも成長を優先するのは、何もフェイスブックに限った態度ではない。価値の唯一の尺度として株価のみに注目する傾向は、ウォール街が広めたものではあるが、ウォール街に限られる現象ではないのだ［注11］。この契約を結んだテクノロジー業界幹部たちの忘れっぽさは、二〇〇八年の金融危機で市場が崩壊するまでバランスシートに隠されていたリスクに気づけなかった金融幹部たちを思い出させる。企業というものは、一株あたりの利益や株価収益率など数字を優先し、測定が難しいビジネスリスクなどを（手遅れになるまで）無視するものなのだろう。

## 貪欲の世代

世界の富のほとんどが、国家政府の規制を逃れるために税のオフショアリングや買い戻しなどの金融術を駆使する少数の個人や企業に集中し、その数がますます減りつつあることは偶然ではない。シカゴ学派の思想がイデオロギーとして定着したため、私たちは過去五〇年ほど、とりわけ「企業の唯一の目的は利益を最大にすることにある」という考えを当たり前のこととして教えられてきた。

この考えを一言で表すのが「株主価値」という言葉だ［注12］。株主価値を最大にすることが、私が前回の著作『Makers and Takers』で説明した「金融化」プロセスの一部だと言える［注13］。金融化とはシカゴ学派の思想とともに一九八〇年代から広まったプロセスで、アダム・スミスが提唱したような実体経済を支えるパイプ役としての市場ではなく、むしろその逆の、実体経済が市場をサポートする状況をつくりあげた。

私たちは〝国民〟の幸福ではなく、むしろ〝消費者の幸福〟に関心を向けるようになった。私たちは株価の上昇は、株を所有する人の富を増やすだけでなく、経済全体にとって望ましいことだと考える。このプロセスを通じて、市場経済から、生活のあらゆる側面において利益を最大化させることにこだわる〝市場社会〟――ハーバード大学法学部教授のマイケル・サンデルがそう名付けた――へ移行したのだ。最も基本的なもの――医療、教育、正義――へのアクセスが、富を基準に決められるようになった。ふだん使う言葉まで影響を受けていて、日々の経験や人間関係さえもが経済用語で描写されている（時間を〝最大化〟して、人間関係を〝収入に変える〟など）。

そして現在、ビッグテックが実践する監視資本主義により、〝私たち自身〟が利益のために最大化されている。もう一度指摘するが、私たちの個人データこそが、それを活用するビッグテックとそのほかの企業にとって、ビジネスの源になっている。「グーグルとは何か？」と問われたとき、ラリー・ペイジはこう答えた。「カテゴリーがある場合、それは個人情報になる……あなたが見たことのある場所とか。コミュニケーション……センサーは本当に安い……。ストレージは安い。カメラは安い。人々はものすごい量のデータをつくる……。あなたが聞いたこと、見たこと、経験したことのすべてが検索可能になる。あなたの人生全体が検索可能になる」［注14］

この言葉について、よく考えてみよう。あなたという人間は、広告主にあなたを売る製品をつくるために利用される原材料に過ぎないのだ。そう、私たちは本当にマトリックスの世界に生きているのである［注15］。

この侵略的で、性急で、利己的な資本主義への移行を、金融市場が後押ししてきた。そこにグローバル化や技術の進歩が加わったことで、私たちは短い期間のあいだにますます多くの人と競争するようになった。アウトソーシングと技術による混乱が招いたデフレ効果の影響もあって、多くの消費財が安価にもなった。しかし、それらは上がらない収入も、ストレスに満ちた生活も補うことはできない。

しかし、より深い意味では、シリコンバレー——たくさんのガレージスタートアップと本当のイノベーターが活躍していたかつてのシリコンバレーではなく、現在の利益追求型のシリコンバレー——が金融化への移行の頂点をなしていると言えるだろう。現在、大規模なテクノロジー企業を経営しているのは、政府が敵だとみなされていた時代に育ち、会社を興したビジネスリーダーたちだ。彼らは経済を、そして社会を進歩させる最善の方法は利益の最大化だと信じている。企業の行動に規制や制限をかけることを、横暴あるいは権威的だとみなす。「自己規制」が標準となり、「消費者」が国民に取って代わった［注16］。

これらすべてが、シリコンバレーでは当然のこととしてはびこる「素早く動き、破壊せよ」精神に反映されている。エリック・シュミットとジャレッド・コーエンは、共著のペーパーバック版のあとがきで次のように書いている。「テクノロジー分野の規模と広がりが大きくなるのは避けられないことで、それを嘆いていては、私たちの意識は本当の問いからそらされてしまう……。私たちが議論している変化の多くは避けられないものだ。それらは必ず来る」［注17］

## 監視資本主義の犠牲

それらは必ず来る……たぶんそのとおりなのだろう。しかし、必ず来るからといって、テクノロジー業界が一般大衆に及ぼす影響について議論しなくてもいいと主張するのは傲慢だ。そのように考えていると、多大な犠牲を払うことになる。最大級にして、知的財産に最も富むアメリカの企業群が外国に一兆ドルの富を蓄えていることはすでに指摘した。小さな額ではない。アメリカの年間国内総生産の一八分の一に相当し、その大半は基本的に政府が資金を出した――国民の税金を投じた――研究開発が生み出した製品やサービスから得られた収益なのである。それなのに、オフショアリングのせいで税金がアメリカに入らないため、国民は投資に対する正当な見返りを得ていない。しかも、最近になってアメリカの法人税率は三五パーセントから二一パーセントに引き下げられた。大企業のほとんどはここ数年にわたり、さまざまな抜け穴を使うことで、収益のおよそ二〇パーセントしか税として納めていない。テクノロジー企業にいたっては二〇パーセントよりもはるかに少なく、だいたい一一パーセントから一五パーセント。その理由もオフショアリングだ。工場や食料品と違って、データや知的財産は外国に移管できるのである。

この事実は、新自由主義者たちの単純な考え方――税率を下げれば、〝アメリカ〟の企業は資金を国内に呼び戻して、国内で雇用を創出する商品やサービスの開発に投じるだろう――が、ただの神話に過ぎなかったことを意味している。アメリカの最大かつ最も豊かな企業は一九八〇年代以降、グローバル化の最前線に立っていた。ここ数年、海外収益はわずかに減ってはいるが、S&P500企業の総売上額のほぼ半分が海外での売上なのだ。そのような会社はアメリカに、あるいはアメリカでなくてもどこか特定の国家に〝完全に奉仕している〟と言えるだろうか？［注18］そのような会社が奉仕する相手は――アメリカの資本主義がやっていることを奉仕と呼べるなら――顧客と投資家であり、そのどちらも国際化が進んでいる。したがって、役員室でアメリカの労働者やコミュニティに向けた特別な配慮について話し合われることはほとんどない。テクノロジー企業は、ほかのどの種類の会社に比べても、事業を外国へ移しやすい。彼らの富は〝固定資産〟ではなく、データ、人的資本《ヒューマン・キャピタル》、特許、ソフトウェアなどであり、（工場や小売店舗のように土地に結びついていないため）どこへでも動かすことができる。また、すでに指摘したように、それらはどれも富を構成するものではあるが、前世代の投資とは違って、経済に幅広い需要を育むことはない。

そのような変化の影響を調査しているコーネル大学教授にして金融の専門家であるダニエル・アルパートは、「アップルが製造する携帯電話に応用する技術のライセンスを中国で得た場合、ライセンスが与えられた技術の開発者がアメリカ人だった場合は彼らにも恩恵があるが、それを超えてアメリカ国内で雇用を増やすことはない」と説明する。「新しい工場を建てるのとは違って、アプリも、ネットフリックスも、アマゾンの映画も雇用を創出しない」。『フィナンシャル・タイムズ』紙の記者、マーティン・ウルフはこう指摘する。「[アップルは]イノベーションマシンに取り付けられた投資ファンドのようなもので、総需要を吸い上げるブラックホールのような存在だ。法人税率を低くすればそのようなビジネスにおける投資が増えると考えるのは的外れだ」[注19]。要するに、裕福な会社は――特にテクノロジー企業は――新しい金融エンジニアになったのである[注20]。

## 必ず勝つ

上記のように、ビッグテックはいくつかの方法を用いて、グローバル市場におけるメガトレンドを推進している。それに加えて、テクノロジー企業はいくつかの方法を用いて、市場における自らの立場が消費者よりも優位になるようにしむけている。例えば、グーグルとフェイスブックが、最近ではアマゾンも、独自のデジタル広告市場を所有し、顧客に対して好き勝手な条件を設定できるようになった。アルゴリズムの不透明さとそれぞれの市場における支配が重なると、顧客がそのような企業を相手に公平な条件を望むのは不可能だ。結果、搾取的な価格や、プライバシーを脅かす行動につながりかねない。その一例が、利用者の支払い意志を基準に価格を上げる、ウーバーの〝急騰料金《サージ・プライシング》〟だろう。フェイスブックがユーザーについて集める〝シャドープロファイル〟もそうだ。もう一つの例として、グーグルとマスターカードが手を組んで、オンライン広告が実際の店舗における購買を促したかどうかを調べるために、カード所有者の知らないうちに彼らの足取りを追跡している事実も挙げることができる［注21］。

ここでは、アマゾンが地方自治体を相手に取り付けることに成功した異例の契約について詳しく見てみよう。二〇一八年現在で、全国の地方政府や学校など一五〇〇の公的機関は、アマゾンからあらゆるオフィス用品や教室用品を買うことが取り決められている。その際、固定価格が保証されていないため、〝動的価格〟で購入することになる。つまり、公的機関が支払う最終価格はアマゾンのプラットフォーム上でサプライヤーが提示した入札額に応じて変わる、ということだ。このやり方は、形こそ違うが基本的に急騰料金と同じことであり、市場が許容できる限度価格を反映している。本来、大量購入契約を結ぶのは、各機関の需要をひとまとめにすることで、公共セクターに競争価格での販売を保証するためなのだから、このアマゾンのやり方は驚くべき忍法だと言える。アマゾンといえばディスカウントのイメージがあるが、非営利組織であるローカルセルフリライアンス《地域の自立》研究所がカリフォルニアのある学区を例に調査したところによると、その学区ではアマゾンから購入する場合、一〇パーセントから一二パーセント、ほかで買うよりも高くつくという結果が出た。また、アマゾンのプラットフォームを利用していない既存のサプライヤーを使いつづけたいと望んでいた都市も、同契約が結ばれたため、取引（そしてサプライヤー）をアマゾンに切り替えざるをえなかった［注22］。

アマゾンの方法は、二〇〇八年の金融危機以前に金融業者の一部が行っていた融資のやり方と共通点が多い。当時の金融業者も、変動金利サブプライム住宅ローンの形で動的価格を利用していたし、不動産担保証券の販売や複雑な債務取引において、不用心な投資家――個人だけでなく、デトロイトなどの都市も含む――から搾取するために、巨大な情報の非対称性を悪用していた。一方のアマゾンは、サプライヤーや公共セクターの顧客よりもはるかに多くの市場データを有している。どの取引においても、両当事者のうち情報をより多くもつ者が有利な決断を下すことができる。重要なのは、巨大プラットフォーム・テクノロジー企業も、金融業者も、情報と商取引の中心に位置し、そこを通過するあらゆるものから利益を吸い上げることができたという点だ。そこは彼らが運営するカジノであり、カジノというものは運営側が必ず勝つようにできているのである。

銀行と同じで、ビッグテックがそうした利点から不公平な利益を上げるのを防ぐ唯一の方法は全体的な規制しかない。第九章で紹介した反トラスト法の弁護士であるリナ・カーンは規制の可能性について調査し、その結果を論文にまとめて『コロンビア・ロー・レビュー』誌で発表したのだが、そのなかで、市場またはプラットフォームを創出し、しかもそのなかで自ら商いを行う企業は、不公平に有利な立場にあると主張している［注23］。カーンの論文は、先見の明のあるコーネル大学の法学教授ソール・オマロバの研究に、部分的に立脚していた。オマロバといえば、私が『Makers and Takers』の執筆のための調査をしていたときに注目した人物だ。オマロバはゴールドマン・サックスのアルミニウム買い占め騒動に関する聴聞会で重要な証人だった。読者のなかには覚えている人もいると思うが、ゴールドマン・サックスは、金融機関はアルミニウムのような原材料を買い占めてはならず、倉庫へおよび倉庫からの商品の流通を促して供給を確実なものにしなければならない、という規制をかいくぐる不正な方法を見つけたのだった。『ニューヨーク・タイムズ』紙が一面で報じたように、ゴールドマン・サックスは互いに数メートルしか離れていない二つの倉庫のあいだを、フォークリフトを使って単純にアルミニウムを行ったり来たりさせることで、規制を形なしにしたのだ。

『The Merchants of Wall Street: Banking, Commerce, and Commodities（ウォール街の商人：銀行、商業、商品）』というタイトルで発表されたオマロバの論文は金融機関が商品を所有し取引することの問題点を指摘し、一般の関心を呼び起こした。結局、ゴールドマン・サックスはアルミニウムを手放したので、法的な罰を受けることはなかったのだが、オマロバは「ゴールドマンはアルミニウムに関する情報を使って市場を操っていたに違いない」と主張する。しかし、ことの複雑さと不透明さを理由に、こうも述べている。「それが証明できるかと尋ねられれば、ノーと言わざるをえない。CFTC［商品取引の規制当局］なら証明できるだろうか？ そうは思えない。そして、もしそうなら、ゴールドマンは自ら証明する義務を負うのだろうか？ そんなことは絶対にありえない」［注24］

そして今、オマロバは当時の金融業界のやり方が、テクノロジーの世界で用いられていると確信している。ビッグプラットフォームが市場を所有し、そのなかで自ら商売を行っているからだ。今彼女が関心を向けているのは、大型のテクノロジー・プラットフォーム企業は、一九世紀の鉄道会社（すでに見たように、鉄道会社もプラットフォームを所有し、そこでビジネスを行っていた）が市場にもたらしたような脅威だけでなく、つぶすには大きすぎる銀行たちがもたらす種類の脅威にもなるのだろうか、という疑問である［注25］。特に心配しているのは、ビッグテック企業と金融業者の結婚だ。心配する理由は想像に難くないだろう。「もしアマゾンがあなたの口座情報と資産を見ることができて［絶対に阻止すべきこと］、あなたに支払うことが可能な限度額のローンを売ることができれば、どうなるのだろうか？」と、オマロバは問いかける。

心配しているのは、オマロバ一人ではない。二〇一九年六月、国際通貨基金の専務理事であるクリスティーヌ・ラガルドがビッグテックに警鐘を鳴らし、最大級のテクノロジー・プラットフォーム企業が全世界的な金融システムを不安定にしている恐れがあると表明した［注26］。二〇一八年の一二月には、国際決済銀行の総支配人であるアグスティン・カルステンスが、世界的なクレジット市場におけるグーグル、アリババ、フェイスブック、テンセント、バイドゥ、イーベイなどについて言及し、それらを現代の金融規制における「最も困難な課題の一つ」と呼んだ。「ビッグテックの金融界への進出は、より多様で競争的な金融システムにつながるのだろうか？それとも、新しい形の集中、市場力、体制的重要性が生じるのだろうか？」と、彼は問う。「ビッグテックの拡大は、効率の向上に後押しされているのだろうか？　それとも、現状の規制体制を回避することで得られるコスト上の利点が原動力になっているのだろうか？」とも。この疑問は、フェイスブックが独自の仮想通貨を導入しようとしている今、極めて重要になった。

ビッグテックが国際金融を不安定にするかどうか、答えはまだ出ていない。その一方で、カルステンスをはじめとするアメリカとヨーロッパの規制側の人々が、金融業界に進出してきたアップル、アマゾン、フェイスブックなどが用いる予測アルゴリズムや機械学習が金融業界の安定に貢献するか、その逆かを見極めようとしている。特に心配な問題は、ビッグテック企業が顧客を評価する方法として、人間関係ではなく機械を使っている点だ（したがって、従来の銀行が守らなければならない〝顧客確認〟のルールを大部分回避することができる）。数学者のキャシー・オニールが著書『あなたを支配し、社会を破壊する、AI・ビッグデータの罠』で明らかにしたように、クレジットカード会社やほかの金融機関は日ごろから不透明なアルゴリズムを使ってオンラインデータ（人々のウェブ閲覧行動のパターンや位置情報など）を大量に集めている。集めたデータを利用して顧客プロファイルを作成し、例えば裕福な地域に住む人が新車の購入を検討しているときに、フォードのトーラスではなくてジャガーをクリックするように誘導することが目的だ。そのような仕組みを通じて、不平等は雪だるま式に大きくなる。この点について、オニールの言葉を借りると、「サンフランシスコのバルボア・テラスでコンピュータを使っている人は、イースト・オークランドの沿岸部にいる人よりもはるかによい［クレジットの］見込みがある」ことになる。もちろん、この予測は外れているかもしれない。しかし、あなたのオンラインの行動が、オフラインでの生活に大いに影響するという点に変わりはない［注27］。

次に、アマゾンやフェイスブックが電子商取引やソーシャルメディアにおける既存の優位性を不当に利用して、金融の部門でも優位に立てるかどうか、という疑問がある。つまり、彼らがすでに所有している人々のショッピングや購買パターンなどの情報を〝反競争的〟な、または〝略奪的〟な形で用いて、私たちに特定の製品を買わせようとするかどうか、ということだ。さらには、もし市場に危機が訪れる兆候が見えたとき、彼らはしっぽを巻いて逃げ出し、クレジット市場を不安定にしてしまわないかという危惧もある。

「ビッグテックの融資には、クライアントと長期的な関係を結ぶという人的な関わり合いが欠けている」と、カルステンスは指摘する。「そのようなローンは厳格に取引され、通常は短期融資で、企業側の条件が悪くなったときには自動的にカットできるものでしかない。それにより、「中小企業の」信用はガタ落ちになり、大きな社会的費用が発生する可能性がある」[注28]。この話を聞いて二〇〇八年を思い出したなら、あなたは状況を正しく理解している。

しかし、なかにはそのような心配をまったくしていない人もいる。彼らは、アップル、アマゾン、グーグル、フェイスブックなど特定のプラットフォーム上で一つのパスワードを使って、毎日のタスクのすべてをリンクする便利さを手に入れるためなら、そのようなリスクを冒すのは公平なことだとみなす。しかし、巨大プラットフォーム企業のブラックボックスをなすアルゴリズムの内側をのぞくことができないのなら、本当に〝公平〟かどうかを知ることすらできない。私の休暇先でのショッピング行動やお気に入りのメディアをただ知ることと、投資活動も含む経済行動のすべてを知ることとは、まったく別次元の話なのだ。多くの人はすでに財政的な決断を自分で下す自信も、個人の財産を管理する能力も持ち合わせていない。そうでなければ、いまだにあまりにも多くの人が平均以上の料金をそれらのサービスに支払っている理由が説明できないではないか？　例えば、ある銀行が顧客の口座に九〇〇〇ドルの蓄えがあることに気づいたと仮定してみよう。するとその銀行はすぐにその顧客にポップアップ広告を示し、利率の高い新しい投資手段に資金を移すよう促すのである。そのようなシナリオでは、顧客の立場の弱さが一目瞭然ではないだろうか？　あるいは、あなたのフェイスブックのページに当座預金額が表示されると想像してみよう。どうしてそんなことに？

そのようなシナリオはまもなく現実になると考えられる。トランプ政権が、銀行相手の紛争から一般人を守るために設立された消費者金融保護局を骨抜きにしたからだ。それと同時に、トランプ政権下の財務省は「効率とスケール、ならびに消費者価格の低下」をもたらすために、テクノロジー企業とビッグバンク間のデータ共有を推し進めている。ここでもう一度問うが、価格の低さは隠れたコストよりも本当に価値があるのだろうか？

答えを知るのは難しい。その理由の一つとして、金融調査局が弱体化した事実を挙げることができる。世界最大級のテクノロジー企業とウォール街最大級の銀行が顧客データを共有するとき、そこには体制的なリスクと略奪的な価格戦略が生じると想定できるが、それらの影響についてまったくと言っていいほど研究が行われていないのも、同局が力を失ったからである。政権が規制緩和の方向へ舵を切ったのだから、そのような問題に関心が向けられないのは不思議なことではないが、それでも、危機的な状況であることに変わりはない。

さらに切迫した問題は、プラットフォーム企業と銀行が消費者の財政情報を共有して、〝パーソナル化した〟製品やサービスを売り込むために利用しているという事実だ。そのことを財務省の報告書に含まれるフローチャートの一部が示している。それを見ると、私は二〇〇八年の金融危機のきっかけとなったクレジット・デフォルト・スワップの複雑さを思い出さずにいられない。

どちらもドミノ倒しのようにリスクへと波及していく恐れがある。そのような複雑さを見ると、私はいつも不安を覚える。より多くの情報をもつ当事者に、すべてを曖昧にする余地が生まれるからだ。反進歩的と揶揄されるかもしれないが、私はいまだに連邦準備制度の元議長ポール・ボルカーが言った「過去数十年においてATMが金融界における最も有益な発明だ」という意見に賛同している。

## 規制するには大きすぎる？

つぶすには大きすぎる銀行がそうであったように、シリコンバレーの巨人たちが何を言おうと、とどのつまり、大きさが問題だ。大きいものは必ず悪い、ということではなく、大きくなった組織は複雑になり、監督が難しくなるのである。ビッグバンクと同じで、ビッグテックも規制を避けるためにロビー活動を積極的に行っている。そして銀行と同様、自分たちは普通とは違うルールで活動する権利があると、私たちを説得しようとする。

しかし、そのような権利はない。それどころか、それほど大きく、それほど複雑になった企業には、ほかの会社よりも多くのルールが適用されるべきだと、私は考えている。少なくとも、フェイスブック、グーグル、アマゾン、ならびにそのほかの体制的に重要なプラットフォームには、テレビや印刷メディアやラジオ局と同じように、政治広告の開示義務を負わせるべきだし、金融市場では、競合相手になるビッグバンクと同じルールで競わせるべきだ。ほかの種類の個人データ、例えば健康・医療情報（私たちがふだん使っている健康・ウェルネスアプリを利用すれば簡単に集めることも売ることもできる）を収集するのなら、ヘルスケア業界に課せられているプライバシールールと同じルールに従わせなければならない。ビッグテックは特別な存在ではない。ただし、体制にとって極めて重要だ。ビッグバンクが金融市場の中心に座っているのと同じように、ビッグテックはコミュニケーションとメディアと広告市場の中心を占めている。構造的に重要な金融機関が市場をつくり、そこに自ら参加する場合、連邦準備制度や連邦取引委員会が介入することができるのだから、ビッグテックに対しても連邦取引委員会は同じことをすべきである。実際のところ、私はテクノロジー業界を監視するために、特別な規制機関が必要だと主張したい。この点については最終章で説明する。

テクノロジー業界をほかの業界と同じように扱うことで、ビッグテックは間違いなくビジネスモデルの転換に迫られ、利益や株価に大きな影響が出るだろう［注29］。ビッグテックは今後も規制が緩く、税的にも優遇された独占支配者として君臨しつづけるだろうと市場が期待していることも、極めて高い評価を得ている原因の一つだと言える［注30］。しかし、今後もその状態が続く保証はない。ワシントンでは、反トラストおよび独占の問題に急速に注目が集まりつつある。ビッグテックの巨人たちが報いを受ける日もそう遠くはないだろう。

# 第11章

# 泥沼のなかで

CHAPTER 11

IN THE SWAMP

二〇一二年、情報法の権威であるメリーランド大学法学部教授のフランク・パスカーレは、ジョージ・メイソン大学で競争と検索とソーシャルメディアに関する講演を行う依頼を受ける。彼はその集まりをごく普通の学術会議だと考えていた。当時、グーグルは検索市場における反競争的な行動を理由に、アメリカとヨーロッパで調査の対象になっていた（アメリカでは連邦取引委員会がイェルプの訴えを調査し、イギリスでは価格比較サイトのファウンデムが差別的な価格比較アルゴリズムを使っているとしてグーグルを訴えていた）。急成長するデジタル経済によって引き起こされる訴訟問題が日ごとに増えつつあり、パスカーレも変化する情勢について、ほかの学者と熱心に意見を交換していた。

若かりしころの俳優ジェームズ・ステュアートに見た目も物腰も似た部分が多い、すらっと背が高くて人当たりのよい情報法学者のパスカーレは、それまですでにグーグルとほかのテクノロジー大会社について調査したことがあった。著書『The Black Box Society』が出たのは二〇一五年なので、当時はまだ出版されていなかったが、それでも彼はすでにプラットフォームの巨人たちがどのようにして私たちの個人データを集め、それらを結びつけて各自の行動を知ろうとする第三者に高く売りつけているかを知りたいと願う学者やビジネスピープル、あるいは政治家にとって、情報源として欠かせない存在だった。

「検索、反トラスト、競争政策」と題した講演で、パスカーレはグーグルに焦点を当て、私たちの個人データの収集とオンライン上での行動の分析により、同社は消費者を助けるという意味でも、傷つけるという意味でも、強大な力を手に入れたと論じた。

「昨日、特大サイズ用の紳士服店で買い物をしたら、今日、航空会社から脚を広々と伸ばせる座席の広告を受け取る」などという話を交えて、パスカーレはグーグルの監視資本主義がどのような仕組みで成り立っているか、詳しく説明した。二〇〇八年の金融部門のリスクに目をつぶった規制当局と比較しながら、グーグルのやり方に対する為政者たちの無知ぶりを明らかにした。のちに彼は著書のなかでこう書いている。「ブラックボックス業界のロビイストたちは、グーグルやゴールドマンのビジネス慣行を理解する能力をもたない政府をあざ笑っている」。しかしながら、パスカーレが指摘しているように、複雑であるにもかかわらず、すべての当事者にとって利となるように適切に規制されている業界も数多く存在している。ごく一部を挙げると、消費財、医薬品、ヘルスケアなどだ［注1］。そのような業種もかなりの資金を注ぎ込んでロビー活動を行っているが、それでも規制当局が――多くの場合は何らかの危機が大衆の怒りに火を付けたあとにではあるが――ロビイストたちを飼いならすことに成功したのである。

しかしパスカーレの予想しなかったことに、彼はその会議で総攻撃の矢面に立たされることになる。彼が講演を終えた直後、グーグル傘下の法律事務所であるウィルソン・ソンシーニ・グッドリッチ・アンド・ロザティの弁護士であるスコット・シェーールがステージに上った。その彼が披露したのは、学術的な講演などではなく、グーグルの言い分（「クリックの一つひとつが競争だ」など）をまとめたものだったのである。グーグルの独占支配に対するパスカーレの批判にも断固として反論し、検索市場における六五パーセントのシェア（当時の数字）は、心配するに値しないと主張した。

パスカーレは不意打ちを食らった。普通の学術会議では、学者が自分の研究を発表し、あれやこれやと議論する。ところが、シェールがやったことはグーグルのPRにほかならない。「私には反論をする時間も残されていなかった。彼のプレゼンテーションについて反論したい点を一五個も書き留めていたのに」とパスカーレは言う。「発言させろと要求したかったのだが、そんなことをすれば、私は横暴な過激派だとみなされただろう」

のちになって、パスカーレは自分が罠にはめられたことを悟った。その会議はおもにグーグルによってグーグルのために計画され、開催されていたのだ。ただし、公平な会議である装いを授けるために、いわばグーグル批判家の象徴として、パスカーレが招待された［注2］。のちに『ワシントン・ポスト』紙が報じたように、会議は首都における反トラスト議論の矛先をかわすために、グーグルの幹部が仕組んだものだった。すでに見たように、そのころ連邦取引委員会は真剣にグーグルの解体案を検討していたのである。Eメールのやりとりから明らかになったように、幹部たちがグーグルに協力的であることがわかっている人物のなかから選んだ人々を講演者として〝提案〟したうえで、ジョージ・メイソン大学の法律および経済センターと協力して、会社がポジティブに映るように会議を構成した。もちろん、ワシントンでグーグルの調査を指揮していた連邦取引委員会のベス・ウィルキンソンのような人物を会議に招待することも怠らなかった。

## グーグルの〝シリコンタワー〟

私はパスカーレに同情を覚えざるをえない。さまざまな理由があるが、私自身、同じような状況に陥ったことがあるというのもその一つだろう。二〇一七年、私はBBCの『インテリジェンス・スクエアード』という討論番組に出演した。テーマは、ビッグテックを反競争的な独占企業とみなし解体すべきかどうか。私は解体に賛成だったのだが、リーズ大学教授のピナール・アクマンはそのような措置に断固として反対した。反対する正当な理由も説明した。しかし、彼女の研究の大部分は、グーグルによって支払われていた［注3］。近年、テクノロジー部門の調査を進めるうち、私はグーグルが関与していると思えるさまざまな研究者の論説に出くわした。例えば、スタンフォード大学の法学教授で、特に多作なことで知られるマーク・レムリーだ。レムリーのケースでは、私は彼の研究論文の脚注に書かれた細かい文字列から、彼もグーグルの「コンサルタント」である事実を知った［注4］。

そのような学者を一人ひとり名指しするつもりはない。しかし、調べていくうちに、彼らは氷山の一角に過ぎないことがわかった。過去一〇年ほどで、ビッグテックは、特にグーグルは、自社の関心分野について行われる学術研究を買収、あるいは資金援助してきた。二〇一七年七月に『ウォール・ストリート・ジャーナル』紙が行った調査を通じて、グーグルが市場支配に対する規制を防ぐために、数百の研究論文に資金提供し、数多くの学者、コンサルタント、元または将来の政府関係者に五〇〇〇ドルから四〇万ドルをばらまいていた事実が明らかになった［注5］。

その一人がダニエル・ソコル。フロリダ大学の教授で、二〇一六年には論文を発表して、グーグルのデータ使用は完全に合法だと論じた人物だ。当時、ソコルは自分の研究は企業から支援を受けていないと表明していた。しかし実際には、彼はウィルソン・ソンシーニ法律事務所の非常勤弁護士で、彼の論文の共同執筆者も同法律事務所のパートナーだった。また、この点も隠していたのだが、ソコルは二〇一三年三月にもグーグルで公共政策を担当していたポール・ショウ（グーグルは数多くの公共政策担当者と、数百のPR要員と、さらに多くの弁護士を抱えていて、彼らが一丸となって会社のために働いている）に協力して、特許をテーマにしたあるオンライン・シンポジウムのために、グーグルに有利な観点から論文を書くように法学教授たちを説得した。教授たちは報酬を得なかったが、ソコルは協力料として五〇〇〇ドルをグーグルに請求している。

二〇一六年、グーグルと学者や政府関係者の金のつながりを追跡する機関として知られるグーグル透明化プロジェクトとキャンペーン・フォー・アカウンタビリティ（説明責任キャンペーン）が『グーグルのシリコンタワー』と題した論文を発表し、二〇一六年に連邦取引委員会とジョージ・メイソン大学とプリンストン大学が主催した主要な政策会議に、グーグルから金銭供与を受けている参加者がどれだけの数含まれていたのかを明らかにした。その結果はこうだ。連邦取引委員会の二〇一六年プライバシー会議の講演者の半数以上（四一人中二二人）がグーグルから金銭を得ていただけでなく、会議で言及された論文の半数以上がグーグルから資金援助を受けている研究者が書いたものだった。しかも、グーグルから研究資金を得ていることを明言していた研究者はたった一人だった。

しかし何よりもショッキングだったのは、当時の連邦取引委員会のチーフテクノロジストであるローリー・クレイナーがグーグルから八五万ドルを受け取っていた事実だ。その額には、個人的な研究報酬としておよそ三五万ドル、助成金として四〇万ドルが含まれていた。また、ジョージ・メイソン大学でグーグルの世界的な反トラスト調査をテーマに開かれた会議では講演者五人のうち四人がまさにそのグーグルから資金を得ていたし、プリンストン大学で行われたブロードバンド・プライバシー・ワークショップでは七人のパネリストのうち五人がグーグルからサポートを受けていた［注6］。

この点は重要なので指摘しておくが、この「シリコンタワー」報告書は、グーグルと競合している、あるいは法的に争っているいくつかの企業による援助のうえに成り立っている（例えばグーグル透明化プロジェクトはおもにマイクロソフトとイェルプが支援していたし、キャンペーン・フォー・アカウンタビリティは資金の出所を明かしていないが、長年にわたってオラクルの立場を支持してきた）。しかし、グーグルが資金提供した研究が必ずしも無意味ではないのと同じように（資金援助を得た研究者がグーグルに有利な先入観をもつことはないと考えるのは難しいが）、反グーグル勢からサポートを受けていたからといって、報告書の内容が嘘になるわけではない。両サイドともに言い分はある。しかし、これらすべてからわかるのは、アメリカで最も重要な産業の経済政策にかかわる重要な議論が、資金に富む大会社によってほぼ完全に乗っ取られてしまったという事実である。

つまり、独占、プライバシー、サイバーセキュリティなどに関する公開討論の場は（そのような公開討論が行われているという事実でさえ）、まさに話題の中心になる一部の企業によって操られているのだ。そのような公開討論を開くこと自体が援助に対する見返りだ、というわけではない。「私はグーグルの手の内にある数多くの学者を知っているが、彼らとの交流から、これは特定の見返りがどうとかいう話ではないことがわかった。もっと微妙な関係だ」と語るのは、この問題に対処する法案の作成に携わっている有力民主党上院議員の上級補佐官の一人だ。「むしろ、短期的にも長期的にもはるかに効果的な、社会的あるいは知的な認識を得るための活動だ。グーグルはグーグルのビジネスにとって役に立つ、あるいはライバルのビジネスに対立する分野で働く研究者をサポートする。著作権法の緩和、特許改革、ネットワーク中立性、自由放任経済、プライバシー、ロボット、人工知能、メディア所有権、政府による監視（このテーマは企業による監視に対する関心をそらすために悪役にされることが多い）などだ。研究者に助成金を直接手渡し、彼らの施設や研究室の運営資金を提供し、会議を開き、市民グループに献金し、グーグルのイベントへ送り出す」［注7］

加えて上級補佐官は、グーグルはそのような方法を通じて人々の好意を集めるだけでなく、「有名学者を学術的な旗手に仕立てあげ、若い学者たちをグーグルに好意的な方向へ駆り立てる役割を担わせる」と指摘する。今の時代、フランク・パスカーレのような本当に独立した学者を見つけることはほとんど不可能なようだ。

## 金の流れを追え

多額を費やす目的は、もちろんワシントンにおける政策議論を支配するためだ。政治家がビッグテックを規制する動きを見せるたびに、ビッグテック側は金で買った専門家を動員して抵抗する。民主党のエリザベス・ウォーレンがビッグテック企業の解体を訴えたことを受けて二〇一九年に開かれた独占に関する議会聴聞会を見てみよう［注8］。証言者のなかには、ジョージ・メイソン大学の教授でトランプのアドバイザーを務めていたこともあるジョシュア・ライトが含まれていた。グーグルから間接的に資金を得て学術論文を書き、グーグルに対する反トラスト調査を批判し、その直後に連邦取引委員会に参加した人物だ。結果、連邦取引委員会は反トラスト訴訟を撤回した。

ミズーリ州の司法長官だったころにグーグルに対する訴訟を起こしたことがある共和党上院議員のジョッシュ・ホーリーは、消費者情報の乱用から縁故採用にいたるまで「毎日のように不快な発見がもたらされている」今、ビッグテックを規制しないことを正当化できる者がいるだろうか、と疑問を口にする。『ワイアード』誌の記事によると、ホーリーは単純にこう言ったそうだ。反トラストにまつわる議論が盛んになってきたころ、彼の考え方が「同じような考えをもつ支持者を引きつけた」[注9]

不思議な話ではない。過去数年のうちに、テクノロジー業界はいつの間にかアメリカのロビー活動で最も強大な力を振るう存在に育っていた。ビジネスモデルが規制の対象になるのを食い止めるために、大量の現金やそのほかの影響力を使ってきた。責任ある政治センターによると、インターネットおよび電子産業は、二〇一七年に連邦レベルのロビー活動に二億一六四〇万ドルを、二〇一八年には二億二四六〇万ドルを費やした。これよりも多くを費やしたのは、ビッグファーマだけだ[注10]。二〇一七年と二〇一八年、グーグルは企業として最も多額を費やしたロビイストだった［注11］。アマゾンも負けてはいない。おびただしい数の問題を議員に陳情していて、二〇一八年には二一種類の問題分野に関して、四〇の連邦機関でロビー活動を行ったことが明らかにされている。トピックのいくつかは、ネットワークの中立性、テレコム、データ規格など、ビッグテックに共通するテーマだった。しかし、アマゾンに特有のテーマもあった。大量の商品貨物を運ぶために導入を検討している自動運転車やドローンに関連する問題に力を入れていたし、特定の政府プログラムに食料品事業が参加できるようにロビー活動も行っていた（同社はホールフーズの買収を通じて食品分野への関心を明らかにした）。また、独自の医薬品事業にとって有利な法律を求めたりもしていた（アマゾンは二〇一八年にピルパックというオンライン・ドラッグストアを買収した）［注12］。FAANGのなかでもどちらかと言えばあまり批判されることのない存在であるネットフリックスも、著作権やプライバシー規則、そのほかさまざまなデジタル規制に関して、アメリカとヨーロッパでロビー活動を展開している［注13］。

これらはどれも、目に見える金でしかない。シリコンバレーは、さまざまな政府組織や利害関係者にも資金を提供し、自分たちの味方に引き入れ、テクノロジー業界にとって不利な計画などを放棄するように働きかけている。グーグルだけでも、非営利組織、研究機関、メディア団体など、一四〇を超える第三者機関に金をばらまいている。私が特にいらだたしく感じるのは、メディアが取り込まれているという事実だ。その理由は説明するまでもないだろう。二〇一九年に

『ワイアード』誌が特集記事で明らかにしたのだが、二〇一六年の選挙介入スキャンダルをきっかけに、シリコンバレーは「ジャーナリズムに対する罪の一部を償うために、免罪符を買う」ことに決めた[注14]。つまり、フェイスブックによってデジタル広告収益のほぼすべてを奪われて弱り切っていた地域ニュース業界に、何億ドルもの現金をばらまいたのだ。グーグルも、特定種類のコンテンツの開発を促すために、報道機関に多額を寄付している[注15]（多くの有名出版業者が、グーグルからの〝多額の〟寄付を受け取っている）。場合によっては、ビッグテックは報道機関や、より一般的には自由民主主義そのものに与えた損害に対して、金銭的な償いをしようとしていると考えることもできるかもしれない。しかし、私はその逆を主張したい。もし、コンテンツ制作者がつくったコンテンツに対して初めから正当な報酬を得ていたのなら、ジャーナリズムが今のような状態に陥ることはなかっただろう。

ビッグテックは繊細な技を用いて、私たちの認識を乗っ取ろうとする。しかし、金の流れを詳しく追跡すれば、ワシントンとシリコンバレーのあいだに盛んな往来があることがわかる。グーグルやフェイスブックなどの企業が頻繁に元政府高官を雇い入れ、彼らを商業や政策サークルへ送り出し、業界の言い分を押し通させているのだ。例えば、プライバシーはどういうわけか人民の自由の侵害にあたる、とか、低い価格こそが消費財の主要指標であるべきだ、とか、依存性の高い技術は子供の成長にとって好ましい、などといった考え方を代弁させている。

ワシントンに盛んに出入りしているのはグーグルだけではないが、過去数年に限って言えば、その規模はほかに比べても圧倒的だった。ほかのテクノロジー企業の多くも、グーグルのあとに続こうとした。例えばウーバーはコミュニケーションと政策にまつわる活動のために、かつてバラク・オバマを大統領にするのに一役買ったデイビッド・プラフを二〇一四年に雇い入れた。その後、一連の優れたロビイストを採用し、自らの立場を強めるために学術研究を行い、飲酒運転根絶を目指す母親の会の支持も得た［注16］。

フェイスブックも数十人の元政治家を雇い、ロビー活動に参戦した。そのなかには、ジェフ・セッションズのもとで立法責任者を務めたサンディ・ラフ、ナンシー・ペロシのもとで参謀長を務めたカトリン・オニール、長年にわたりジョン・ベイナーの補佐官だったケイリー・マウラーなどが含まれていた。フェイスブックとグーグルがワシントンと密接な関係にある事実には、特に警戒すべきだろう。なぜなら、両社のソーシャルメディアと検索サイトは、右も左も関係なく、すべての政治家のキャンペーンにとって欠かせない一部になっているからだ（選挙に当選するごとにその関係は深まる）［注17］。言い換えれば、政治家たちは両社の顧客なのである。

学者のダニエル・クライスとシャノン・マグレガーは『The Work of Microsoft, Facebook, Twitter and Google with Campaigns During the 2016 U.S. Presidential Cycle（二〇一六年米国大統領選挙戦キャンペーンにおけるマイクロソフト、フェイスブック、ツイッター、グーグルの仕事）』という論文のなかで、そのような関係がすでにずっと続いていると指摘した。そうした企業は政治キャンペーンにサービスを売る（そしてその際大金を稼ぐ）だけではなく、「いわばデジタルコンサルタントとして……デジタル戦略、コンテンツ、実行などを受け持つことで」、キャンペーンのコミュニケーションを積極的に形づくっている［注18］。中立なプラットフォーム、あるいは伝統的なメディアとはかけ離れた態度だ。ビッグテックは政治コンサルタント業に進出し、「政治過程における活動員」になったのである。

## 「地球最大の黒幕」

ワシントンに大々的に働きかけているテクノロジー企業はグーグルだけではないが、同社ほどオバマ政権時代に頻繁にホワイトハウスを訪れた企業はほかにない。当時のグーグルはまさに「地球上で最大の黒幕」だった［注19］。どのような形で彼らが影響力を行使したかを観察すると、政治の世界では金が経済を完全に歪ませ、競争を損ない、制度に対する人々の信頼を弱めていることがよくわかる。

例として、データのプライバシーと反トラストの問題を見てみよう。この点に関して、二〇〇七年に広告ネットワークのダブルクリック（DoubleClick）を吸収したとき、グーグルに転機が訪れた。ダブルクリックは広告の大手で、広告主や広告代理店に、どのウェブサイトで広告を打つべきか決定する際のサポートを提供していた。スティーブン・レヴィが『グーグルネット覇者の真実』で書いたように、「ダブルクリックの買収により、グーグルが人々のネット上でのブラウジング活動に関して集める情報の範囲が一気に広がった」[注20]。競合他社や規制当局は疑問視したが、結局両社の合併は認められた。シカゴ学派の考え方では、(グーグルがオンライン広告市場の大半を支配することになることがわかっていたにもかかわらず)合併に異を唱えるに足りる反独占的な理由が見つからなかったからだ。ところがグーグル自身が、少なくとも自らの収益への影響という点で、合併に疑問を呈した。初めのうち、ラリー・ペイジとセルゲイ・ブリンは、自社のプラットフォームのクッキーを通じて集めるデータと情報を、(グーグルの一部になった)ダブルクリックを介して集まってくるデータと情報に組み合わせることに消極的だった。しかし、成長への圧力もあったので、最終的には容認する。合併のおかげで、「グーグルはインターネットの大きな頭と長いしっぽの両方からデータを得ることができる唯一の会社になった」と、レヴィは書いている。「そこで生じた疑問は、グーグルはそのデータを集約して、インターネットユーザーの行動を完全に追跡すべきだろうか? 答えはイエスだった」[注21]

グーグルはそれまでずっとユーザーに対して、ユーザーが認めた目的(検索、Eメール、ソーシャルメディア、マップ機能など、ユーザーが登録した目的)以外にデータを許可なく使うことはないと約束してきたにもかかわらず、ユーザーに関するあらゆるデータを組み合わせて、最も高い金額を支払う第三者に売りはじめたのである。それほど遠い昔というわけでもない一九九八年にペイジとブリンは『広告と複合的な動機』という論文を書き、そこでターゲティング広告により収益を上げる検索エンジンは害をなすかもしれないと不安視していたが、まさにそのような状況が生じたことになる。この新しい形のデータ処理は、アメリカの法律に明らかに違反しているわけではないが、完全に透明だと言うこともできない。のちに明らかになったのだが、グーグルのやったことの一部は米国欧州間のセーフハーバー協定に抵触していた。両地域間におけるデータの転送方法を取り決めた協定である。協定違反が明らかになったのは、グーグルが〝バズ（Buzz）〟という短命に終わったネットワークサービスを二〇一一年に導入したときだ。このサービスがユーザー情報を組み合わせて公開する仕組みが、批判の的になった［注22］。

二〇一一年三月、連邦取引委員会が異議申し立ておよび同意命令を発行し、グーグルにデータの扱い方を見直すよう求めた。具体的には、そのようなデータを広告主（あるいはそのほかの第三者）に開示する前に、ユーザーから同意を得るよう指示した［注23］。しかし、それから一年もたたないうちに、グーグルはブログ記事を通じて、同社は「あなたのことを、すべての製品に共通する一人のユーザーとして扱うので、その結果、よりシンプルで、より直感的なグーグル体験が可能になる」と、高らかと宣言した［注24］。非営利監視団体の電子プライバシー情報センター（エピック）が、そのような個人情報の統合およびプライバシーの侵害をやめさせるよう、連邦取引委員会に異議を申し立てた［注25］。

予想どおり、その後数多くのユーザー訴訟が続いた。しかし、裁判所には連邦取引委員会に行動を強制することはできなかった。それからの数年間で、グーグルは数多くのアプリやプラットフォーム、あるいはデバイスを用いた、複合的で実り豊かな監視技術を押し広め、まもなく店舗の訪問や電話通話などの会話も追跡できるようになるだろうと主張した［注26］。訴状がさらに増えていた二〇一二年、抜け穴を用いてアップルのブラウザ「サファリ（Safari）」のプライバシー設定を無視し、ユーザーのブラウザ利用歴を追跡しながらも、そのような監視を行っていない印象を広めていたという理由で訴えられたとき、和解のために同社は連邦取引委員会に過去最大の罰金を支払った［注27］。

ここで指摘しておくべきは、グーグルはそれまでの数年間、裏で静かに自らの立場を固めるためにロビー活動を続けていたという事実だ。その活動には、いつものように、いつかグーグルの立場を公に支持してもらうことになるかもしれない大学、シンクタンク、非政府組織に現金をばらまくことも含まれていた。二〇一九年の『ワイアード』誌の記事はグーグルがどのようにワシントンの議論を操っていたか調査しているが、そのなかでジョージタウン大学の法学教授にしてエピックの理事長でもあるマーク・ローテンバーグが、エピックが二〇〇七年にダブルクリックの、二〇一四年にはネスト（Nest）の買収に関してグーグルを訴えたとき、同社はすぐに金のばらまきを行ったと指摘している。「金で沈黙を買う」と、ローテンバーグは言った。「グーグルには、同意する専門家は必要ない。彼らに必要なのは、目をそらす専門家たちだ」［注28］

では、規制する側はどうかと言うと、彼らが最善を尽くしているとは、とても言えない。ビッグファイナンスと同じで、ビッグテックでも、高額な罰金を支払うことを事業の必要経費とみなす態度が普通になった。金さえ払えば、規制の問題を遠ざけることができると、シリコンバレーは学習した。一般市民の利益を守護する役割をもつ人々が、企業に実際の行動の変化を強いることができない、あるいはそのつもりがないことは、周知の事実だろう。現実的には、企業と政策立案者の利害は非常に密接に結びついているように思える。本書に関する報道が行われた際、上院議員補佐官の一人が悔しそうな表情を見せながら私に「グーグルはオバマのハリバートン（訳注：ブッシュ政権との密接な関係を問われた米石油メジャー）だった」と言った。

オバマのホワイトハウスで影響力を強めていたグーグルは、インターネットの未来について書かれた重要なレポートが議論を巻き起こした話題に関心を向けるようになった。グーグルの副社長だったマリッサ・メイヤー率いる委員会が作成し、ホワイトハウスが二〇〇九年に公開したレポートだ［注29］。同レポートは二〇〇〇年代初頭に学者のティム・ウー――以後、ビッグテックにとって強力な批判家となる人物――が提唱した「ネット中立性」を支持していた。

ネット中立性は、「オープンアクセス」の捉え方に関して、デジタル巨大企業と大手通信会社のあいだに広がる溝の中心に横たわるテーマだった。ビッグテックのプラットフォーム企業は、AT&Tやベライゾンなどといったネットワーク・プロバイダーが特定のコンテンツを優遇するための追加料金を要求するのを防ぐ手段としてのネット中立法を支持していた。例えばグーグルは、コムキャストがフールー（Hulu）のコンテンツをユーチューブのコンテンツよりも多く流通させるのを阻止したかった。たとえ、フールーにより多くの料金を支払う意志があるとしても、だ。これは企業間の縄張り争いにほかならないのだが、ビッグテックのロビイストと為政者は巧みにもこの争いを、弱者を守るための戦いであると人々に思い込ますことに成功した。

ネット中立性という概念は、金持ちも貧乏人も、スタートアップも多国籍コングロマリットも分け隔てなく、誰もが公平な競争の場としてインターネットを利用できなければならないとする考えとして理解されるようになった。アメリカのリベラル派は、公平な社会というわかりやすい理由から、この考えを支持した。しかし、保守派の一部が、さらにはビジネス界のメンバーの一部が、ネットの中立性のせいでインタープロバイダーはブロードバンド回線への投資に見合う収益が得られなくなるだろうと主張した（ブロードバンド回線をつくったのはインターネットプロバイダーであり、グーグルやその同類ではない）。この指摘はもっともだと言える。結局のところ、二一世紀のデジタル・ハイウェイをつくった当事者であるテレコム企業が一桁の利幅しかないのに、誰かが猫の動画をアップロードするのをじっと待って、アップロードされたらそれを使ってハイパーターゲティング広告を打つだけのグーグルやフェイスブックは二桁後半の利益率を誇っているのだから。

もちろん、妥協点は見つからなかった。確かに、個人のインターネットユーザーがコンテンツの中身に関係なく、誰もが同じデータレートを支払うべきだという考えには一理ある。オンライン市民に貧富の差はないはずだ。それに、個人の権利が大企業間の縄張り争いのとばっちりを受けていい道理もない。ならば単純に、個人と大企業にはそれぞれ別のルールを設定すればいいだろう。それなのに、ビッグテックが資金援助する電子フロンティア財団（国民の自由のために活動しているのは間違いないのだろうが、その一方で、ネット中立性から最も大きな恩恵を受ける巨大企業から数百万ドル規模の資金援助を得ている）のような団体が、ケーブルプロバイダーはサイトを通じて大量のビデオのダウンロードを生成する業者、例えばグーグルやネットフリックスにも、追加料金を請求する権利をもつべきではないとしたうえで、インターネットプロバイダーが今よりも大きな力をもてば、インターネット上でのイノベーションが妨げられ、小規模な事業を不公平に罰することになると、声高に主張した。ビッグテック企業はネットワーク効果のおかげで独占的な地位を得て、ますます支配力を強め、無数の方法でライバルを押しつぶすことができるのだから、テレコム企業などよりもビッグテック企業のほうがイノベーションにとって妨げになると、数多くの批評家が言うだろうに。

しかし二〇一五年、連邦通信委員会がオープンインターネット命令を発し、テクノロジー企業の思うつぼになった。この命令により、ケーブル会社は〝自由〟の対価をユーザーに負担させざるをえなくなった。その副作用の一つとして、回線のブロードバンド化が、特に農村部でスローダウンした［注30］。じつは数年前から、グーグル自身がアメリカでサービスの不足している地域に回線を伸ばそうとしていたのだが、ファイバーを敷設するのは個人データをターゲティング広告に利用することに比べると苦労が多くて実りが少ないことに気がついてからは、ペースを落としていたのだった［注31］。

二〇一七年、トランプ政権下の連邦通信委員会がネット中立性規則を撤廃した。二〇一九年、下院民主党議員が規則の復活法案を可決し、この問題を選挙戦の主要なテーマにしようとしている。しかし、復活か否かを論じるとき、それが誰の利益になるのか——消費者か、それとも大企業か——をはっきりと、誠実に議論する必要がある［注32］。テレコムの批判家たちは、二〇一七年の規則撤廃以降、ケーブル会社はネットワークを改善するという約束を果たすのに必要なだけの設備投資をしてこなかったと指摘する［注33］。これはもっともな指摘で、ネット中立性についてテレコム企業が初めに主張していた内容に疑問を投げかけるものだ（ただし、迫り来る不況や5Gの規則や規制をめぐる議論など、現在のところ設備投資を控える理由も数多く存在する）。その一方で、二〇一七年以降、ブロードバンドの速度が向上したのも事実である。だから猫のビデオをダウンロードする速さに貧富の格差はないように見える〔注34〕。ここで重要なのは、この戦いは一般の利益のためではなく、企業の富をめぐって繰り広げられているという点を知っておくことだ。

ネット中立性は、私たちの経済と市民社会にとって中心的な問題であり、一般に議論されているテーマの一つだ。この点で、第五章で詳しく論じた特許の問題とはまったく異なっている。数年前から、私はさまざまなグループ——バイオテクノロジー分野のスタートアップ、半導体および電子企業、クリーンテクノロジー会社、データ解析グループ、大学、モノのインターネットの開発に取り組むイノベーター、これらの分野に投資するベンチャーキャピタリストなど——が、特許制度とその仕組みに関する議論が国内の大手テクノロジー企業によって乗っ取られてしまったと嘆くのを聞いてきた。実際のところ、現状のシステムに不満を抱いていないのは、グーグル、アップル、インテル、シスコなどといったシリコンバレーの巨大企業だけのようだ。

彼らには守るべき独自の特許があるが、彼らのビジネスモデルは、数百、数千の知的財産が含まれているにもかかわらず、扱う特許が少なければ少ないほどうまくいくようだ。一方、中小のソフトウェア会社やハードウェアサプライヤー、あるいはライフサイエンス会社はまったく違うビジネスモデルに依存していて、そこでは少数の特許を守り、それまでの投資に見合った額を利益として得ることができるかどうかで、生死が決まる。そのような企業は、特許の振り子があまりにも遠くへ離れて行ってしまったと感じている（議員の超党派グループと米国特許商標局の現局長も同じ意見だが、理解者を得るのに苦労している）。

もちろん、ビッグテックは違う意見だろう。しかし、ここで重要なのは、これが一方的な議論であるという点ではなく、最大級の企業にとって自分たちの都合のいいようにゲームのルールを変えるのが極めて簡単で、しかもそれが経済エコシステム全体を損なっている点だ。特許以外にも、自動運転車の規制に始まり、公共監視、あるいは著作権の反トラストにいたるまで、さまざまな分野でビッグテックは金の力で一般の議論を封じ込めてきた。ただし、公平を期すために指摘しておくと、ビッグテックが活用する利点は、必ずしも積極的なロビー活動から生じたのではなく、同じぐらい頻繁に、法的な意味での怠惰さに由来している。賢い規制がない状態が続けば、業界は現代のテクノロジー企業が生まれたばかりの数十年前に制定されたルールの恩恵を受けつづけるだろう。

現在の（商取引の主要分野になりつつある）デジタルコマースを制御するおもな法律の多くは、インターネットが今とはまったく別物だった一九八〇年代から一九九〇年代にかけてつくられたものだ。例えば通信品位法の第二三〇条は、テクノロジー企業に対し、プラットフォームにおける人々の行動や発言に対する責任を免除している。この法律がつくられた一九九六年当時は、Ｂａｃｋｐａｇｅ．ｃｏｍのような企業がこの条項を抜け穴として利用し、意図的にオンライン性的人身売買用のプラットフォームをつくり、そこから多大な利益を上げることになるとは、誰も想像していなかった。二〇一七年八月一日、ミズーリ州の民主党員クレア・マカスキルとオハイオ州の共和党員ロブ・ポートマンが率いる超党派の上院議員団がある法案を提出した。その目的は意図的に性的人身売買を促進するテクノロジー企業を第二三〇条から除外すること。つまり、そのような行為に対する責任を負わせることにある。この法案は「Stop Enabling Sex Traffickers Act（性的人身売買抑止法）」を略してSESTAと呼ばれた。めったにないことだが、これは誰もが支持できる法案だったと言える。例外は最大手のテクノロジー企業とそれらのロビー活動グループで、彼らはこの法案が、彼らにとって邪魔になる法的なパンドラの箱を開けてしまうと恐れていた［注35］。

そこで彼らは抵抗することにした。反対グループは法案のおおまかなコピーを導入の数カ月前から手に入れていたにもかかわらず、修正案を出すことを拒んだのだ。「我々はデューデリジェンスを行い、数カ月にわたり超党派の集まりとしてテクノロジー関係者と会合を続けてきたが、彼らは建設的なフィードバックを一切行わなかった」と、ポートマン側のスポークスマンであるケビン・スミスが語っている。テクノロジー企業は第二三〇条の改正は断固として拒否し、代わりに刑法を厳しくするなど、一連の（説得力のない）代替案を提案した。当時、グーグルやフェイスブックを代表する業界団体であるインターネット協会のスポークスマンを務めたノア・セランが私にこう話している。「インターネット業界全体が人身売買の終わりを望んでいる。しかし、合法的なインターネットサービスの基礎をなす法律を変えずに、終わらせる方法があるはずだ」

当然のことながら、そのような態度がマスコミで好意的に報じられることはなかった。特に、『ニューヨーク・タイムズ』紙のコラムニストであるニコラス・クリストフが記事のなかで、グーグルは性的人身売買を防止するための法案の通過を、ロビー活動を通じて阻止しようとしていると非難したあとは、逆風はさらに強くなった[注36]。最終的に、二〇一六年のロシアによる選挙介入問題で損なわれていたイメージを回復する必要に迫られていたフェイスブックが折れて、法案を支持する側に回った。インターネット協会も降参した。グーグルは沈黙した。おそらく、コンシューマー・ウォッチドッグという消費者団体がレポートを発表して、グーグルが長年にわたり、性的人身売買を可能にしている通信品位法第二三〇条の穴を埋めようとする議会の努力を陰で妨害してきた事実を明らかにしたからだろう[注37]。全米民生技術協会ならびにネットチョイスという二つの有力ロビー団体も法案に反対しつづけたが、最終的には、法案は議会を通過した[注38]。

しかし業界はその後も、取引協定の再交渉などを通じて、法を回避する方法を探しつづけた[注39]。ＳＥＳＴＡにより性的人身売買とオンライン犯罪が減ったという明らかな証拠があるにもかかわらず、電子フロンティア財団は同法の合憲性に異議を申し立てた[注40]。

公平に見た場合、検閲につながるかもしれないとする電子フロンティア財団の懸念はまっとうだ。プラットフォーム企業にウェブを取り締まらせることに同財団が不安を覚えるのも、もっともだ。同団体の政策長を務めるデビッド・グリーンが二〇一八年に私に言った言葉を借りるなら、「彼らはそれが本当に下手」なのだから［注41］。つまり、双方ともに言い分はある。しかし、だからといって、今の状態をそのままにしておくのは何の解決にもならない。問題が消えてなくなるわけではないのだから。実際のところ、プラットフォーム企業が免責されていて、しかも問題のあるコンテンツを監視する能力にも欠けているという二点が、デジタル経済には新しい法的な枠組みが絶対に必要である事実を裏づけている。それなのに、新しい枠組みはまだできていない。政治家たちが――言うまでもなく、非営利シンクタンクの専門家や学者、あるいはジャーナリストの多くも――ビッグテックの語る物語を完全に真に受けているからだ。

例として、ビッグテックが創作したヨーロッパに関する物語を見てみよう。多くのアメリカ人経営者や一部の政治家は、〝統制された〟古いヨーロッパに反感を覚え、ヨーロッパのことを柔軟さに欠ける場所とみなしたうえで、だからこそ規制は成長の敵なのだと主張する。私自身、シリコンバレーからやってきたCEOから「君たちはイノベーターではない、最大級のテクノロジー企業をつくっていない、君たちの「プライバシーと独占に関する」心配はただの負け惜しみに過ぎない」と言われることにうんざりしているヨーロッパの政治家を数多く知っている［注42］。

しかし、ゲルマン・グティエレスとトーマス・フィリポンのすばらしい調査から、欧州市場はどの点をとってもアメリカよりも競争的であることがわかる。また、同調査は、アメリカにおける政治的ロビー活動の大幅な活発化が、一九九〇年代以降、欧州連合のほうがアメリカよりも企業の集中も、超過利潤も、参入障壁もはるかに低い理由になっていると指摘した[注43]。さらに、アメリカにおけるロビー活動費の急騰が、一九九〇年代からアメリカとヨーロッパのあいだで集中の度合いに大きな差が開いたことのおもな原因であることもわかった。

「ヨーロッパの当局はアメリカのそれよりも独立していて、個別の国家がやってきたよりも強く、競争を促す政策を推し進めている」と、グティエレスとフィリポンは書いている。GDPの数字や大企業の規模を基準に競争力を測った場合、ヨーロッパはアメリカにおくれをとっている。しかし、昨今の経済学者のほとんどが同意するように、GDPだけでは幸福の指標としてはじゅうぶんではないし、企業の集中が進むというのは、経済の活力ではなく、むしろ健全さが損なわれていることの兆候だと言える。この事実は、シリコンバレーが好んで口にする「ヨーロッパ人はイノベーティブでないから、インターネット巨大企業が育たない」という主張に対する反論になる。確かに、ヨーロッパにはFAANGに相当するものは存在しない。だがある意味、そのほうがいいのである。

これらはいずれも、ヨーロッパには規制問題も政府と民間企業の不健全な癒着も存在しないと言っているわけではない。ドイツの銀行制度の機能不全は、心地よい癒着が利益相反を生み、それが大きな火種になることを示す典型例だと言える。二〇〇八年の金融危機では負債にまみれた一連の国有銀行が崩壊したし、現在ではドイツ銀行の救済が試みられている。

しかしアメリカでは、ほんの一握りの大企業がとてつもなく膨大な政治力を発揮している。例えば、二〇一九年にグーグルがキューバ向けに高速なウェブコンテンツを展開すると発表した件を見てみよう［注44］。このアイデアは、ベネズエラのニコラス・マドゥロ政権に厳しい態度をとると約束したトランプ大統領のやり方に逆行しているように見える。キューバ人はベネズエラに諜報サービスを提供していると考えられているからだ。そもそも、グーグルはどうやってキューバに回線を通す権利を得たのだろうか？　元会長のエリック・シュミットを含む四人のグーグル高官――すでに指摘したように、同社はオバマ政権と極めて深い関係にあった――が、二〇一四年の渡航禁止令の真っ最中にキューバに飛んだからだ。六カ月後、キューバに対するアメリカの政策が変わった。そしてトランプ政権下の今、グーグルはユーチューブビデオをキューバへ送信することができるのである。

商業的に見た場合、これはグーグルにとってさほど大きな取引ではない。ラテンアメリカの独裁者がキューバと手を組むよりも、グーグルのほうがましだと考えることもできるだろう。しかしこの出来事から、アメリカは私たちの多くが思っている以上に〝ラテンアメリカ的〟であると結論づけることもできるだろう。そこではほかの何よりも金と人脈が優先されるのである。ミレニアル世代の人々が、彼らの両親の世代よりも強く、市場を政治的だとみなすのも不思議な話ではない。彼らは共産主義の失敗を体験していない若い世代として、資本主義の偽善をずっと見てきたのだから［注45］。

前回、主要業界が規制システムを牛耳ったために、経済的な安全も民衆の信頼も損なわれたのは、二〇〇八年の金融危機の前後だった。この点を忘れないでおこう。ドッド＝フランクの金融改革および規制が定められるのに何年もかかったうえに、市場を安全にするという本来の目的を達成することができなかったのは、改革の影響を受ける既得権益の数があまりにも多かったからだ。改革案について話し合う会合の九〇パーセントに、諸銀行が参加していたし、多くのロビイストに加えて、七つの金融規制機関やさまざまな政治団体も関与していたので、できあがった法案はスイスのチーズよりも穴だらけだった。だから、トランプ政権にとってドッド＝フランクの一部を撤廃するのは難しいことではなかった。実際のところ、右派左派に関係なく、数多くの人がドッド＝フランク金融改革を初めから嫌っていた。産業ロビイストによって、あまりにも複雑で、多くの点で無意味なものにされていたからだ。

これと同じパターンを、現在のシリコンバレーに見ることができる。この事実が、二〇一六年の選挙で燃え上がったポピュリズムの炎に、さらなる油を注ぐことがないのを祈るばかりだ。

# 第12章

# 2016年、すべてが変わった

CHAPTER 12

2016: THE YEAR IT ALL CHANGED

もしフェイスブックが一つの国だとしたら、世界最大の国家になる。世界総人口のおよそ三分の一に相当する二〇億人が毎月ログインしているのだから。フェイスブックのプラットフォーム上でも毎日顔を合わせる親友や家族を除いて、ほかの誰よりも私たちのことをよく知っているのがフェイスブックだ。そう考えると、悪意ある工作員が民主的なプロセスを崩壊させるためにそのデータを悪用するのも、時間の問題だったと言える。

政治家たちも選挙を有利に進めるために、詳細なデータや社会からのフィードバックを長年にわたって利用してきた。しかし、最大規模のプラットフォーム企業が実践している監視資本主義によってそのような技術が利用されるとき、どれほどの影響力が生まれるのかを一般の人々が知ったのは二〇一六年だった。大統領選挙の準備段階で、政治グループは合計して一四億ドルを広告とマーケティングに費やした。前回の選挙戦の四倍の額だ[注1]。当然、その際に大儲けしたのはフェイスブックとグーグルだった。加えて、両社は違う形でも選挙にかかわっていた。トランプのキャンペーンに従業員を「埋め込んでいた」のだ（両社のPR関係者は「埋め込み」という言い方をメディアのレポートから排除しようと躍起になっているが、これは彼らのやり方を完璧に言い表した単語だ）。潜在的な投票者にメッセージを届けるために、プラットフォームを最大限に活用する方法を政治家に教えるスタッフを無料で提供したのである。

二〇一六年の場合、その効果は前例のないものだったが、方法自体は新しいものではなく、メディアは以前から、政治キャンペーンに密接にかかわってきた。近年の調査報告の多くが示しているように、ビッグテック企業――フェイスブックとグーグルだけでなく、ツイッターやマイクロソフトなども――は政治コミュニケーションを新しいレベルに引き上げた。二〇一二年以降、これらの企業が両陣営のキャンペーン戦略に深くかかわってきた。二〇一二年の選挙戦でグーグルとフェイスブックのスタッフは、デジタル広告の購入に関してオバマとロムニーの両者に協力した。二〇一四年には、ツイッターが選挙で有権者に働きかける方法を記した一三六ページにおよぶマニュアルを発行した。同年、クリントンのキャンペーンがテクノロジー企業をどう活用すべきかを記した戦略メモが、ヒラリー・クリントンのキャンペーン参謀長やほかの幹部たちのもとに送られてきた。「グーグル、フェイスブック、アップルなどのテクノロジー企業と協力することは、二〇一二年の我々にとって非常に重要だったが、文化におけるそれらの優位性を考えると、二〇一六年のあなた方にはさらに重要度が増すことだろう。そのようなパートナー関係は優れた人材や潜在的な資金供与者に始まり、ベータ製品の早期知識からパイロットプログラムへの招待にいたるまで、さまざまなメリットをもたらす」[注2]

二〇一六年、ビッグテックが古い時代の政治キャンペーンを完全に打ち壊した。二〇一六年にフィラデルフィアで開かれた民主党全国大会でも、同じ年にメリーランドで開催された保守政治活動会議（CPAC）でも、ビッグテックが大いに存在感を示した。フィラデルフィアでは政治家やスタッフが技術者と交流できる産業スペース全体をグーグルが占拠していた。また、同社は共和党員にも協力していて、例えばランド・ポールのデジタル責任者であるヴィンセント・ハリスは、キャンペーン内容と広告について〝構想を練る〟ためにグーグル本社におもむいている。フェイスブックも両会議で存在感を示し、「新しい有権者の関心を引くためにプラットフォームを活用する方法を［ＣＰＡＣで］保守的な候補者に教える」役目を担った[注3]。

そのような関係は双方にとって実り豊かだった。ダニエル・クライスとシャノン・マグレガーはこう指摘する。「企業はロビー活動の一環として、政治の領域でマーケティングや広告収益、あるいは関係の構築に精を出す。……フェイスブック、ツイッター、グーグルは自社サービスの宣伝やデジタル広告の購買促進の枠を超えて、キャンペーンを積極的に形づくっている」。二人はさらに、「これらの企業はいわばデジタルコンサルタントとして働き、戦略と内容と実行」のすべての実現にかかわっている、と結論づけている。

キャンペーンをする側から見ても、それを拒む理由はない。ツイッターのコミュニケーション副部長であるヌー・ウェクスラーが内部文書で使った言葉を借りるなら、ビッグテックは「無償の労働者」として奉仕する。クライスとマグレガーのインタビューに応じて、ウェクスラーはトランプの選挙キャンペーンのスタッフは少人数だったが、それを補うようにテクノロジー企業の専門家たちが戦略やコミュニケーションのアドバイザーを務めていたと指摘する。「トランプのやり方では……郊外の空港近く、小さなショッピングモールに安価なオフィスを借りて、トランプ・デジタルをやるぞと言っていた。彼らは企業を、広告会社を、ソーシャルメディア会社をそこ［サンアントニオにあるキャンペーン本部］に集めて、そのショッピングモールを拠点に活動した。そして私たちも、フェイスブックも、グーグルも協力した」。ウェクスラーによると、サポートの多くは「結果をもたらす広告」をつくることに関係していたそうだ［注4］。

結果はともかく、トランプのキャンペーンの汚いやり方にフェイスブックやほかのウェブサイトあるいはアプリから集められた大量のデータが加わったことで、はるかに〝暗い〟何かが生じた［注5］。選挙の二週間前に発売された『ブルームバーグ・ビジネスウィーク』誌の記事によると、トランプは、選挙に勝つには奇跡が必要であることを自覚していて、悪名高きスティーブン・バノン、トランプの義理の息子ジャレッド・クシュナー、その他メディア界の重鎮たちが率いるキャンペーンチームは、フェイスブックとツイッターとユーチューブに奇跡を見つけたのだった［注6］。

テクノロジー業界に知人を多くもつクシュナーが「ある意味隠れトランプファンであり、デジタルマーケティングに精通するシリコンバレーの住人に接触した」。そして彼らがキャンペーンチームに対し、選挙前によく狙い澄ましたオンラインメッセージを送ることで、投票相手を決めあぐねている有権者をその気にさせたり、抑圧したりすることができると証明してみせたのだ。

『ブルームバーグ・ビジネスウィーク』誌の記事には、キャンペーンの上級幹部のコメントが引用されている。「我々は大規模な有権者抑圧作戦を三種類実施している。具体的には、クリントンが圧勝するために必要としている三つのグループ、理想主義的な白人リベラル、若い女性、そしてアフリカ系アメリカ人をターゲットにした作戦だ」

作戦活動では、人々にクリントンに投票する気をなくさせる（抑圧する）ことを目的にしたプロパガンダが大量にばらまかれた。ヒラリー・クリントンを貶めるビデオが配信され、フェイスブックを利用して三〇万ドル近くの寄付を集めることにも成功した。また、クリントンが北米自由貿易協定（NAFTA）を支援していることを強調するオンラインメッセージを広めるサポートをしたフェイスブックに謝礼も支払った。さらには、重工業地帯の住人が、自分たちは共和党に見捨てられただけでなく、民主党のコーポラティズム派からも裏切られたと感じていて、そのためクリントンに対する憎しみのメッセージを受け入れやすくなっていることに注目して、彼らに向けて女性蔑視のメッセージを発信した。プロパガンダに真実のかけらが含まれていれば、それはそれでよし（夫のビル・クリントン政権がNAFTAを制定したのだが、ヒラリー・クリントンは選挙キャンペーン中に貿易に対する立場を変えていた）。含まれていなくてもかまわない。

プロパガンダの一部は、直接トランプ陣営から来たものだったが、外国の工作員があおり立てたプロパガンダもあった。例えば、リアリティ番組のスターだったトランプが勝つことを望んだロシア人工作員。トランプがプーチンに何らかの借りがあるのかどうかはわからないが（多くの人が待ち望んでいたロバート・ミュラー特別顧問のレポートは、トランプとプーチンのあいだに共謀があったことを宣言するにはいたらなかったが、ロシアとトランプ・チームのあいだで選挙前に疑わしい対話がしきりに行われていたので、両陣営とも相手が何を思っていたのか正確に把握していたことは証明した［注7］）、ロシアにとってトランプのほうがクリントンよりも操作しやすかったことは間違いない。クリントンは外国政策、特にロシア問題に厳しかった。

ミュラーのレポートはインターネット・リサーチ・エージェンシーというクレムリンのために働いているロシアの会社がフェイスブックやほかのソーシャルメディアで何百人ものユーザーをクリントンに不利になるようにデザインされた広告に引き寄せていたことを明らかにした。このグループのコンテンツは、じつに一億五〇〇〇万人ものネットユーザーに届いた。トランプ陣営のデジタル責任者であるテレサ・ホンは、端的にこう表現する。「フェイスブックがなければ、私たちは勝てなかっただろう」［注8］

ちょうどそのころ、フェイスブックの出資者で、かつてはザッカーバーグの指導者でもあったロジャー・マクナミーが、オンラインでおかしなことが起こっていることに気づいた。「私は二〇一六年の二月、最初の米国大統領予備選挙を控えていたころ、フェイスブックのことを真剣に心配するようになった」と、マクナミーは著書『Zucked』の執筆を始めた二〇一七年に私に語った。政治大好き人間のマクナミーは「毎日数時間をかけてニュースを読むのに加えて、かなりの時間をフェイスブック上で過ごしていた」と書いている。「私はフェイスブックで不快な画像が増えていることに気づいた。どれも友人が共有したものだが、もとはバーニー・サンダースのキャンペーンに関連するフェイスブックグループに由来する、とのことだった。画像はヒラリー・クリントンに対してひどく女性蔑視的な内容だった。バーニー・サンダースのキャンペーンチームがそのような画像を使う許可を出すとは、私には信じられなかった。しかもやっかいなことに、それらの画像はあっという間に拡散していた。私の友人の多くが共有していたし、毎日のように新しい画像も現れた」［注9］

選挙結果に対するソーシャルメディアの影響力に、マクナミーは心配を募らせていった。彼がショックを受けたのは——彼だけでなくほとんどの人が驚いたのだが——事前の世論調査のすべてに反して、国民投票でイギリスの欧州離脱（ブレグジット）が決まったことだ。当初、イギリス政府は悪意のある工作員がプラットフォームを使って国民投票に関与したという説を否定していたのだが、のちの二〇一九年二月にイギリス議会が発表したレポートはその逆を主張している［注10］。ブレグジットがロシアの工作員の影響を受けていた可能性を指摘したのだ。少なくとも選挙で情報操作が行われている大きな疑いがあることを認めたうえで、委員会は今の選挙法をフェイスブックのような「意図的かつ故意にデータのプライバシーと反トラスト法の両方を侵害する」企業に対処するには「向いていない」とみなし、見直したほうがいいと提案した。

国会議員のダミアン・コリンズはこう指摘する。「民主主義は危機に瀕している。出どころの怪しい偽情報や個人化された〝ダークな広告〟が、私たち国民を狙って、私たちが毎日使う主要ソーシャルメディア上で悪意をもって容赦なく拡散されているのだから。そのうちの多くは、ロシアなど外国で活動する工作員が広めたものだ。……大型テクノロジー企業は、ユーザーを有害コンテンツから守り、彼らのプライバシーを尊重するという義務をまっとうしていない」

コリンズは付け加えた。「その証拠に、フェイスブックは調査に対し不完全な、曖昧な、ときには誤解を招く回答をすることによって、委員会の仕事を繰り返し意図的に妨害しようとした。……マーク・ザッカーバーグはイギリスの国会に対して何の責任も負わないと考えているのかもしれないが、彼は全世界のフェイスブックユーザーに対して責任を負うのである。私の委員会が明らかにした証拠が示すように、マーク・ザッカーバーグはいまだに質問のいくつかに答えず、はぐらかし、我々の調査に直接応答することを拒み、情報を明かす権限のない人物を代理人として送り出している。世界最大級の企業のトップに期待されるリーダーシップや責任感を示すことに、マーク・ザッカーバーグはずっと失敗している」

これと同じことを、二〇一六年の米国大統領選挙に対するフェイスブックの態度にも言うことができる。しかし、少し注意して観察すれば、フェイスブックらが選挙に関与していたのは明らかだった。フェイスブックやグーグルといったプラットフォームが選挙で果たした役割に関するレポートが増えれば増えるほど、オンライン・プロパガンダが例えば移民問題——二〇一六年のブレクジット賛成派やトランプのキャンペーンで悪用されたテーマ——などの論争をあおるために利用されたことが明らかになっていった。

マクナミーはこう語る。「初めて私は、フェイスブックのアルゴリズムが中立的なメッセージよりも扇動的なメッセージを引き立てる可能性があることに気づいた」[注11]。それどころか、まさにそのアルゴリズムが私たちをより危険で非民主的な方向へ導き、世界を二分化するかもしれないという事実も明らかになってきた。

そこで彼は行動に出ることにした。大統領選挙投票日を目前に控えた二〇一六年一〇月、マクナミーはマーク・ザッカーバーグとシェリル・サンドバーグのもとを訪れたのである。マクナミーは二人のことを友とみなしていたので、自分の覚える不安に彼らは耳を傾けるに違いないと予想していた。とどのつまり、マクナミーこそ、フェイスブックを一〇億ドルで買収しようとしたヤフーの申し出を断るよう、マーク・ザッカーバーグに助言した張本人なのだ(今の価値を考えれば正しい選択だった)。また、ザッカーバーグにグーグルで広告の専門家をしていたシェリル・サンドバーグをフェイスブックのCOOに推薦したのもマクナミーなのだ。

しかし、マクナミーはあまりに楽観的だったようだ。確かに、マクナミーは以前から二人と付き合いがあったし、シリコンバレーの投資家として長年活動してきたのではあるが、ザッカーバーグとサンドバーグは近づいてきた彼を突っぱねた。実際のところ、二人はここ二年ほど、ほとんどすべての人に対して壁を築いてきたのだった［注12］。

マクナミーはのちに『フィナンシャル・タイムズ』紙に寄せた記事でこう書いている。「彼らは、私が見たものは会社が対処した個別の出来事に過ぎないと丁寧に説明した。二〇一六年の大統領選挙のあと、私は三カ月をかけて、もし私が見た問題が会社の構造やビジネスモデルの欠陥の結果であるのなら、同社のブランドを脅かすことになると認めるよう、フェイスブックに働きかけた。責任をとらないでいると、ビジネスに不可欠な信頼が損なわれてしまう、と」［注13］。しかし、この説得も無駄に終わった。

私のインタビューに応じて、二〇一七年にマクナミーは、サンドバーグとザッカーバーグは選挙スキャンダルに対して「クリーンルーム《無菌室》」作戦を実行した、と話した。二人はすべてのファスナーを閉め、どんな犠牲を払おうとも、何が起ころうとも、自分たちと会社を守ろうとした。彼らのビジネスモデルは、プラットフォームにとってとにかく多くのクリックをもたらす、つまり多くの収益をもたらすコンテンツが勝つようにできていた。そのコンテンツが有権者を操作したり人種差別や憎しみをあおったりするものでもかまわない。フェイスブックにとって、そしてほかの主要プラットフォーム企業にとって、それほど失うものが大きいということだ。二〇一二年、フェイスブックは一〇億人のユーザーを抱えていた。二〇一六年はその倍だ。収益のほうはその期間で四倍以上、五〇億ドルから二七六億に増えていた。二〇一八年末の時点で、五五八億ドルに達している［注14］。

二〇一八年二月、アメリカの司法省は、ドナルド・トランプに勝利をもたらすために誤った、あるいは不和を引き起こす情報を流布して選挙を操作したという理由で一三人のロシア人と三つの会社を訴えた［注15］。そして司法省による調査を通じて、そうした会社はアメリカのテクノロジー・プラットフォーム、特にフェイスブックを利用していたことと、フェイスブックが広告料としてロシアの工作員から一〇万ドルを受け取っていた事実が明らかになった。同様に、インスタグラム（フェイスブックの子会社）、ツイッター、ユーチューブ（グーグル傘下）、ペイパルも犯罪行為から収入を得ていた［注16］。

それなのに、これらの会社はいかなる責任も負おうとしない。フェイスブックで部長職を務めるアンドリュー・ボスワースが二〇一六年に書いた文書がリークされて、二〇一八年にバズフィードで公開されたのだが、そこにはこう書かれている。「我々は人と人をつなぐ。それだけだ。だからこそ、我々が成長に費やす仕事［プライバシーを侵害する技術のこと］のすべてが正当化される。疑わしい連絡先のインポートのすべてが。人々が友人によって検索されうる状態を保つためのすべての微妙な言葉が。より多くのコミュニケーションをもたらすために行うすべての仕事が」。文書の別の場所で、ボスワースは人と人との接続がうまくいかなくなったとき、どんな問題が起こりうるか、推測している。「誰かがいじめの対象になり、命を落とすかもしれない」。あるいは「我々のツールを使って協調されたテロ攻撃が行われて誰かが死ぬ可能性もある」[注17]。どうやら幹部たちは、そのような対外的にネガティブな出来事も、世界を結びつけるというフェイスブックの使命をまっとうするために支払わなければならない犠牲とみなしていたようだ。

ジャーナリストのエヴァン・オズノスが二〇一八年の九月に『ザ・ニューヨーカー』誌で発表した記事はザッカーバーグの人となりをテーマにしていたのだが、そのなかで彼はザッカーバーグが選挙不正だけでなくほかのフェイスブックがらみのスキャンダルでも頻繁に見せる「否定して話をそらす態度」について説明している。ユーザーデータ契約の侵害、意図的に児童を操作することを目的とした行動技術の応用、ミャンマー軍事政権のような独裁政権による大量虐殺目的のプラットフォームの使用などの問題において[注18]、ザッカーバーグの態度は初めから最後まで一貫して同じだった——何も問題はない。

「フェイスブック上のフェイクニュース——誰もが知っているように、その数はほんの少しに過ぎない——が何らかの形で選挙に影響したというのは、とてもおかしな考え方だと思う」と、ザッカーバーグは二〇一六年に発言している。その後、その逆を示す証拠が山ほど見つかったのに、二〇一八年になっても態度を変えなかった。「人々が誰かにだまされたという理由だけで特定の人に投票すると考えるのは、侮辱的だとしか思えない」と、オズノスに語ったのだが、この言葉には驚かざるをえない。なぜなら、フェイスブックの技術は開発という意味でも応用という点でも、まさに人をだますために発展してきたのだから。

この問題に対して、警告が一切行われてこなかったわけではない。シリコンバレーの人々は、そのような問題について二〇一一年ごろにはすでに懸念を示していた。リベラルな政治組織であるＭｏｖｅＯｎ．ｏｒｇの理事長であるイーライ・パリサーがＴＥＤトークでプレゼンテーションを行い、フェイスブックとグーグルがどのような形でアルゴリズムを用いて、人々を自分と同じ考えをもつ人々しかいない政治部屋に導いているかを説明した。そのタイトルは「オンライン・フィルターバブルに注意しろ」[注19]。ちょうど同じ年、ユーザーのオンライン活動に関する情報をより詳細に集めるために――つまり、より価値の高い情報を広告主のために得ることを目的として――グーグルが独自のソーシャルネットワークを導入してフェイスブックに張り合う姿勢を見せる。悪意のある者がインターネットユーザーを自らの利益のために利用するかもしれないという、ペイジとブリンが一九九八年の論文で表明していた恐れが、現実のものになったのである。

それなのに、ビジネスモデルを変えることで利益が損なわれる恐れがある場合、プラットフォーム企業が選ぶ道はいつも一つだった。「ザックとシェリルが自信過剰に陥って身勝手にふるまいはじめた事実を受け入れるのに、私にはしばらくの時間が必要だった」とマクナミーは言う〔注20〕。米国上院の選挙干渉レポートを皮切りに、フェイスブックなどのプラットフォームが偽情報の拡散や投票の抑制に利用されていたという証拠が次々に明らかにされたころも、「私は、〔彼らは〕そのうち態度を変えてくれると信じていた」

しかし、そうはならなかった。

## 度を超した監視資本主義

選挙の不正操作だけでもじゅうぶんに非難に値するのだが、ビッグテックはほかの方法を通じても民主主義と国民の自由を脅かしている。二〇一六年に投票したかどうかに関係なく、あなたの日常は増えつづける監視ツールのターゲットにされる危険にさらされている。

二〇〇二年に公開された映画『マイノリティ・リポート』のなかで、トム・クルーズはバージニア州警察の特別組織に属する刑事を演じている。その組織は犯罪予防局と呼ばれ、超能力者の予知にもとづき、これから犯罪を起こすであろう人物を逮捕する。映画に登場する大衆監視の方法や技術――所在地をもとにした個人向け広告、顔認証、自己更新型の新聞など――は、現実の現代社会ではどこにでもあるものだ。監督のスティーブン・スピルバーグが唯一間違っていた点は、超能力者が必要だと考えた点だ。実際には、法執行機関は超能力者の代わりにグーグル、フェイスブック、アマゾン、あるいはデータ分析企業のパランティアなどが提供するデータや技術を利用できる。そうした企業があまりに巨大なデータツールを有しているので、アメリカではディストピア映画さながらのデータにもとづく防犯が現実のものになりつつある。

一例を挙げると、フェイスブックの広告ツールが黒人差別に対する抗議活動として知られる「ブラック・ライブズ・マター」運動に関心を示したことのある人々に関するデータを集めている事実をアメリカ自由人権協会が暴露した。その種のデータはゲオフィーディア（Geofeedia）という第三者――データを監視および販売する会社――を介して警察に売られていた〔注21〕。これは特殊な事例ではない。ビッグテックだけでなく数多くの企業がデータを集め、第三者を介して販売している。実際のところ、この分野こそ、アメリカ経済で最も成長の早い業種なのだ〔注22〕。

二〇一九年に民主党員戦略グループのフューチャー・マジョリティが発表したレポートによると、「何千もの企業が顧客やクライアントとの取引の際に個人情報を集め、それを信用調査会社などの大規模データ仲介業者に販売している〔注23〕。データ仲介業者は情報を分析し、おもに個人プロファイルの形にパッケージ化して、再度販売する。情報の買い手は、人材雇用に携わる経営陣、販促キャンペーンを計画している企業、銀行、住宅ローン会社、大学、政治キャンペーン、慈善団体など、多岐にわたる」。法執行部門も含むさまざまな政府機関や公的機関も買い手に名を連ねている事実も、ここで指摘しておくべきだろう。

「加えて、クレジットカード会社や医療データ会社も日ごろから利用者の個人情報を集め、分析し、それを使って利益を上げている」。この点については驚く人も多いだろう。いわゆるＨＩＰＡＡ法（医療保険の相互運用性と説明責任に関する法律）が医療データの共有を制限しているし、クレジットカードに関しては、利用当事者ですら自分の信用度やクレジットデータを入手するのが難しいのだから。しかし、レポートはこう指摘する。「そのような制限は特定の金融情報だけに適用される。例えば個人の口座残高には適用されるが、ローンの返済情報は対象にならない。それに医療情報の共有制限は医療機関に適用されるが、薬局や医療機器メーカーはそこに含まれない」。つまり、アマゾンが所有するオンライン薬局はＨＩＰＡＡが課す制限に拘束されない。ユーザーの健康情報や身体活動を記録するフィットビット（Ｆｉｔｂｉｔ）やほかのフィットネス・アプリもそうだ。

そのような「金銭や健康に関連した情報は集められ、分析されて、匿名化された形で販売される。そのアルゴリズムはほとんどの人に応用することができ、インターネット・プラットフォームやデータブローカーが個人について集めた膨大な情報をもとに、財政面や健康面の詳細なプロファイルをつくることができる。結局のところ、日常的に商業目的で使われている個人情報は、人々がインターネット上での活動、あるいは商品やサービスの購買を通じて自ら明かしたものだけに由来しているのではない。それに加えて、モノのインターネットが私たちの生活のさまざまな側面に関するデータの収集を可能にした。例えば、スマートテレビは所有者のデータと、彼らが何を見ているのかといった情報を集め、分析し、販売する。スマートカーとスマートフォンは所有者の個人データと彼らの所在地情報を集め、分析し、販売する。スマートベッドとスマートフィットネスバンドは利用者の個人データと彼らの体重、心拍数、呼吸の情報を集め、分析し、販売する。さらに、人々の音声命令に反応する最新の無線機器――アマゾンのアレクサやエコー（Ｅｃｈｏ）やドット（Ｄｏｔ）、グーグルのネストやグーグルホーム（Ｇｏｏｇｌｅ　Ｈｏｍｅ）など――はそれらを購入およびインストールした人の個人情報だけでなく、デバイスの認識範囲内で彼らが発した言葉も集める」［注24］

要するに、監視国家アメリカはもはやＳＦではなく、すでに現実なのだ。

シリコンバレー企業が自らのことを超リベラルであると主張し、ブラック・ライブズ・マターのようなグループを称賛する一方で、監視技術を使って金儲けをしているという事実は、とんでもなくブラックな皮肉だと言えるが、それだけが唯一の皮肉ではない。例えばアマゾンが導入した、まるでジョージ・オーウェルの小説のような画像処理システム「レコグニション（Ｒｅｋｏ gnition）」。アメリカ自由人権協会は最近、ジェフ・ベゾスに対して同サービスを法執行機関に売るのをやめるよう呼びかけた。同サービスは「政府の手によって悪用される恐れがある」からだ。自由人権協会は、レコグニションの顔認証機能は有色人種の顔を頻繁に誤認するという調査結果にもとづき、このシステムは「有色人種や移民などのコミュニティに重大な脅威をもたらす」と主張した［注25］。

しかし、じつのところ、アメリカでは人種差別や偏見に対処するための手段として、数年前にビッグデータを活用した警備活動が推し進められたのだ。警察活動におけるコンピュータモデルはすでに一九九四年から使われていた。コンプスタット（CompStat）と呼ばれる、犯罪と法的統計を関連付けるシステムがまずニューヨークで、のちのほかの地域でも法執行機関によって利用されはじめた。二〇〇一年の9・11同時多発テロ事件をきっかけに、「インテリジェンス主導の警察活動」が推し進められるようになる。結果、地方の法執行機関と連邦の法執行機関が接続され、それぞれのデータが結びついた。

二〇〇二年には、かつてニューヨーク市警察部隊を率いていたウィリアム・ブラットンがロサンゼルスへ移り、「予測的警察活動」をもたらした。可能な限り多くの出どころから、可能な限り多くのデータを集め、それを犯罪が起こる前に、犯罪が起こる場所を予測するために用いる。犯罪報告だけでなく交通監視、公共サービスへの電話、ロサンゼルスやそのほかの主要都市のどこにでもあるカメラなど、さまざまな手段から得たデータを用いて、個人のプロファイルを作成する。それらのプロファイルをある種のRSSフィード上でタグ付けすることで、警察は市民が何をしているのか、リアルタイムで知ることができる。その結果は？　例えば、ある日あなたが交通違反を犯したとしよう。すると、アルゴリズムがあなたについて知っている内容――あなたがどこへ行って、何をしたか、など――によっては、あなたは次の日には警察の監視対象者になっているかもしれないのである。

そもそも、肌の黒さと犯罪傾向をいっしょくたにするなどといった偏見を避ける方法として、アルゴリズムを用いた警察活動というアイデアが生まれたのだった。ところが、アルゴリズムにはアルゴリズムなりの問題があった。ロサンゼルス警察はパランティアと手を組んで（パランティアがデータの大半を集めて管理している）どこで犯罪が起こりうるか予測している［注26］。テキサス大学のサラ・ブレインがその際のビッグデータの使い方を調べたところ、ビッグデータが警察活動の性質を根本的に変えてしまい、警察は犯罪に対応するのではなく、むしろ予測と大衆監視を重視するようになった事実を発見した。ここで重要なのは、パランティアのやり方で複数の情報源からのデータを集約すると（これまで見てきたような形で集められ、分析され、売られたあなたのデータが、警察が独自で集めた情報に組み合わされると）、それまで一度も警察と関係したことのない人物でさえ、監視の対象になることがある、という点である。これは「推定無罪」の原則にはそぐわない状況だと言える。公正な防犯のために開発された仕組みが、その真逆の効果をもたらしたのである。

ブレインは論文でこう指摘している。「この研究を通じて、データ主導型の監視体制は少なくとも三つの点で不平等を引き起こす恐れがあることが明らかになった。すでに嫌疑がかかっている人物に対する監視の強化と、犯罪捜査網の不公平な拡大の二点に加え、社会の統合に欠かせない〝監視〟機関を人々が避けようとすることになるという点だ」。重要なことに、ブレインはこうも付け足している。「警察のやり方が数式化されたことは、〝客観的に見え〟、あるキャプテンの言葉によるとただの数学なのだが、それによりすでに疑いの目を向けられていた個人は新たにより深い監視にさらされることになった」

対外的には、このシステムは警察活動から偏見をなくすことを目的としていると言われているが、実際のところは意図的な偏見も、意図していない偏見も隠してしまっているので、それらがなくなることはない。強化された監視下にある人々は、声をかけられることが圧倒的に多くなる。そのようなやり方は、すでに刑事司法制度に名を知られている個人に不利に働くと同時に、彼らを監視下に置く根拠になるリスクプロファイルの作成における法執行機関の役割を不明瞭にする。さらに言えば、低所得の少数民族が住む地域にいる人々は、監視の対象になりにくいより裕福な近隣地域の人々に比べて、〝リスク〟が高く見積もられることになる。

これは由々しき問題だ。人種差別的だから、という理由だけではない。数多くの犯罪を見逃すことにもなるからだ。実際のところ、この二つの問題は密接に絡み合っている。アッパーイーストサイドのアパートメントに住む身なりのよいインサイダートレーダーは、監視アルゴリズムに引っかかる可能性が低い。しかし、そのような人物が犯す罪は、フードをかぶった少数民族が犯す交通違反などよりもはるかに重い。それなのに、雪だるま式に強まる警察の監視にさらされるのは後者のほうなのである。もちろん、この種の社会統制は「結果として個人を超えて広がっていく」。現在、「アルゴリズム」問題は盛んに論じられていて、活動家や公民権弁護士は、警察の活動をひっくり返したビッグテックのやり方を理解し、その先回りをするのに四苦八苦している。このまま放っておけば、コミュニティ全体の市民の自由に多大な影響を及ぼす恐れがあるからだ。

非常に憂慮すべき事態ではあるが、そのような変化は、私たちがオンラインやオフラインでやることや言うことのすべてがビッグテックと公共機関の両方によって監視され、利用される世界の創造の始まりに過ぎない。例えば、トロントで行われているアルファベットのサイドウォーク・ラボのプロジェクト。サイドウォーク・ラボとはグーグルの親会社のアルファベットが抱える〝都市イノベーション〟部門のことで、地方政府と協力しながら街全体にセンサーやほかの技術を設置する計画を進めている（表面上は都市サービスを改善するためなのだが、もちろんグーグルのためにデータを集めるという目的もある）。現在、トロントで「スマートシティ」をつくろうとしているところだ。トロントのウォーターフロントにイチからつくられた一二エーカーのハイテク地区には、騒音や汚染を検知するセンサーが設置され、スマートカーのための暖房付き道路も敷かれている。ロボットが地下通路を使って手紙を配達し、街づくりには環境に優しい素材しか使われない［注27］。

そのようなアイデアをすごいと思うか、気味が悪いと感じるかは人それぞれだろうが、問題は計画の全体像が不透明だという点だ。トロントもグーグルも計画の詳細を明かしていない。明らかになっているのは、調査ジャーナリストがリークした情報ばかりだ。二〇一九年二月の『トロント・スター』紙の記事によると、スマートシティ構想はこれまで一般に考えられてきたよりもはるかに壮大な計画であるようだ。グーグル自身が同地区に大量輸送経路をつくる計画を立てていて、その見返りとして通常ならトロントの金庫に入るはずの財産税と開発費、そして上昇する土地価格の分け前を要求している［注28］。このことを、よく考えてみよう。通常、市の行政というものはインフラや教育やサービスをよりよくするために企業などに援助を求めるのが普通だ。ところがここでは、世界で最も裕福な会社の一つであるグーグルが一都市に対し、街づくりをしてやるから金を出せと言っているのである。

誰がデータを保持するのか、という問題も存在する。サイドウォークのセンサーは個人の足取りを完全に追跡することが可能だろう。公園のベンチにいようが、通りを歩いていようが、家族や恋人と楽しいひとときを過ごしていようが、すべて筒抜けだ。グーグルはデータのすべては個人を特定できない形、つまり〝匿名〟で保持し、その一部をデータバンクに登録して交通の流れや都市サービスを改善するために利用すると約束する。しかし、それを都市内で維持するとは約束していない。違う目的のために流用される可能性がある、ということだ。

そのような詳細が明らかになるにつれて、地元の人々が抗議の声を上げはじめたのも不思議なことではない。サイトにはフィードバックを投稿するコーナーがあって、あらかじめ用意された質問に訪問者が答えを書き込むことができるようになっている。例えば「……が気に入らない」。この質問に対し、ある訪問者はこう答えた。「監視状態」。別の人物は「トロントを再び偉大にすること」と書き込んだ[注29]。そのような怒りを見ていると、サイドウォーク・ラボもアマゾンの第二本社建設計画と同じ運命をたどることになるのではないかと思えてくる。

サイドウォーク・ラボよりもさらに不気味なのは、グーグルのドラゴンフライ検索エンジン計画だ。二〇一八年八月、調査ジャーナリズムのウェブサイトとして知られるインターセプトが、グーグルが中国用に検閲バージョンの検索エンジン、通称「ドラゴンフライ」の開発を検討していると報じた[注30]。この知らせは、一般の人々のみならず、グーグル社員の大多数にとっても大きな衝撃だった。中国共産党のために情報統制の手助けをし、しかも電話番号からすべての検索行為を追跡し、検索実行者を特定できるようにするというアイデアは、「邪悪になるな」の正反対に位置すると思える。

グーグルと中国の関係には以前からそのような傾向が見られた。グーグルはすでに一度、中国市場に参入している。二〇〇六年にＧｏｏｇｌｅ．ｃｎを立ち上げたのだ。そのときすでに、グーグルには中国政府が有害とみなす特定の情報——党が国民に向けて発砲し、一万人を超える死者を出した一九八九年の天安門事件の情報など——に人民を誘導することが禁止された［注31］。それでもグーグルは中国から撤退しないことにした。制限があるとしても、ものすごい数に上る中国の人民が検索する機会を得ること自体が、政府をより開かれた方向へ向かわせる圧力になるだろうと考えたのだ。

しかしその考えは、今思えば、あまりに浅はかだった。中国では、共産党が唯一の権力なのである。そして、例外なくそうであるように、中国に新しいテクノロジーがやってきたら、党がそれを研究し、制御し、最終的には自分のものにする。党が開発をサポートしたグーグルの中国版と呼べるバイドゥに、中国においてはグーグルよりも多くの自由と権限が与えられた。その代わり、バイドゥは政府の言いなりだ。二〇〇九年時点で、中国におけるバイドゥの検索市場シェアは五八パーセントだったのに対して、グーグルはその三分の一に過ぎなかった［注32］。その一年後、グーグルは中国市場から撤退することを決めた。その引き金になったのは、オーロラ作戦と呼ばれるハッキング事件だった。中国国内の組織がグーグルの知的財産とＧメールアカウントを、特に同社のプラットフォームを利用していた人権活動家のアイデンティティ情報をターゲットして起こしたハッキング事件である。独裁政権がスパイ活動を行い、活動家を迫害する。その目的のためにプラットフォームが利用されかねないという事実に思い当たってようやく、グーグルは中国撤退を決めたのだった。

それ以降、中国は政治的に硬化の一途をたどった。今の習近平政権は、おそらく毛沢東時代以来最も抑圧的な政府だろう。ドラゴンフライ計画の存在が暴露されたとき、初めのうちグーグルはすべて否定していたが、のちにことの重大さを軽くする言い訳に徹した。その一方で、ワシントンは激怒した。同じころ、同社はプライバシーや反トラスト問題についての上院聴聞会に欠席したり、アメリカの人工知能プロジェクトに関与するペンタゴンの役人への協力を拒んだりしていたからだ。副大統領のマイク・ペンスは、ドラゴンフライ計画は「共産党の検閲を強め、中国人顧客のプライバシーを侵害する」だろうと述べた。

民主党上院議員のマーク・ワーナーと共和党員のマルコ・ルビオは上院議員の超党派グループを率いて二〇一八年八月三日付で書簡をしたため、同計画による人権と安全問題への影響について懸念を表明した。

「中国当局は……ニュースやソーシャルメディアの話題を広範囲にわたり検閲している」と指摘したうえで、上院議員たちはこう引用している。「中国で起こった重大なワクチンスキャンダルにより中国人児童の数十万人もの健康が脅かされているが」、この問題は「検閲に触れる。ニュース報道によると、先週の月曜日の時点で〝ワクチン〟を意味する中国語の単語が中国のツイッターに相当するマイクロブログ・プラットフォームのウェイボー（Ｗｅｉｂｏ）で最も制限されている単語の一つになっている」

上院議員らは『フィナンシャル・タイムズ』紙の記事を引用しながら、中国当局がどのような技術を用いて人民への監視を強めているかを説明した。中国のテクノロジー企業――アリババ、テンセント、バイドゥ、ＪＤ．ｃｏｍなど――は中国の国家および安全保障機関と密接に結びついており、その関係では官庁のほうが主導権を握っている」。そして、次のように結論づけている。「報道されたグーグルの活動、すなわち中国の検閲と互換性のあるアプリケーションを作成するという行為は、同社の中国企業との関係、例えばテンセントとのクロスライセンス合弁会社やＪＤ．ｃｏｍへの五億五五〇〇万ドルの投資などに照らし合わせてみると、さらに懸念されるものである」。書簡は単純ながら非常に重い問いかけで締めくくられている。どう解釈すれば、「報道された［ドラゴンフライの］開発が……〝邪悪になるな〟という非公式の社是と調和するのだろうか？」［注33］

この疑問について、グーグル社員の多くも頭を悩ませた。アメリカでは、あるいは世界のほとんどの地域では、自社のプラットフォームを監視できない（したくない）と言っていた会社が、先進国のほとんどでは当たり前のプライバシーや公民権を認めていない独裁国家に喜んで協力しているのは、どういうことだろうか?

当然ながら、その答えはビジネスと関係している。グーグル社員の多くが私に話したように、中国こそデジタル技術における世界の実験場とみなされている。政府による抑圧が強まる一方で、技術の浸透も進んだ。インターネットのユーザーが最も多いのが中国なら、最も革新的なサービスの多くを展開しているもの中国だ。中国には世界で最も裕福で最も強力な企業――バイドゥ、アリババ、テンセントなど――もあり、それらはアメリカでプライバシーや反トラストなどに煩わされることなく活動しているのである。中国の若者たちは、西側諸国の若者たちよりも深くデジタルでつながっている。グーグルにとって、どんなリスクを冒してでも参入したい市場だ。その証拠に、グーグルで検索部門の長を務めるベン・ゴメスが語ったスピーチが暴露されている。「中国は間違いなく、現在の世界で最も興味深い市場だ」と、ゴメスは話した。グーグルが中国に参入するのは金儲けのためだけではない。「そこで何が起こっているのかを知り、我々自身を刺激するためだ」。そして、こう付け加えた。「中国が、我々の知らないことを教えてくれる」

政治家やセキュリティ専門家、あるいは人権擁護団体などからのすさまじい圧力にさらされながらもグーグルはドラゴンフライをあきらめなかった。しかし、社内のエンジニアが中国用に検閲バージョンの検索エンジンを開発するのをやめるよう求める声を上げたとき、同社はようやく考えを改めた。簡単な戦いではなかった。かつてグーグルでエンジニアをしていたジャック・ポールソンは、ドラゴンフライ計画の倫理的問題点を明らかにするために、一カ月以上も会社を説得しつづけた。二〇一九年四月、『ニューヨーク・タイムズ』紙で発表した意見記事のなかで、ポールソンは自身の退職者面接のときにグーグルのスタッフから言われたひとことを引用している。「我々は君の政治意見を赦すこともできるし、君の技術的な貢献だけに目を向けることもできる。ただしそれは、君がマスコミに話すなど、許されないことをしない場合だけだ」。ポールソンはアドバイスを無視した[注34]。

彼はその後、テック・インクワイアリーという名で、ビッグテックに人権や民主主義の原則に対する責任を追及することを目的にした非営利組織を立ち上げた。彼は「テクノロジー企業が、誰が何のために技術を使うかなどと考えることなしに、ただやみくもにツールをつくり、アルゴリズムを書き、データを集めることができた時代は過ぎ去った」と考える。また、同じように考える技術者の数は増えつつある。グーグル社員の一四〇〇人が、ドラゴンフライの公開決定における不透明さに抗議する手紙に署名した。その数カ月前には、ペンタゴンによるグーグルの人工知能技術の使用に対しても、同じような抗議活動が社内で行われていた（この抗議を受けて、同社は国防総省との契約を終了したのだが、皮肉なことにそのあとを継いだのは中国の技術だった。この中国との協力関係ものちに終了した）。

中国再進出計画をめぐるグーグルの内部危機の様子を眺めていると、私はケン・オーレッタが『グーグル秘録　完全なる破壊』のなかで書いた場面を思い出す。二〇〇九年に書かれた同書のなかで、コロンビア大学教授にしてテクノロジー専門家のティム・ウー（のちにビッグテックの認知問題を扱ったすばらしい著書『The Attention Merchants（関心の商人）』を書いた人物）の言葉を引用している。

当時、ウーはこう言った。「グーグルは早熟な企業だ。業績もすばらしい。IPOも完璧。典型的な優等生だ。基本的な疑問は、彼らが自らの創業理念に忠実でありつづけることができるかどうか。ここで言っているのは、〝邪悪になるな〟という意味だけではない。彼らは検索に、創業理念に、あなたにあなたが求めるものをできるだけ早く与え、それ以外のときには何の干渉もしないというエンジニアの美学に、本当に集中しつづけることができるのだろうか？」。また、ウーは次のようにも問いかけている。グーグルは「コンテンツのソースに、プラットフォームに、人々を壁で囲まれたグーグルの庭に閉じ込めようとする場所になるのだろうか？　私は、グーグルはのちに自分との戦いに巻き込まれると予想している」

彼の予想は正しかった。しかし、自分との戦いに明け暮れているのはグーグルだけではない。インターネットは、世界権力にとって新しい戦場になった。インターネットはもはやひとつながりの存在ではなく、〝スプリンターネット（分断化ネット）〟になってしまった。未来の高成長ハイテク業界の支配権をめぐる争いの一部として、アメリカと中国がネットの運営と規制のやり方をめぐって小競り合いを繰り広げている。両国とも、国粋的な傾向を強めながら、テクノロジー貿易戦争に勝つために、自国の巨大企業をサポートしている。新たな冷戦の始まりだ。この戦いが、本書がこれまで扱ってきた問題のすべてを、さらに悪化させようとしている。

# 第13章

# 新たな世界大戦

CHAPTER 13

A New World War

二〇一八年、米中間の貿易および技術摩擦が強まっていることを報告していたある日、私は奇妙な体験をした。その日、私はワシントンで数多くの政治家やアドバイザーたちと話し合っていた。どの派閥が米中摩擦に対処すべきだと考えているかを探るのが目的だった。以前はバーニー・サンダースのスタッフで、今はアレクサンドリア・オカシオ＝コルテスなど、進歩派の若い政治家たちのアドバイザーを務めていている人物と話したし、国防省の高官とも話した。ところが、二人はそれぞれまったく性質の違う派閥に属しながら、見解は奇妙に一致していた［注1］。口をそろえて、中国は実際に国の存続を脅かす存在であり、アメリカは中国のサプライチェーンの一部を囲い込み、長期にわたるかもしれない技術および貿易戦争に備えなければならないと言うのだ。そして両者とも、私に同じ本を推薦した。それが『Freedom's Forge（自由の鍛造）』で、第二次世界大戦中にアメリカの自動車産業が国を手助けした様子を記した本だ［注2］。大規模な自動車メーカーだけでなく、それらのサプライヤーも含め、業界全体が政府役人の指示のもと、生産量を増やし、戦争に協力した。サプライチェーン全体に相乗効果が生まれ、それが戦争後のアメリカ産業がヨーロッパやアジアに対して——少なくとも数十年は——優勢を誇ることができた原因になったのだった。

その本が、現代の課題について話し合うことを目的に軍と民間のリーダーたちを集めて、国防大学が二〇一八年の六月に開催した会議でも文献リストに含まれていた。数十人の専門家、政府役人、ビジネスリーダーが集まり、戦後秩序の崩壊、中国の台頭、アメリカはどうやって製造業および防衛産業を強化すればいいか、などについて話し合った。目指すは貿易戦争だけでなく、実際の戦争にも耐えられる強靭なサプライチェーンを構築することだ。

幅広く多様な議論が行われ、参加者たちはこれまでのグローバルビジネスのやり方は、特にアメリカの多国籍企業は好きなときに好きなことができるという考えはもはや通用しなくなったという点で意見を一致させた。今後、アメリカの産業は重大な困難に遭遇するだろう。「我々は今、[中国とロシアを相手にした]大いなる権力闘争に巻き込まれているという出発点を受け入れるなら、イノベーション基盤を確保し、産業基盤の維持と拡大について考えなければならない」と語るのは、イベントを主催したジョン・ジャンセン少将だ［注3］。

議論の多くはアメリカのハイテク・サプライチェーンが何年も前から中国に外注されていた点を主題にしていた。一九八〇年代と九〇年代、米国政府は製造業よりもサービス業のほうが経済的に優位にあると考えた。そこで、サービス業を優遇する決断を下し、企業に産業エコシステムの大部分を外国へアウトソーシングする自由を認めた。同時に、金融体制の変革、労働組合の弱体化、労働者よりも資本家に有利に働く規制の調整などの影響で、長期的なリスクを度外視してでも（コスト削減を通じて）四半期株価にこだわるような近視眼的なバランスシート最優先主義が蔓延した。そこでは国民や労働者ではなく、消費者と企業が最優先された。

その結果、前作『Makers and Takers』でも詳しく説明したように、アメリカでは経済の二極化が進んだ。数多くのソフトウェア億万長者と単純労働者の経済で、中産階級が不足している。企業の観点から見た場合、アメリカの企業の多くは、重要な兵器に欠かせない化学部品など、必要な製品を中国以外で見つけることもできなかった［注4］。

これはもはや単純に経済の問題ではなく、安全保障上のリスクとみなされるようになった。二〇一八年にペンタゴンがホワイトハウスに提出したレポートは、過去四〇年にわたる製造業のアウトソーシングに加えて、中国の産業政策、あるいはアメリカにおける科学・技術・エンジニアリング・数学・貿易における能力低下などが相まって、アメリカのサプライチェーンは——そして企業、消費者、国民も——脆弱になっていると指摘している［注5］。国防総省の調べによると、弱点は無数にあるようだ［注6］。消費者製品のセキュリティ、人工知能などの主要分野におけるイノベーション力の低下、5Gワイヤレス技術、軍事や防衛産業に直接関係する一連の製造資材の唯一の供給源が中国であるという事実、などだ。最も興味深いのは、このレポートは軍事産業複合体だけでなく、より広範囲なサプライチェーン、具体的には電子や機械、あるいはソフトウェアなどの産業も取り上げていた点だ。

かつて、アメリカはハイテク部門で世界を支配する力を有していた。しかし過去数十年でグローバル化とアウトソーシングが進み、風景は一変した。現在、通信機器分野で世界最大のサプライヤーは中国だ。モバイルアプリと決算システムでも先を行っているし、モノのインターネットの接続に不可欠で、あらゆるビジネスに大きな成長の機会を与えるであろう5G高速モバイルサービスの普及に必要な特許を、ほかのどの国よりも多く保有しているのも中国だ。人工知能の分野でも大きな前進を遂げている。純粋にノウハウという点では、いまだにグーグルのような企業のほうが優勢だが、資金の多くは中国の人工知能開発へ流れている。グローバル戦略および調査会社の13Dの調べによると、現在、全世界で人工知能分野に投資されている資金のおよそ四八パーセントが中国に向かっているそうだ。対するアメリカは三八パーセントだった。

そのような背景があるため、ペンタゴンと財務省と米国通商代表部は、中国がアメリカにとって戦術的な脅威になっている事実を強調してきた。中国は公式に、アメリカの中長期敵対国と認識されているのである。トランプの中国問題は巨大な氷山の一角に過ぎない。アメリカとはまったく異なる政経システムをもつ国を相手に、新しい貿易戦争がおそらくすでに始まっている。元国家情報長官のダニエル・コーツが二〇一九年の初頭に発表したレポートでこう指摘している。「中国の指導者は今後ますます中国式の権威主義的資本主義こそ代替的な――つまりは、ほかより優れた――発展の道だと外国に向けて主張しようとするだろう。それが大国間の競争を激化させ、民主主義、人権、法治主義に対する国際的なサポートを脅かしかねない」[注7]。この言葉はトランプ支持者や保守層だけでなく、民主党員の考えも代弁している。最近では、民主党と共和党の隔たりなく、アメリカと中国間の文化衝突は避けられないという見方が支配的になってきている。

この事実から、不快な真実が浮かび上がる。民間部門に大きな影響を及ぼすであろう真実が。アメリカの自由市場資本主義体制は何十年も前から、企業が好きな場所でビジネスを行い、外国の安価な労働者に仕事を委託し、税的に最も有利な国に利益を移管することを認めてきた。アメリカの企業がグローバル化を発明し、率いてきた。そのアメリカが今、独自の体制を敷き、通常の民主資本主義のルールに従わない中国という国の挑戦を受けている。その結果、今後のアメリカの安全保証と経済にとって、アメリカと中国を結んでいる投資およびサプライチェーンをいったん解きほどくことが大切だと考える人が増えつつある。

この種の見解は中国バッシングだとみなされることが多く、実際のところ、特に大統領選挙前にそのような主張がなされるときには、中国をバッシングする意図が見え隠れしている。しかし話はそれほど単純ではない。近年、アメリカとヨーロッパと中国は新しいデジタル経済のルールに関して、それぞれ異なる考えをもっていることが明らかになってきた。つまり、私たちがこれまで見てきたグローバル化に変化の兆しが現れたということだ。新しいデジタル世界では、各地域が、それぞれ異なる価値観や優先順位に応じて、それぞれ異なるインターネット統治体制を選ぶ可能性がある。例えば中国は、人工知能の開発を進めるために、ユーザー個人のプライバシーを完全に無視してデータを集めつづけるかもしれない。ヨーロッパは公共データバンクを作成し、それにアクセスしようとする企業は事前に許可を求めなければならなくなるかもしれない。アメリカはこれまで緩やかだったビッグテックの規制を一気に強める可能性がある。なぜなら、二〇二〇年の大統領選挙で有力とみられる民主党候補の全員が反トラスト問題を議論の中心に据えているからだ。

これらすべてが、私たちに何をもたらすのだろうか? 〝スプリンターネット〟はすでに存在していて、情報やデータの権利は国それぞれで大きく違っている。あなたがどの国に住んでいるかによって、企業や政府があなたの個人データを使ってできることは大きく異なっている。その逆に、消費者あるいは国民としてのあなたも、国籍に応じてできることが違う。完璧なシステムを見つけた国は、まだ存在しない（個人的には、私は個人が自分のデータを所有し、各自その使われ方が理解できなければならないと明記している欧州連合およびカリフォルニアの方策が優れていると感じている）。雇用と社会の安定を確保するには、イノベーションと競争とプライバシーのバランスをうまくとることが欠かせなくなるだろう。

加えて言うと、将来、地政学的な争いが、サイバースペース上で繰り広げられる可能性がある。ペンタゴンで産業政策担当副次官補を務めるエリック・チューニングが、私にこう言った。「アメリカは国家間競争［西側諸国と中国間の競争のこと］に向けて戦術的に立ち位置を改めつつある。経済的な安全と国家の安全のあいだに相互関係があることを明らかにする競争だ」。つまり、アメリカの企業が地元アメリカの心配をよそに、上空一万メートルを飛び交うことができた時代にもうすぐ終わりが来るだろう、ということだ。グローバルビジネスそのものが変化に見舞われ、それにともない、経済と政治の性質も変わるに違いない。

しかし、そのような新しい時代のための明確なルールはまだ存在しない。西側企業は中国とこれまでどおりのビジネスを続けてもいいのだろうか？　もしダメなら、それはなぜ？　この問いに対して、政治家はさまざまな答えを用意しているが、企業のほうも、それぞれの戦略的利害に応じて異なった態度を表明している。例えばアマゾンは中国市場とほとんど接点がない。北京政府が国産の巨大Eコマース企業のアリババを支援しているからだ。そこでアマゾンは米国政府にとって主要な供給および調達プラットフォームになるためにリソースを注ぎ込んだのだが、結果として、アマゾンが不公平にひいきされていると感じるライバル会社の怒りを買うことになった［注8］。一方、フェイスブックは中国でもビッグな存在になろうと躍起になっている。そのために中国でデータを維持しているし、そのデータを中国のアプリ開発業者とも共有している。これはアメリカ国民のプライバシーを脅かすだけでなく、グーグルがオーロラ作戦で経験したようなハッキング被害のリスクも高める行為だ。ブランドイメージとしてプライバシー保護を前面に打ち出してきたアップルでさえ、中国に屈した。二〇一五年のサンバーナーディーノのテロ攻撃の調査で、iPhoneのロック解除を求めるFBIの要請を拒否するなど、アメリカではユーザーデータを守る姿勢を貫くのに、中国では中国のやり方に従っている。例えば、北京の圧力に屈して、アップルは中国人顧客用のiCloudデータをすべて、中国内にあるデータセンターに移した。同データセンターを運営するのは中国企業なので、アメリカのデータ保護法は適用されない。つまり、少なくとも中国のアップルユーザーにはプライバシーはないに等しいということだ。

では中国でのグーグルはどうかというと、フェイスブックほどはユーザーデータを第三者と共有してないように見える（PR担当者らは、グーグルはいかなるデータも中国国内で保管せず、すべて政府の目の届かないクラウドサーバーに保存していると主張する）。しかし同社はアメリカではさまざまなプロジェクトで国防総省と協力関係を続けながら、中国では北京で研究施設を運営し、中国向け検閲機能付き検索エンジンのリリースの可能性を模索してきた。考えられない事態だ。例えば軍需品メーカーのレイセオンなど、アメリカの防衛関連業者がそのような形でアメリカと中国の両方にかかわるなど、〝決して〟認められることではない。今の時代、人工知能など最先端の研究はレイセオンのような旧来の軍産複合体よりも、国防総省にとってはるかに重要になってくる。それなのに、ビッグテックはアメリカと中国の両方に関与しつづけているのだ。

これらすべてが、ペンタゴンにとって最大の関心事だ。そこでペンタゴンは数多くのアメリカ産多国籍企業を相手に、中国とのビジネスのやり方について、継続的な会話を始めている。「会話を通じて、企業は戦略的な条件が変わりつつあることを理解している」とチューニングは言う。「中国が〝中国製造2025〟で掲げた目標を追い求め、国内のチャンピオン企業に有利になるように経済活動の場を歪めている一方で、西側企業も長期的な中国ビジネスに対する考えを再評価する必要があるだろう」。実際、そうしはじめた会社の数は多くて、南シナ海を経由するサプライチェーンを見直したり、生産拠点を中国からベトナムやメキシコへ移したりしながら、政治的リスクと大国間の紛争が自らのビジネスにどう影響するかを考えるようになった。

要するに、私たちは今、第二次世界大戦が終わってから最大の岐路に立っているのである。その中心にビッグテックがいる。戦場はインターネット。そこは、かつてビッグテックの理想主義者たちが夢みた、すべてが幸せにつながる世界とはかけ離れていた。

## テクノナショナリズムの台頭

なぜそうなってしまったのだろうか？　部分的には、アメリカとヨーロッパの為政者たちが中国に対して間違った考え方をしていたからだ。昔からずっと、中国は発展していくうちに、自由にもなっていくだろうと考えられてきた。しかし二〇〇八年の金融危機のあと、アメリカが抱える亀裂や偽善が明るみに出たのを受けて、中国は開国を続ければ――金融的にも、経済的にも、政治的にも――より多くのリスクにさらされ、外からの影響（例えば、全世界の金融システムをダウンさせるほどの力をもつ強欲なウォール街の銀行家など）に対して弱くなるのではないかと不安視するようになった。

その結果、過去数十年かけて行われてきた経済の開放と民営化が先細りになっていった。中国人は世界的なステージで自分を主張しはじめ、独自の国家管理モデルを推し進めるようになる。もはや、かつて鄧小平が言ったように、時間を費やしてすばらしい才能を隠すようなことはせず、習近平を筆頭とするテクノクラートの新集団が権力を統合し、自らの政治的価値、資本、そして技術を外国へ輸出しはじめた。

アフリカへの新規投資、あるいは旧シルクロードを通じて中国とヨーロッパを結びつけ、新たな経済および政治圏を構築しようとする「一帯一路」構想などもその一環だ。そうした動きは称賛の的になったが、誰もが認めたわけではない。そもそも、ほかの国がこれまでずっと失敗してきた世界で最も難しい地域で、中国が何らかの形で公正で生産的な共栄圏をつくることに成功すると考えるのはあまりにもお人好しだ。公平に見て、ヨーロッパの多くの国でも盛んに繰り返されている中国の経済外交が、中国と世界の両方にとって好ましいものであるか、判断はまだ下せない。世界第二位の経済大国である中国が、世界経済においてより大きな役割を担おうとするのは、公平であり正当なことだと言える。その一方で、個人が一切のプライバシーをもたない国家の独裁政権を相手にビジネスを行うのは、西洋の企業と国家にとって大きな難問だ。

しかしある意味、それは中国にとっては問題ではない。なぜなら、中国は第二次世界大戦後のアメリカによく似ていて、途方もない可能性を秘める巨大な成長市場を単一国家として抱えているのだから。今後中国はほかの国家を次々と自らの軌道にのみ込んでいくだろう。中国は過去の年月を通じて、価値連鎖《バリューチェーン》を高めることに専念してきた。そして今、国内市場でアメリカ企業と同等の競争力をもつ自国の企業を優遇するために、自らの国家資本主義体制を利用しようとしている。実際のところ、私に言わせれば、アメリカの企業が中国で中国企業相手に平等な環境で勝負できると思い込んでいたのが不思議でならない。

私はエドワード・スノーデンによる米国国家安全保障局（ＮＳＡ）の暴露事件が盛んに報じられていたころに中国を訪問したのだが、今でも当時のことをよく思い出す。私は人民解放軍の将軍（興味深いことに女性）に面会し、中国による国家ぐるみの知的財産の窃盗について意見を求め、さらには西側諸国から取り入れた技術が経済と安全保障の両方に有利に利用されているという指摘についてどう考えるか問いかけた。将軍は「中国的な特徴をもつ資本主義」では企業の関心と国家の関心のあいだに境界線が存在しないという点を強調した。その逆を予想している者がいるとすれば、その人はあまりに世間知らずだ、とでも言いたげな態度だった。中国では、国家がすべてなのである。企業ではない。

中国人ベンチャーキャピタリストで人工知能の専門家でもある李開復《リー・カイフー》（二〇〇六年にグーグルを最初に中国へもたらした人物）は二〇一八年に私に対して、アメリカと中国は今後もそれぞれ異なる方向へ進み、独自のテクノロジー・エコシステムを構築するだろうとしたうえで、より洗練された人工知能システム（将来、戦略上最も重要になる技術）の開発という点で、両国間で熾烈な競争が繰り広げられるだろうと予想した。李はこのまま貿易および技術戦争が激化すれば、テクノロジー分野における両国間の資本の流れや通商は分断されることになると確信していた。しかし、彼はそれならそれで問題ないと言う。中国は自前で豊かなテクノロジー・エコシステムをつくる能力があると、彼は信じていた。中国ではすでにアップルよりも多くの携帯電話を販売しているシャオミ（Xiaomi）のような大手中国ブランドを指摘しながら、李はこう述べた。「これから主流になってくる問いは〝西洋ブランドを買う意味は？〟。中国は自国だけでなく、ASEAN［東南アジア諸国連合］や多くの中東諸国でもデジタルエコシステムを支配することになるだろう」

そう主張するのは難しいことではない。中国にはアメリカよりもはるかに多くのインターネットユーザー（およそ八億人）がいる。すでにキャッシュレス化が大幅に普及し、国民の大多数がモバイルバンキングから食品の配達、あるいは自転車のレンタルにいたるまで、あらゆることに中国産のアプリを使っている。見方によっては、アリババ、テンセント、バイドゥなど、中国の巨大企業はアメリカのビッグテック企業よりも大きいと言える。西洋式の個人の自由を前提としない体制内で育った中国人は、ビッグデータの便利さを味わうためなら、個人のプライバシーを放棄してもかまわないと考えているようだ。例えば、健康を管理するために、体内に医療センサーを埋め込むことに同意するだろうし、「社会信用スコアカード」も受け入れる。国民のやることなすことのすべてが加点あるいは減点されるというサイエンスフィクションさながらのシステムのことだ。ビッグデータ・スコアシステムで〝高得点〟を誇る者はローンも簡単に借りられるし、よりよい住宅を得ることもできる一方で、得点の低い者は差別され、仕事すらできなくなる[注9]。この話を聞いてまるでテレビドラマ『ブラック・ミラー』が描くディストピアのようだと思ったあなた、まったくそのとおりだ——ただし、中国ではそれが現実なのである。

しかし、中国のやり方にも大きな、そして明らかな欠点がある。ほんのささいな違反をするだけで、国民のソーシャルメディア・アカウントが閉鎖される恐れがある。スコアカードの記載によっては、投獄されかねない。学校でも、病院でも、それどころか自宅でも、顔認証システムによって、彼らの足取りは完全に追跡されうる。ビッグデータにとってはそのほうが好都合だ。この動きは、国家による完全な支配と抑圧という毛沢東時代への回帰なのかもしれない。

「中国にはもはや言論の自由は存在しない」。ジャジャと名乗る中国人ブロガーが身の危険を冒してまで、中国における監視国家の台頭を告発するために書いた言葉だ。「最後には誰もがその犠牲になる」[注10]。しかも、中国は世界における自らの立場を再構築し、影響力を増すために、そのような抑圧技術を他国へ販売している。アメリカの非政府組織であるフリーダム・ハウスが二〇一八年にデジタル権威主義の台頭に関するレポートを発表した[注11]。それによると、北京は少なくとも一八の国に監視技術を輸出しており、そのおかげでザンビアやベトナムなどの政府が民衆を容易に弾圧できるようになった[注12]。

## トップダウンとボトムアップ

現状のインターネットガバナンスを歓迎するアメリカ人や西ヨーロッパ人はほとんどいないだろう。たとえ、中国のトップダウン方式の監視国家が人権を侵害しているという点は無視するとしても、重要な問いがまだ残っている。デジタルイノベーションは、民間企業が真の意味で自由な市場において、賢い規制のもと、競い合うことが許される分散化環境に最も適しているのだろうか？　それとも、トップダウン型の監視国家があらゆるデータを集め、国家が選んだ企業がデータを使って好きなことができる中央集権型の環境に最適な未来モデルなのだろうか？

中国は明らかに後者を選んだ。最高指導者に就任して以来、習近平は国家による市場の管理を強化したので、クアルコムやアップルに加え、ビザやマスターカードなど、一連の企業にとって中国でビジネスをするのが難しくなった。また、北京は国内外の企業に対して、情報の検閲や国家安全保障関連事業への参加を迫るなどして、急成長テクノロジー分野への支配も強めている。人工知能とビッグデータの時代がやってきたら、中国はアメリカより優位に立つだろう。中国では、人民の自由をめぐる議論が起こらないため、監視国家の妨害となるものが存在しないからだ。人口が世界で最も多い国が、国民が生む情報のすべてにアクセスできるのだから、中国のテクノロジー部門は急速に発展するに違いない［注13］。

5Gとして知られる第五世代のモバイル技術は今後大規模に商業利用されることになるが、この技術は中国に支配されると考えられる。それがどのような結果をもたらすのか、現在すでに米中貿易戦争が進行中であるため、予想するのは難しい。例えば、中国の5Gチップメーカーのファーウェイ。トランプ政権が、ファーウェイがアメリカ国内で、あるいはアメリカ企業を相手にビジネスするのを制限しようとしているため、ファーウェイは苦しい立場に追い込まれるかもしれない。しかし支持者たちは、それでも中国のほうが5Gに必要なインフラを迅速に構築し、アメリカを、そして特にヨーロッパを、大きくリードすると主張する。比較的安価なファーウェイの機器が数多くの国家で採用されつつある一方で、アメリカのチップ大手クアルコムは二〇一九年半ばまでアップルを相手にした長年の世界的な法廷闘争のためにリソースを失い、5Gの開発におくれをとった。

この点に、現在の米中貿易および技術戦争が抱える大きな皮肉が隠されている。ファーウェイの勢いを止めるために、アメリカはヨーロッパやほかの国と手を組み、ファーウェイの機器を使うなと言う。アメリカの企業がファーウェイと取引するのを防ごうともする。中国が知的財産を盗んでいる、あるいはサイバー空間を利用してスパイ活動を行っているなどといった報道が繰り返し行われている事実を鑑みても、アメリカがそのような行動に出るのは理解できる［注14］。

しかし実際のところ、これまでクアルコムを最も傷つけてきたのはファーウェイではなくアップルの独占力だ。支配的な大きさと力を得たアップルがクアルコムに特許ライセンス料を支払わないことに決め、長年にわたり、三つの大陸でクアルコム相手に法廷で戦ったのである。この点は重要なので覚えておこう。貿易・技術戦争の一部は、中国が独自のルールでビジネスを行うことに端を発している。しかしその一方では、アップルのような巨大ビッグテック企業が市場に独自ルールを設定できるほど強大になることを許してきたアメリカにも責任がある。それが結果として、アメリカに経済的にも政治的にも大きな混乱をもたらした。

また、たとえアメリカが5Gの開発で中国の先を越すことができたとしても、多くの人は中国のような監視国家のほうが5Gチップを介して送受信されるデータを容易に所有および使用できると考えている。5Gチップは車のタイヤからテニスシューズ、あるいは胎児用の心拍計にいたるまで、ありとあらゆる製品に組み込まれると予想されている。そのようなデータを、北京のほうが素早く、そして生産的に活用できるということだ。この主張の背景には、私たちは人工知能の利用に関する〝イノベーション〟の段階をすでに終え、今やデータがすべての時代に突入した、という考え方がある。データを最も多くもつ者が勝つ、という考えだ。

この考えを突き詰めると、人工知能のイノベーションにはもはや大きな前進は望めず、誰が最も大きな監視国家をつくるかという点に、今後の勝敗の決め手がかかっているということになる。さらに、中国有利の理由として、共産党は自らの政策を推し進めるために、企業のリソースを直接誘導できるという点も指摘されている。例えば、アリババのような企業に、農村部にブロードバンド網を広げるよう強制することができる。国家がロボット工学、半導体、電気自動車などといった戦略的な産業分野をサポートする。

これらはどれも、競争に有利に働くと考えられる。しかし、確実な事実も一つ存在する。アメリカのグーグル、フェイスブック、アマゾン、マイクロソフトだけでなく、中国のバイドゥ、アリババ、あるいはテンセントも、まだ会社が若く、分散型の文化をもっていたころにインターネットから多くの利益を上げることに成功したのだった。画期的なイノベーションは巨大な企業（あるいは国家）よりも個人の学者から生まれやすいことを示す証拠も数多く存在する［注15］。もしあなたが、李開復と同じように、中国が独自の人工知能を所有する日が来ると信じているのなら、あなたは、私たちはすでにイノベーションの時代を去り、巨大国家および巨大企業が運用するデータ主導型の監視体制こそが未来への道だと信じていることになる。しかし、その考えはあまりにも飛躍しすぎだと、私には思える[注16]。イノベーションについて確かに言えることは、イノベーションとは予想したとおりに進むことがめったにない、という事実だ。

中国の集中管理は短期的には利点になるかもしれないが、それが長期的にも利益をもたらすかどうかはわからない。「今後三年から四年、中央集権は有利だろうが、五年から一〇年後には集中管理のもろさが問題になっている可能性がある」と、中国問題に精通する有力コンサルタント・研究グループのガベカル・ドラゴノミクスの常務取締役であるアーサー・クローバーも述べている。その証拠に、毛沢東の中央計画経済も大惨事に終わったし、最近では自動車産業を支配することにも中国は失敗している。

歴史家のニーアル・ファーガソンが著書『スクエア・アンド・タワー』で指摘したように、厳格な階層構造は破壊的なテクノロジーによって弱体化することが多い。権威主義的資本主義とインターネットは相性が悪い可能性もある[注17]。ワシントンに拠点を置くピーターソン国際経済研究所のニコラス・ラーディはトップダウン式の統制と国営企業の動きの鈍さが、中国で世界金融危機以来の大規模な生産性の低下を引き起こしていると信じている。それをひっくり返すには、国家によるコントロールを強めるのではなく、弱めなければならない。一九八〇年代の開放政策以来、中国は外国から一・七兆ドルを超える投資を集め、民間部門に多様化と成長する自由を認めたことで、世界的な成長に多大な貢献をしてきた。そして、監視国家が統制をますます強めている今、総合的な資本の流れも成長も弱まりつつある［注18］。

## アメリカの〝ナショナル・チャンピオン〟？

もちろん、中国が今まさに転換点にさしかかっている可能性はある。これからの数年で、どの国のデジタル戦略のほうが優れているのか、明らかになるだろう。一つ、今すでに確かなことがある。アメリカが歴史から培ってきた強みを利用できるのは、大中小のあらゆる種類の非中央集権的な企業が、公平な場で競争とイノベーションを行いながら、創造的破壊や刷新が可能な自由市場の利点を活用できるときだけだ。不幸なことに、本書でこれまで見てきたように、状況は悪化の一途をたどっている。米中のビッグテックはますます独占的になり、巨大かつ閉鎖的なシステムをつくっている。その理由は「ブレークスルーのための才能とリソースの大部分を〝社内〟にとどめるように」コントロールするためだと、李開復が著書『AI世界秩序 米中が支配する「雇用なき未来」』のなかで述べている。シリコンバレーのリーダーたち、例えばフェイスブックのマーク・ザッカーバーグはこの点を美徳として強調する。規制が強化されそうになるたびに、彼らは巨大テクノロジー企業が解体されるようなことになれば、中国を相手に競争することはできなくなると主張する。

二〇一八年、ザッカーバーグは議会を前に、ロシアによる大統領選挙介入事件におけるフェイスブックの関与について証言した。まるで四時間ほどテクニカルサポートセンターと電話で話したかのようなこのイベントで最も興味深かったのは、共同通信が撮影したザッカーバーグのメモの写真だ[注19]。箇条書きの一項目に、もし競争が話題になったらフェイスブックを解体すれば「中国企業を強める」ことになると答えると書かれていた。その一方で、フェイスブックは数年にわたり、中国の通信会社であるファーウェイ――米国政府から正式に重大な脅威とみなされている企業――やほかのグループに、職歴、人間関係、宗教傾向など、ユーザーとユーザーの友人に関するあらゆるデータにアクセスする権利を認めてきたのである[注20]。最終的には、フェイスブックはファーウェイとのパートナー関係を終了した。ただし、フェイスブックが今もほかの中国企業とデータ共有関係を結んでいるのかどうかは、定かではない。

今となっては、フェイスブックがユーザーの知らないところで第三者にデータを明け渡しているというのはニュースでも何でもない。フェイスブックはもう何年も前から、サムスン（Samsung）やアップルなど、数多くのデバイスメーカーとデータ共有契約を結んでいる。ユーザーにはデータを保護すると約束しながら、そのデータを共有することで会社は利益を上げているのだが、そのようなデータ共有契約はフェイスブックが二〇一一年に連邦取引委員会を相手に結んだ協定に違反していると考えられる。この協定を通じて、フェイスブックはユーザーの個人情報を外部パートナーと共有しないと約束しているのである。だから連邦取引委員会は二〇一九年に、フェイスブックに五〇億ドルの罰金を科した。テクノロジー企業に化せられた罰金としては史上最高額だ［注21］。以後、連邦取引委員会は反トラスト調査を新たに開始した。

フェイスブックがデータを共有する相手は欧米の大企業やケンブリッジ・アナリティカのような怪しげな組織だけではない。抑圧的な監視国家で活動する中国企業とも共有してきた［注22］。アメリカの関係当局は、アメリカ国内の敏感な分野で活動する中国ビジネスに対する取り締まりを強化しはじめたが、その理由も人々のプライバシーと自由が危機にさらされているからだ。例えば二〇一九年の春、クンルン・テック（Kunlun Tech）という中国企業にアメリカのソーシャルネットワークであるグラインダー（Grindr）を手放すことが求められた。LGBTQデートアプリのデータが中国政府によってアメリカで機密情報にアクセスする権利をもつ人々を恐喝するために利用される恐れがあったからだ。つまり、アメリカの国益を損なう可能性があった。

この点こそ、ビッグテックが行ってきた数ある欺瞞のなかでも最大のものだと言える。フェイスブックも、グーグルも、さらにはアップルも、表向きは自分たちは国を代表する「ナショナル・チャンピオン」だとして、世界で最も戦略的で高成長な業界を支配するために中国を相手に戦っているという姿勢を貫きながら、裏では利益のために中国独裁政権と取引を行っているのだ［注23］。米国政府が中国企業に危険なアプリを手放すよう要求できるのなら、なぜ政府は中国と取引を行うことでデータを危険にさらしているアメリカのテクノロジー企業をこれまで以上に厳しく監視しようとしないのだろうか？　私にはそうできない理由が想像できない。

ビッグテックと中国のやり方のあいだには、いくつかの類似点がある。ペイパルのピーター・ティールのような自由放任主義者は、ビッグデータの世界では「自由と民主主義は［もはや］両立できない」と言う。おそらく、中国の指導者たちもうなずくだろう。ほかの大物は、もし中国を相手に未来のためのレースに参加するなら、〝自由〟にその邪魔をさせてはならないと主張する。

二〇一七年、グーグルの元会長エリック・シュミットが新アメリカ安全保障センターの人工知能およびグローバルセキュリティ・サミットで基調演説を行い、彼が国防総省のために行っているサイバー関連のコンサルタント業務について話したのだが、その際人々に人工知能を含む最先端技術において中国がアメリカを追い抜くだろうという印象を与えた。「二〇二〇年までに中国人は追いつくだろう。二〇二五年までに我々を追い越し、二〇三〇年には人工知能業界を支配している」とシュミットは言った。「少し考えてみよう。そう言ったのは［中国の］政府だ。この国で人工知能を支配するために攻勢を仕掛けていたのは我々ではなかったのか？　これを発明したのは我々ではなかったのか？　尊大にも、改善のために、そしてアメリカ例外主義を守るために、この技術の利点を活かそうとしていたのは我々ではなかったのか？　信じてほしい、あの中国人たちは本当に優秀なのだ」［注24］

要するにシュミットは、中国がアメリカを打ち負かすだろうが、トップを維持するためにアメリカにできる唯一のことは、大きいものを大きいままで残すことで、どのような形でデジタル経済へ移行していくかはシリコンバレーの判断に委ねるべきだ、と言いたいのである。同じような主張を、テクノロジー業界の巨人たちは有力議員のオフィスでも、講演会でも、ディナーパーティでも、とにかく影響力が行使できる場所ならどこでも、繰り返し口にしている。グーグルが資金援助する学者やシンクタンクもこの考えを代弁している。

情報技術・イノベーション財団（ＩＴＩＦ）の理事長を務めるロブ・アトキンソンの変遷を追ってみよう。彼はかつて、中小企業を擁護する側に立っていた。その彼が、マイケル・リンドとともに一冊の本を書いた。タイトルは『Big Is Beautiful: Debunking the Myth of Small Business（大きいものは美しい：スモールビジネス神話を暴く）』だ［注25］。ＩＴＩＦは見解のいくつかにおいてグーグルと対立しているのではあるが、この本は明らかにティム・ウーとバリー・リン――グーグルに対する欧州連合の反トラスト訴訟を称賛したことでニューアメリカ財団から追い出された人物――が推し進める〝新ブランダイス〟反トラスト理論を覆そうとしている。

中国が知的財産、イノベーション、経済競争力の点で急速に進歩しているのは間違いない。しかしながら、未来のテクノロジーをかけた戦争はまだ勝者が決まっていない。中国はこの数年、世界各地の電子通信規格団体に代表者を送り出し、5Gネットワークの構築で優勢を誇っている。しかし、それは技術的な優位性がずっと続くことを意味しているわけではない。中国は3Gの開発でおくれをとったが、それが4Gの発展を阻むことはなかった。アメリカやヨーロッパが5Gで中国に追いつくことはできないと考える理由はない。中国政府は国有企業にインフラの整備を命じることができるし、中国企業は5Gサービスを展開するのに、電波帯域を買う必要がない。これらは確かに利点だ。しかしそれなのに、最初に運用可能な5Gネットワークを手に入れるのは中国ではなく、韓国になるだろう。

もちろん、どの国が最初にネットワークを手に入れるかという問題も重要なのだが、それだけが成功の鍵ではない。5Gの本当の利点は、企業や業界が5Gに秘められた力を引き出せるかどうかで左右される。その力がどこに潜んでいるのか、現状ではまだはっきりしたことはわかっていないのだ。「4Gの最大の利用価値がタクシーを呼ぶことにあった事実を誰も予想できなかったように、実際に普及するまで5G技術に最重要な使用法を予測するのは難しい」と、ガベカル・ドラゴノミクスのダン・ワンは言う。

もう少し過去に起こった産業革命にも同じことが言える。まず、電気や燃焼機関など、大きな変化が現れ、のちに、自動車、家電製品、風力タービンなど、数多くの革新的な製品やサービスが現れた。今回は違うと想定する理由はない。中国、アメリカ、ヨーロッパのすべてがパイの分け前にありつける可能性を否定する理由もない。5Gをめぐる戦いはまだ終わっていないし、この戦いはゼロサムゲームである必要もないのだ。

しかし、アメリカが他国とともに繁栄するためには、二つの条件がある。政府が迅速に動いて本当のイノベーターたちを支援する環境をつくることと、ビッグテックが次世代のイノベーションを独り占めしないことの二点だ。ビッグテックを規制の対象から外させる言い訳としての「中国よりも俺たちを」といった身勝手な論調は却下すべきだ。

中国でもビジネスを展開している、フェイスブックとグーグルを、中国の技術的ナショナリズムに対抗するための手段とみなすのは、まったくのナンセンスだ。それらはインターネットなど、政府が資金を拠出して開発した技術を使って金儲けをする術は心得ているが、あくまで営利企業であって、ナショナル・チャンピオン、つまり国を代表するにふさわしい会社ではない。実際に、そのような企業はこれまで何度も、自分たちにはナショナル・チャンピオンになる責任はないと主張してきた。アメリカのような自由市場の国では、会社は好きなだけ現金を外国へ持ち出すことができるし、好きな場所で投資を行うこともできる。現実問題として、アメリカの技術系ロビイストたちは、ヨーロッパの政治家に向けて、彼らは愛国的で、自前のテクノロジー企業を優遇していると非難してきた。今後も監視や規制を避けるために「中国に対抗しているのは俺たちだ」と主張しつづける態度は、彼らの技術がアメリカだけでなく全世界で民主主義を弱体化させつつある今、偽善的であるのみか、完全に利己的だと言える。

## よりよいシステムの構築

将来の高成長産業をめぐる競争において、アメリカのもつ最大の強みを脅かしているのは中国ではなく、独占企業だ。現在のアメリカでは、つぶれて消えていくのは小企業だけではない。中規模の会社も、それどころか大企業も押しつぶされている。アメリカは競争の点で中国のトップダウン方式には張り合えない。また、張り合うべきでもない。しかし、脅威となる企業を抑制することにより、分散した非中央集権的なシステムの利点を主張することはできるはずだ。

それを実行するには、断固たる政治意志をもって規制にあたらねばならない。国内外の市場システムの仕組みについて、根本的に考え直す必要がある。政府が国の安全に気を遣うのは当然のことで、重要な分野の管理戦略に関与しようとするのも正当なことだ。アメリカは中国産の装備への依存度を減らし、自国の産業インフラを再構築すべきだとする〝防衛タカ派〟の意見に、私は同意する。しかし、ここ数年トランプ大統領がやってきたようなスタンドプレーと中国バッシングは「アメリカを再び偉大に《メイク・アメリカ・グレート・アゲイン》」を実現する方法としては適していない。自国のイノベーションエコシステムを助長することが必要だ。

アメリカ政府は、将来どんな用途があるかはっきりしていないものの研究、いわゆる〝ブルースカイ研究〟ですばらしい実績を上げてきた。タッチスクリーン技術、GPS、あるいはインターネットなど、どれももとはペンタゴンで生まれたものだ。今後は、そのような重要研究に対する資金援助を減らすのではなく、増やすべきだ。そして北欧諸国やイスラエルを手本にして、研究が商業化にいたった暁には、公共部門の利益の取り分をもっと増やしてもいいだろう。そうすることで、国が資金の大半を出した研究の成果から生じた利益のほとんどを、アップルやグーグルやクアルコムが外国に隠しているという非難もやむはずだ。

そして、中国の国家体制がアメリカに押しつけてきている存亡にかかわる難問についてもっと深く考えるべきだろう。中国のやり方をコピーしてはいけない。中国が照らし出したアメリカのやり方の問題点に取り組むのだ。ネオリベラルの枠内にある亀裂は、これ以上塗り固めることはできない。ありがたいことに、二〇二〇年の選挙の民主党候補の多くは、経済のグローバル化と多国籍ビジネスをより現実的な軌道に乗せ、企業に自己中心的で短期的なビジネスをやめさせ、もっと国民と社会に奉仕させるための方法について考えはじめている。資本主義が今後も存続するための必要条件は、人々が資本主義は自分たちのためになっていると信じることだ（現在、有権者の最大グループに相当するミレニアル世代の人々うち、資本主義を信じると告白するのは少数派に過ぎない）［注26］。もし、中国の体制から学ぶことがあるとすれば、今後の戦いに勝つためには長期的な戦略が必要だという点だろう。アメリカが出すべき答えは、ナショナル・チャンピオンを生み出して社会主義的な国家計画体制へ移行することではないはずだ。むしろ、イノベーションエコシステムそのものを強化し、株主だけでなくすべての利害関係者の幸福に焦点を当てるべきだろう。

一方の私たちは、ビッグテック企業はナショナル・チャンピオンだ、などという主張を鵜呑みにするのではなく、デジタルエコシステムをもっと厳しく監視する必要がある。今のアメリカの大企業はイノベーションを抑えつけている。教育改革の一環として、人々をロボットで置き換えのきかない職業に導くために、労働者を訓練することが絶対に欠かせない。アメリカで最大級にして最も豊かな一連の企業は財産の大部分を外国へ持ち出した。これでは業界が公的部門に要求する事業に資金を出すことはできない。成長を後押しするためにできることは、アメリカの企業を外国の買い手から守ることではなく、そのような問題に取り組み、市場を今よりも公平にすることだろう。

エリザベス・ウォーレンなど、一連の民主党候補者もそう提案している。

第14章

# 邪悪にならない方法

CHAPTER 14

# How to Not Be Evil

もしもこの世にデータよりも貴重な商品があるとすれば、それは時間に違いない。私も朝あと三〇分だけでも余分に寝ることができれば、とか、コーヒーを飲みながら次にやるべきことについて何も考えずにゆっくりと時間をかけて（紙に印刷された）新聞が読めたら、とか思うことがある。一日の終わりにメールをチェックしてもやらなければならないことが何もない状態を、あるいは一冊の本を書くのに——本書のように一二カ月ではなくて——数年かけてもいい生活を夢みている。悲しいかな、現代のめまぐるしくもハイスピードで、つねにスイッチが入った状態にあるデジタル世界では、速度を落とすのは極めて難しい。

しかし、もし一息ついて休憩すべき時間が存在するとすれば、それは今だ。人々がビッグテックの台頭に気づき、それがもたらしたさまざまな善と悪に対処しはじめた今にほかならない。事情は切迫している。しかし、だからといってむやみに反応すればいいということでもない。迫り来る変化の激しさと、ここで失敗したときの被害の大きさを考えると、私たちは社会としてよく考えたうえで次の方策を練ったほうがいい。結局のところ、不十分な情報にもとづく性急な決断は、ビッグテック時代に広まったやっかいな副作用なのだから。今の私たちは、フェイスブックやツイッターの投稿をちらと眺めただけで、事実よりも感情にもとづいて自分の立場を決めることが多い。

加えて、私たちは今後、二〇〇八年以降の金融分野が経験したような規制社会に突入するのではないかという不安もある。当時、左右の分け隔てなく、ロビイストと既得権利者がさまざまな新法を思いついた。いい新法もあれば、悪い新法もあった。それらが絡み合ってあまりに複雑になったため、数多くの抜け穴が生じ、企業弁護士たちがその抜け穴に飛び込んだ。一部の機関でリスクを見送る姿勢こそ見られたが、体制としては基本的な安全性は向上しなかった。専門家による複雑な議論が繰り返され、私たちは本質的な問題を見失ってしまった。どうすれば実体経済にとって有益な金融セクターを構築することができるか、という問題を。

そして今、私たちは身のまわりで急増している新技術に向けて同じ質問をしなければならない。有形経済から無形経済への構造転換――その前ではかつての産業革命ですら小さく見える――を前に、我々は一連の大問題に思いを馳せるべきだ。デジタル財産権、貿易規制、プライバシー法、反トラスト制度、責任のルール、言論の自由、監視の合法性、経済競争と国家安全保障におけるデータの役割、アルゴリズムが労働市場に及ぼす破壊力、人工知能の倫理性、デジタル技術ユーザーの健康と幸福などなど。

どれ一つをとってみても、それ自体が深淵で複雑な問題だ。しかも、それぞれが互いに影響し合うので、すべてを総合して考えなければならない。そのためには、新しいデジタル世界における経済成長、政治的安定、個人の自由、健康と安全などがどのような枠組みのなかで実現されるべきなのか、為政者がさまざまな分野の専門家と議論する必要がある。二〇〇八年のケースでは、金融システムを修復する任を負った政策立案者はウォール街の手の内にあった。金融危機後に大きな議論を呼び起こした新制度案に関する話し合いが行われるときは、ほとんどの場合で規制される側の人間も参加した［注1］。みっともない話だし、政治的にも、アメリカはシステムが不正に操作されているという印象を人々が抱くことになった。私たちはこの過ちを二度と繰り返してはならない。ごく少数の企業を豊かにするためではなく、民衆のために技術の力を活用する方法について議論するとき、そのような企業のリーダーだけにどのようなルールが必要か話させてはならない。

このプロセスで最初にすべきは、データとデジタル技術の未来に関する国家的な委員会を招集することだろう。超党派のメンバーで構成された独立委員会があらゆる問題について話し合い、議会に報告するのが理想的だ。政治的に危機的な状況ではいわゆる特別委員会が招集されることが多いが、それらはあまりにも大きく、曖昧かつ緩慢だ、などと批判されることが多い。私の以前のボスはこう表現した。「スーパー委員会では何も成し遂げられない」。そのとおりだ。しかし問題の複雑さと重要性、そして相互の関係から考えるに、国家委員会はルールを決めるのではなく、問題を明らかにすることを最初の目的にすべきだろう。ワシントンの為政者たちと議論するたびに驚かされるのだが、彼らのうちの善意的で思慮深い人々の多くでさえ、ビッグテックの抱える問題の一つや二つにのみ目を向け、全体像を見ようとしない。もちろん、企業はそのほうが好都合なのでその状態を維持しようとする。政治家の視野が狭ければ狭いほど、彼らにとって有利に働くのだから。

国家委員会を設ける理由がもう一つある。それがあれば国民に対して、どこかよくわからない場所で権力者たちが密談ですべてを決めているのではなく、〝民主的な選挙で選ばれた人々〟が集まって議論をしているのだと示すことができる。そのような委員会が限られた時間のなかで、明快で簡潔なレポートをわかりやすい言葉で発表し、その是非を人々に問うのである。私には、為政者たちが、もちろん一般の大衆も、議論を始めるためのロードマップなしに、デジタル時代の影響のすべてを理解できるとは、とても思えない。

そのような委員会は問題を明らかにするだけではなく、それらを四つの利害関係者グループ——国民、労働者、消費者、ビジネス——に結びつけて検討する。続けて、経済的・政治的・社会的発展の次の段階の枠組みについて、国内で活発な議論が行われなければならない。もちろん、これはほかの国でも行われてしかるべきプロセスである。人々を幸福にし、持続的な成長をもたらし、自由民主主義を損なうのではなく助長するデジタル時代を、どうすれば確実に迎えられるだろうか？　これは大きな問題であり、私たちはよく考えたうえで答えを出さなければならない。

そこで私は、本章では今後複数の世代にとって重要になるであろう複雑な問題に手短な解決策を提案するのではなく、慎重な検討が必要になると思われる一連の問題範疇を明らかにし、それにどう取り組むべきか、私なりの考えを示したいと思う。

## ビッグテックに制限を

資本主義のルールは石版に刻み込まれて伝承されてきたのではない。私たちが決め、変えることができる。ビッグテックの活動に制限を課さない限り、自由民主主義と個人の自由と安全が危機にさらされることになると、私は確信している。以下、デジタル規制のパラメータとしてどのようなものが想定できるか、例をいくつか紹介する。

手始めに、私たちがずっと前から知っていながら、忘れてしまっていると思える事実を指摘したい。業界による自主規制がうまく機能することはめったにないという事実だ。世紀の変わり目の鉄道に始まり、一九九〇年代のエネルギー市場、あるいは二〇〇七年ごろの金融業界など、この主張を裏づける例はいくらでも見つかる。その最新の例がテクノロジー業界だ。二〇一六年以降、ビッグテックの幹部たちは何度も議会で懺悔や謝罪の言葉を口にしてきたが、ビジネスモデルという点でも、経営理念という点でも、明らかな変化を見せることはなかった。むしろ、「もっとうまくやる」という彼らの曖昧な口約束や、自らのプラットフォームを監視するのは単純に不可能だなどという嘘が、あまりにも大きな力を得た民間企業を集中的に規制する枠組みが必要である事実を証明していると言える。

ただし、賢い規制方法を考えるのは非常に難しいと言わざるをえない。ここでもまた、金融業界が完璧な例だ。二〇〇八年以後の規制状況はとても複雑なうえ、世界各地で統一性がなかったため、体制に新たなリスクをもたらしてしまった。その結果として、トランプ政権はそのような規制の一部を撤廃することを正当化できたのである。しかしだからといって、何もしないほうがまし、という理由にはならない。近年、不完全な規制よりも無規制のほうが大きな問題になることがわかったのだから。では、政府がビッグテックを監視する状態をつくり、消費者と社会の利益を守り、成長の妨げになる独占を抑制し、私たちに欠かせないデジタルの利便性を維持するには、どうすればいいのだろうか?

一つの方法として、ビッグテックがプラットフォーム上で起こる出来事に対して法的に責任を免除されている現状を見直すことが挙げられるだろう。この問題点は、二〇一九年の三月にニュージーランドのクライストチャーチにおけるモスク二カ所で礼拝者五〇人が殺害され、その様子を映した一七分のビデオが配信された事件が発生したことを受けて、同国のジャシンダ・アーダーン首相が世間に問うたのだった。そのビデオは二四時間以内でフェイスブックに一五〇〇万回、ユーチューブには二秒に一回の頻度でアップロードされた[注2]。事件後に行った力強いスピーチで、アーダーンは次のように述べている。「我々は、これらのプラットフォームが存在し、そこで繰り広げられる言動にそれらが公開《パブリッシュ》される場所は何の責任もとらないという話を、ただじっと座って受け入れるわけにはいかない。彼らは発行者《パブリッシャー》であり、郵便配達ではない。責任を度外視して利益だけを追えばいいということはありえない」［注3］

ほかのメディアには理解のできないことに、通信品位法の第二三〇条の例外により、プラットフォームは憎しみや暴力の流布に対して責任をとる必要がない。この点を見直すのは難しい作業になるだろう。もし、法的に義務づけられた場合、プラットフォームはヘイトスピーチの取り締まりに必要以上に力を入れ、それが結果として言論の自由を脅かす恐れがある。しかし、現状のままではいけないことも明らかだ。ドイツなど、違法なコンテンツを二四時間以内に削除しないとプラットフォームに多額の罰金を科す法を定めた国もあれば、オーストラリアのように、同じような規制を検討している国もある。アメリカは憲法修正第一条があるため、そのような法律は限定的にならざるをえず、コンテンツの過小あるいは過剰規制による弊害の問題はつきまとうのであるが、今こそプラットフォームの運営者は、彼らが管理しているのは街の広場ではなく、ほかのメディア企業と同じで、コンテンツを現金に換える広告ビジネスなのだという事実を認めるときだ。そんなことはないと言い張るのは、彼らにとって不公平なだけでなく、危険なことでもある。

次に検討すべきおもな規制として、プラットフォームと商業を分離してより公平で競争的なデジタル環境をつくることが挙げられる。ビッグテックの力は、一九世紀の鉄道王たちが誇っていた権力に似ている。彼らもまた、自らの業界と社会を支配していた。政治家を買収することで、自由に価格をつり上げ、ライバルを業界から締め出し、課税と規制を回避することもできた。しかし最終的には、州間通商委員会が設置され、業界が支持し、ロビー活動に反対する数多くの条項が定められるなど、数多くの規制が変更されたことで、その力が抑えつけられたのだ。州間通商委員会はイノベーションを押しつぶすのではなく、テクノロジーがもたらす利益を広く共有できるようにすることで時代を繁栄に導くことに成功した。

専門家の多くは同じ考えだと思うが、強力なネットワーク効果を享受するビッグテック企業はそれ自体が独占企業であり、公共事業と同じように規制されるべきだ。競合他社もネットワークを公平に使えるようになっているか、略奪的価格設定が行われていないか、インターネットを不当にコントロールするために不正な利用規約が定められていないか、などといった点を政府が監視する。インターネットこそ、二一世紀の鉄道なのだから。そう考えると、「不可欠施設の法理」のような反トラストにまつわる古い考えを思い出す。一九一二年に最高裁判所が、セントルイス内でミシシッピ川にかかる唯一の橋を支配する鉄道会社に、他社にも差別なくその橋を使わせるよう指示する際に用いた考えのことだ。現在のグーグル、アマゾン、フェイスブック、あるいはアップルなどとの類似点は見落としようがない。どの企業もそれぞれのエコシステムを強大な力で支配している〔注4〕。一般的にもビッグテックと鉄道会社が比較されることが増えているし、為政者の一部も指摘している。例えばマサチューセッツ州選出の上院議員にして民主党大統領候補のエリザベス・ウォーレンなどだ。ウォーレンもビッグテックと鉄道を比較したうえで、世界での収益が二五〇億ドルを超える会社はプラットフォーム〝公共事業〟を所有すべきではなく、そのプラットフォームに自ら参加すべきでもないと考えている。

やはり、第九章で詳しく述べたように、私たちは権力をより広い視点から解釈したうえで、つまり消費者だけではなく社会全体の幸福を考えて、反トラスト政策を見直すべきだろう。それだけが、ワシントンを現金とロビイストで席巻する巨大なテクノロジー企業が政治経済を牛耳っている時代に、公平さと経済競争を強化する唯一の方法だと思える。

## 私たちのデータで利益を得る者と利益をよりよく分配する方法

たとえ規制が強化されても、ビッグテックは莫大な利益を出しつづけると、私は確信している。すでに見たように、彼らにとっておもな収入源である私たちのデータは無料だからだ。富の大半がデータや知的財産などの無形資産に潜んでいる昨今、パイを公平に分け合う方法を見つけるのはとても重要だ。

しかし、監視資本主義の略奪品を分配する方法を議論すること自体が、すでに監視資本主義に服従していることを意味していると考える人々もいる。そう考える理由がわからないわけでもない。しかし現実問題として、そんな悠長なことを言っている余裕はもうないのである。ビッグテックを規制し、その力を抑える方法を探しながら、同時に彼らが私たちのもつ最大の天然資源を無料で採掘することを阻止する方法も探すべきだろう。

本書でも見たように、個人データの抽出はアメリカで最も成長の急な分野で、今の流れがこのまま続けば、二〇二二年までに一九七七億ドルの価値になると予想されている。アメリカの農業生産高を超える価値だ[注5]。データを新しい原油とみなすなら、アメリカはデジタル時代のサウジアラビアなのである。この意味では、インターネット・プラットフォームの大手は新しいサウジアラムコであり、エクソンモービルだと言える。しかし、デジタル監視ビジネスにかかわっているのはプラットフォーム企業だけではない。信用調査会社、医療関連企業、クレジットカード会社などのデータブローカーもあらゆる種類の個人的な機密データを集め、自分でデータを集めるほどの規模をもたないほかの事業や組織に売り払っている。そこには小売業者、銀行、住宅ローン会社、大学、慈善団体、さらには——忘れるわけにはいかない——政治団体も含まれている。

シリコンバレーの外側で巨大テクノロジー企業の独占に抵抗しようとする企業があまり多くな

いのは、まさにそれが理由で、ほかの企業はシリコンバレーが売っているデータを買っているのだ。ネット接続が可能なセンサーが身のまわりのさまざまなものに組み込まれたモノのインターネットの出現により、デジタル資源を集める機会は飛躍的に増えることになる。どの企業もこのビジネスに参入している。その結果、私たちは監視資本主義が押しつけてくるすべての問題を、規制できずにいるのかもしれない。

だからこそ、私たちのデジタル原油を汲み上げる会社にその対価を支払ってもらうべきかどうかを検討する価値があるのだ。カリフォルニア州もまた、データ収集者がデータ所有者、つまり私たちに〝デジタル配当〟を支払うべきだと提案している。同じような考え方から、アラスカやノルウェーなどの国も商品から得た収益の一部を未来の世代のために投資することを目的として、いわば資産ファンドのようなものを設立した。データを抽出する側には、収益の一部を拠出するだけの余裕がある。グーグルとフェイスブックは、生資源であるデータを無料で手に入れているため、利益率が二桁にも及ぶのである。しかし、自分の個人情報を所有するのは、自分自身であるべきだ。私たちの個人情報を集めて使った企業は、その対価を私たちに支払うのが筋だろう。

四大データ収集業者――プラットフォーム、データブローカー、クレジットカード会社、医療関連企業――は収益の一部から、インターネットを利用しているすべてのアメリカ人に固定料金を支払うことができるのではないだろうか。あるいは、相当額を公的基金に投じ、教育やインフラ整備などに役立てることもできるはずだ。この意味では、特に教育が適していると思える。なぜなら、本書でこれまで扱ってきたあらゆる転換が、今世紀は労働者の再教育が不可欠になることを明らかにしているからだ。そのための資金をビッグテック――アメリカでは適切な教育が不足していると頻繁に不満を漏らす業界――が拠出するのは、公平なことだと思える。同時に、デジタル収益に五〇パーセントの税を課すことで、今後二〇二二年までに必要になると推定されているアメリカ国内におけるインフラ整備に不足する一三五〇億ドルのほとんどを埋め合わせることができるだろう［注6］。データを資源とみなすなら、そのために独立した資産ファンドを設けたほうがいい。

しかしながら、課税は免罪符ではない。データ収集者に税を課したからといって、彼らが個人のプライバシーや国民の自由をないがしろにしてもいいというわけではない。プラットフォーム技術のユーザーには、自分のデータがどう使われるかを自ら決める権限を与える、いわゆる〝オプトイン〟条項を増やすことで透明性を高めることができるに違いない（EUの一般データ保護規則ですでに実施され、カリフォルニアではさらに厳しい提案がなされている）。〝オプトイン〟条項文は平易な言葉で書かれなければならず、その違反の際の立証責任は個人ではなく、企業の側が担う必要がある。またビッグテックは、アルゴリズムに投じるデータの監査ログを記録し、世間に対して自らのアルゴリズムについて説明する責任も負う。

メリーランド大学のフランク・パスカーレはこう指摘する。「一部の人がインターネット大手のやり方を批判し、その一方で、インターネット会社は、批判者はコンテンツの仕分けやランク付けのアルゴリズムを理解していないと反論するという一定のパターンができあがってしまい、混乱した一般人は報道のなかで対立する言い分を自ら判断する必要に迫られている」。数学者であり、ビッグテックを批判する立場でもあるキャシー・オニールが示唆したように、アルゴリズムに組み込まれた偏見が職場や医療、あるいは教育の現場などで差別を引き起こしたと懸念されるとき、あるいはそのような苦情がある場合には、会社はアルゴリズムを審査させることに前向きでなければならない［注7］。

個人のデジタル権利も合法化する必要がある。以前『ワイアード』誌で編集員を務めていたジョン・バッテルは、データを奪った企業ではなくてデータの持ち主、つまりデータの作成および使用者に所有権を認めるデジタル権利法を提案している。彼の考えでは、この提案は憲法を改正して明文化すべきほど大切な問題だ。ヨーロッパでも論じられているように、人は「忘れられる権利」も有するべきだろう。個人が望んだときには、企業はその人物にまつわるあらゆるデータを消去しなければならない、とする考え方のことだ。二〇〇〇万人ものヨーロッパ人がすでに〝オプトアウト〟を選択した。つまり、データの第三者への受け渡しを拒否したのである。最後にもう一つ、私は厳格なルールに基づきアルゴリズムによる差別の監視を行うデジタル消費者保護局の設立と、（クレジットスコアではすでに可能になっているように）個人が自分のデータの使われ方を知り、理解できるシステムの構築を提案したい。

いずれにせよ、何をするにしてもビッグテックをテーマにした透明でわかりやすい議論が欠かせない。これまで、複雑だから（あるいは複雑に見えるから）という理由で、公益にかかわる大切な問題――プロパガンダはどうやって広められているのか、ユーザーはどのような形で追跡されて価値に変えられているのか、など――についての議論が避けられることが多かった。今後、企業はブラックボックスを開いて、私たちに彼らのアルゴリズムを理解させる努力をすべきだろう。それで競争が不利になることはない。研究を通じて、資産になるのはアルゴリズムそのものの賢さではなく、アルゴリズムに投入されるデータの量であることが証明されている。また、透明性の高さこそが収益を増やす手段になると考えることもできる。人々は透明度の高い会社を信頼し、貴重なデータを預けることに前向きになるだろう。

それに、これまで多くの信用を失ってきたビッグテックのプラットフォームに、より多くの信頼に値する投資家が集まってくるかもしれない。ある大物政治家の補佐官が私に指摘したのだが、データは地球上で最も価値の高い商品であるのに、データを流通させている企業は財務報告でデータの価値を明示していないのである。現状のところ、データの金銭的価値は財務報告の〝のれん〟に押し込められているか、完全に無視されている。

この状態は変わらなければならない。理由はたくさんあるが、とにかく、今のままでは投資家にはテクノロジー企業の本当の価値すらまったく見当がつかない。その会社が扱っている主要商品の価値がわからないのだから（ゼネラルモーターズやフォードのバランスシートにそれら企業の資産の価値が書かれていないような話だ）。しかしそれよりも大きな問題は、私たち自身が商品であるのなら、つまり私たちのデータが集められるのなら、それにどれぐらいの価値があるのか、私たちに知る権利があるはずだ。そしてそれを知ったうえで、私たちは社会として、その価値の一部を受け取るべきか否かを決断すればいい。

また、データ資産を民間企業ではなく、公共セクターに託すという選択についても考えるべきだろう。そうすることで、民間の企業もデータに平等にアクセスでき、人々はデータの収益化をよりよく監視できる。これまで、新しくも華やかなビッグデータと人工知能の世界が今後数十年の世界の成長を促すと考えられていた。その際、基本的に二つのモデルのみが想定されていた。一つは政府がすべてを知り、すべてを管理する中国式の監視国家。もう一つはアメリカ式の軽微な規制。そこでは一連の独占企業が育ち、それらが雇用や経済全般の成長を阻害する。

しかし、もう一つ、両者の中間を通る三本目の道がある。フランスなどの国家が進もうとしている道だ。ヨーロッパでは、人工知能やほかのビッグデータ関連事業の開発に必要なデータ――医療、輸送、防衛、治安、環境など――の多くを、すでに公共セクターが管理している。国の機関が管理する大量のデータには、基本的に企業もアクセスできるが、そこには公衆による監視がつきまとう。国民には発言権があり、選挙で選んだ代表者を通じて、データをどのような研究やビッグデータ用途に使うべきか、決めることができる。そして大企業も中小企業も、その金鉱に平等にアクセスできる。これこそ、アメリカの問題を解決する方法ではないだろうか。アメリカではデータを必要としているスタートアップが最も頻繁に口にする不満は、大企業によってデータへのアクセスを妨害されているという不満なのだから。

## デジタル時代の公正な税制

金融業界と同じで、テクノロジー業界もまた、データや情報といった無形の資産から利益を上げてきた。加えて、無形資産は無形であるがゆえに租税回避地《タックスヘイブン》へ容易に移せるという利点も活用してきた。それらは（工場や機械、あるいは実店舗とは違って）実体がないので、どこにでも移管することができる。しかし、パナマ文書の漏洩により、全世界の金持ちや大企業がおびただしい額の現金を外国へ持ち出していることが明らかになった［注8］。結果、情報化社会にとって公平な税制をつくるにはどうすればいいのか、盛んに議論されるようになった。イギリス、フランス、インドなどの国が競争を平等にするための法人税の根本的な見直しを提案している。

「現在の税制は有形資産から利益を上げる会社よりも無形資産に富む会社を、中小のローカル企業よりも多国籍企業を優遇している」と語るのは、ノーベル経済学賞を受賞したコロンビア大学教授にして、世界的な税制改革を推し進める学者と為政者が構成するＩＣＲＩＣＴ（国際法人課税の改革を求める独立委員会）を率いるジョセフ・Ｅ・スティグリッツだ。スティグリッツは「これらの企業は金融工学を活用してあらゆる種類のゲームに興じている」としたうえで、それらの企業がゼロサムレースを理由に低コストなタックスヘイブンへ行くのを防ぐために全世界的に一律な課税を行うことを提唱している［注9］。

しかし、そのようなことが実際に可能なのだろうか？　改革論者の提案の多くは、利益ではなく、販売時点の売上に税を課すという考えにもとづいている。そうすることで、アップルやグーグルなど、知的財産やデータを多くもつ会社も利益をアイルランドやオランダなどのタックスヘイブンへ移し替えるなどといった金融工学がやりにくくなると考えられるからだ。

この問題が国際的に最初に明らかにされたのは、経済協力開発機構が二〇一二年に「税源浸食と利益移転（ＢＥＰＳ）」問題に取り組むプロジェクトを発足したときだった。そして今では国連、世界銀行、国際通貨基金などでも議論が行われている。現在、最も多くの富を有している会社は市場に物理的に存在する必要がない、それどころか本社をどこかの国に固定する必要すらないという認識が高まるにつれ、タックスヘイブン問題は盛んに論じられるようになってきた。

重要な点として、税制改革論者はビッグテックが引き起こした労働市場の混乱（第八章を参照）により、国家は教育制度を見直し、職業訓練を改善し、二一世紀の労働者を育てるためにより多くの資金を投じる必要に迫られている、と指摘する。その資金を捻出するには、もちろん税収が必要だ。しかし、ほぼすべての国家が現在のやり方に限界を感じているにもかかわらず、新しい税制がどのようなものになるべきかについては、まだ見解が一致していない。

例えばイギリスは、国際的な合意が得られない場合は、最低限のデジタル税を可決する計画がある、と発表している。EUでは財務大臣の多くが、利益ではなく売上に課税する方法に支持を表明している。ほかの国、例えばインドはすでに、国内に恒久的な施設をもたない外国企業への一五〇〇ドルを超える支払いに対して「平等化」課税を導入している。要するに、例えばアマゾンがインドで何かを売れば、一定額の税金が支払時に徴収されるということだ。中国とドイツはアメリカ式の最低法人税という考えに傾倒している。両国ともそれぞれ守るべき大企業（テクノロジー企業だけでなく自動車メーカーも）を抱えているからだろう。イギリスとフランスはデータとユーザーの価値を定めようとしている。そしてここアメリカでは、トランプが実質上デジタル税の下限を設定し、さらにはデジタル時代の価値の所在に関する議論に火を付けた。これらすべてが、分断化され、政治的に二極化した世界では、デジタル商品への課税が国際的な貿易関係の新たな火種になるであろうという事実を指し示している。

いずれにせよ、古い秩序に大きな変化が起こりつつあることは明らかで、当然ながら、シリコンバレーの巨人たちはそれに不満を訴えている。二〇一七年にカリフォルニア大学バークレー校で開催されたOECD会議で、シリコンバレー・タックス・ディレクターズ・グループのロバート・ジョンソンはこう主張した。「生のユーザーデータは原油ではない……価値は商品とサービスの開発および生産を通じてつくられる。消費によってではない」［注10］

しかし、データは〝まさに〟原油のようなものなのだ。実際のところ、データのほうが貴重だと言える。さまざまな国際的な計画に対して盛んに抗議がなされていることからもわかるように、スマートで公平なデジタル課税制度をつくるのは容易ではない。政府よりも企業のほうが強大な経済力をもつ時代に、その富の一部を民衆に取り戻すための方法を見つけることは、機能する民主主義を維持するためには不可欠だろう。

## デジタル・ニューディール

テクノロジーの発達により雇用機会が大幅に失われるだろうという見通しが、人々がビッグテックに覚える不安の最大の源だ。この不安があったからこそ、比較的無名な実業家で、大学の卒業生とスタートアップの橋渡しをする非営利組織の設立者でもあるアンドリュー・ヤンは、反A

Iプラットフォームを訴えて、二〇二〇年の米国大統領選挙に出馬したのである。彼が大統領になることはないだろうが、彼が提示した問題――人工知能とビッグデータと自動化の人的犠牲――は二〇二〇年の大統領選挙で主要な争点になると考えられる。人工知能が労働者の役に立つか、それとも傷つけるかという問いの答えは時間の捉え方によって変わる。テクノロジーとはつねに、短期的に見た場合は雇用を創出するのだが、ケインズが指摘したように、長期的には私たち全員にとって死刑宣告だ。

おそらくそれよりも重要なのは、二つ目の要素となる人の社会経済的クラスだろう。今後の五年ほどであらゆる業界に浸透していくにともない、デジタル技術はスキルに長け、高い教育を受けてきた人々の生産性を高め、彼らには恩恵をもたらすだろう。したがって、世界規模で〝勝者の総取り〟傾向が加速するに違いない。それには大きな副作用がともなう。デジタル化には生産性と成長を加速する力がある一方で、それが労働者の収入を圧迫し、不平等を広めることになると、需要を抑える可能性もある。世界の経営者を対象にした二〇一八年のマッキンゼー調査によると、彼らの大多数が、ビジネスをデジタル化するために、二〇二三年までに労働力の四分の一以上を再訓練あるいは解雇する必要があるとみなしていた。同じ年に開かれた会議で、私はアメリカの大規模多国籍企業の最高経営責任者たちが、今後の数年で彼らの会社の労働力の三〇パーセントから四〇パーセントを解雇する可能性があると話し合っている現場に遭遇した。彼らはそれほどまで大規模なレイオフをした場合の政治的影響を危惧していた。

そこで私はもっと根本的な解決策を提案したい。労働者を解雇しないことだ。私は〝企業大国アメリカ〟に慈悲心から労働者を抱えつづけろと言っているのではない。官民一体となって、ある種のデジタル・ニューディール政策を推し進めようと提案しているのだ。自動化により多くの雇用が失われる一方で、ほかの分野――カスタマーサービスやデータ分析など――で同じぐらい多くの才能が必要とされるだろう。従業員の保持や新業務への再訓練を約束する会社は、税の面で優遇すればいい。アメリカは金融危機後のドイツを手本にするといいだろう。当時のドイツでは、公共・民間セクター合同で需要が落ち込んでいる時期にも労働者を使いつづける方法を見つけ、大量解雇を避けることに成功したのだった。政府は労働者を維持する企業に補助金を支給し、企業はそれを使って工場をアップグレードし、技術を改善し、社員の教育を充実した。この仕組みがうまくいったため、経済が再び上向きに転じたとき、ドイツ企業は中国における市場シェアをアメリカのライバルから奪うことができたのである。また、より大きな意味で経済全体に利益をもたらす公共事業に、労働者の提供を通じて貢献することもできた。

アメリカでは、コーネル大学の法学教授のソール・オマロバと同僚のロバート・ホケットが新たに〝ナショナル・インベストメント・オーソリティ（国家投資機関）〟――ニューディール政策時代の復興金融公社と、現代風の独立資産ファンドと、プライベート・エクイティ会社を足して三で割ったようなもの――を提案した。デジタル時代のために実体経済をつくり直すための国家的戦略の構想と実施に携わる機関だ。

「この提案は、公共インフラへの資金供給という観点から組み立てられているが、単純に新しい道路をつくるなどというよりもはるかに大きくて野心的な提案だ」と、オマロバは説明する。「私たちがやろうとしているのは、後期のニューディール政策のアプローチに沿って、改革的で大規模で公共に役立つプロジェクトに資金を投じることを通じて、不平等を拡大したり民間企業の力を増やしすぎたりすることなしに持続的な雇用を創出し、国家が競争力を取り戻すサポートをすること。この提案の対象範囲は人工知能関連の問題に限定されないが、同問題が経済にもたらす構造的不均衡をおもなターゲットにしている。私たちが提案する新しい機関は、いわば〝公営のブラックロック〟であり、テクノロジーの進化がごく一部の大金持ちだけではなく、すべての人々の利益になるように便宜を図る」

アメリカには、例えば地方におけるブロードバンドの拡大推進など、今すぐに労働者を動員できる計画が数多く存在する。大企業はそのようなプロジェクトに資金や余った労働力を提供できるだろう。それが結果として、のちに低成長地域で需要の拡大をもたらし、顧客も増えるに違いない。この方法は、今後失われると考えられる雇用の数に合わせて、「二五パーセント・ソリューション」と呼べるだろう。企業と政府が連携して二一世紀の労働者を育て、それをサポートする公共インフラを構築することで、来たる雇用災害をチャンスに変えるのである。それに変わる代替案——成長の鈍化と二極化の進んだ政治——は、とても魅力的だとは言えない。

## デジタル世界における健康とウェルネス

デジタルな意味で健康とウェルネスを確かなものにする方法を見つけるのは難しい。なぜなら、本書を通じてここまで論じてきた技術はどれも、とても普及しやすく、人々の考え方さえ変える力があるからだ。ビッグテックがもたらした解決しがたい問題の一つとして、私たちがあまりにも多くの時間をテクノロジーに費やしている、という点を挙げることができる。幸いなことに、ビッグテックにビジネスモデルを変えさせ、それらの製品が引き起こす人的被害を少なくするよう働きかけるために、ゲリラ活動を行っている人々が存在する。活動家や議員らが、ｉＰｈｏｎｅがもつスロットマシンのような中毒性に狙いを定め、子供たちを最もやっかいな形の略奪的行為やオンラインマーケティングから守るための規制を求めはじめた。また彼らは、子供か大人かの隔たりなく、私たちすべてにとってデバイスを眺めて過ごす時間を減らすべきかどうかを検討している。

その答えは「イエス」のようだ。政府に精神に異常を引き起こす薬品の使用を制限する権限があるのなら、精神に異常を引き起こす技術を規制できない理由があるだろうか？　技術のほうが影響は深く、広く、危険は広範囲に及ぶのである。アメリカ食品医薬品局は、アプトン・シンクレアが著書『ジャングル』で無秩序な精肉業界が引き起こした不快極まりない健康被害について辛辣に告発したことを受けて、一九〇六年に設立された。食品医薬品局は身体的な健康のためにつくられたのだが、私は本書が『ジャングル』と同じような役割を担い、本書をきっかけにいわばデジタル版の食品医薬品局が組織されることを望んでいる。新技術の効果を個人の精神的健康という意味だけでなく、国家としての健康という点からも調べ、これからの時代に不可欠な技術が私たちを害することなく役に立つようにするために、適切な規制を提案することを目的とした組織である。

第一章で指摘したように、ビッグテックはビッグだ。この点が、今までそのような対策があまり行われなかった理由の一つだと言える。今後も当分のあいだは同じ状態が続くだろう。過去二〇年の変化があまりにも広く、そして深かったため、私たちはそれをいまだに消化しきれていない。シリコンバレーは歴史上最も豊かな産業であり、どんな問題に遭遇しても、金の力で解決することができた。その製品は明るく輝き、あまりにも画期的だったので、その暗黒面に私たちは自ら目を閉ざしてきた部分もある。そこには矛盾が横たわっていた。それらの利点――情報の共有、人間関係の構築、生産性の向上など――は、暗黒面――スパイ行為、情報販売、真実や信用の侵害――の上に成り立っていたのだ。利点――一瞬のうちに事実やタクシーを呼び出すことができる能力――があまりにも神々しかったので、私たちは暗黒面の悪魔的な力を見過ごしてきた。

しかし、意図的に目をつぶるのはもうやめにしよう。富と力を手に入れたビッグテックは、あまりにも傲慢になってしまった。社会のほうがビッグテックの望むように変わらなければならないという考えすら広まっている。私たちはもっと速く動き、もっと多く働き、あらゆるものを破壊する心構えをもっておくべきだという考え方が。しかし真実はその逆で、ビッグテックが私たち一般の人々に合わせるべきなのである。アメリカは最も豊かで最も影響力の強い一部の人々により、今にも独占されようとしている。そして人々は自分たちには企業運営のルールを変えるだけの力がないと思い込んでしまっている。私たちはその無力感を払い落とし、自分たちにもデジタル化した経済と社会のルールを〝自分たち自身が〟望み必要とする形に変える力があることを理解しなければならない。でなければ、失うものがあまりにも多い。技術の歴史は変革の歴史でもある。そして、変革に終わりはない。産業革命は機会を拡大したが、それが工場労働者の搾取につながり、労働者の搾取が政府に改革を強制し、それがさらにシカゴ学派の支配、ネオリベラルな経済観、あるいは政治的自由主義の台頭を引き起こした。その延長線上として、ビッグテックが過剰なまでに成長できたのである。この流れが今も続いている。

ビッグテックは規模が大きく、動きも速いため、追跡するのもコントロールするのも簡単ではない。しかし、私たちはようやく、きらきらと輝く新デバイスを得るのと引き換えに何を差し出してきたのか、正確に理解しはじめている。変更されない技術も、人々を永遠に支配しつづける技術も存在しない。一時は強大な権力を誇った鉄道業も、賢明な役人たちがそれらを悪徳資本家だけでなく広く一般のためにも奉仕するように規制したことで、大きく様変わりした。新しい機械をつくるのは人間だ。人工知能が世界を乗っ取るというディストピア的な妄想は別として、今も人間が機械の支配者なのだ。その力には、私たちが、私たちと子供たちのためになるように、ビッグテックに望む未来を選び、創造する能力が、いや責任がともなう。

私の考えでは、その未来とはスクリーンを眺める時間が今よりも短く、少なくとも短期的には、テクノロジーから切り離されたいわゆる〝ダウンタイム〟が今よりも少し長い未来だ。私は自分の心の健康を守るために、Eメールをチェックする回数を減らし、ソーシャルメディアの大半を遮断し、夕食後はデバイスをオフにすることにした。子供たちにもそう言い聞かせた。本書を書くきっかけになったのは、息子がオンラインゲーム中毒に陥っていることが明らかになったことだった。それ以来、私たちは協力しながら、彼のデジタルメディアとの付き合い方を変えてきた。登校日前夜はスクリーンが禁止で、週末も二時間だけ（結果、彼は読書やバスケットボールをする時間が増えた）。息子がオンラインにいるとき、できるかぎり私も同席することにしている。母親として、息子が何をしているのかを見るために。ジャーナリストとしては、関心の商人がどんな悪事を働いているかを知るために。

アレックスはいまだにユーチューブやオンラインゲームが大好きだ。

でも、ペアレンタル・コントロールに対する私の愛情はそれに勝る。

# 謝辞

グローバル・ビジネス・コラムニストとしての観点からビッグテックについて本を書くように私を応援してくれた『フィナンシャル・タイムズ』紙の編集員や同僚の皆さんに感謝している。

また、本書のためにそれぞれの考えや経験談、あるいは研究成果を提供してくれた数多くの人にもお礼を言わせていただきたい。私を最も強く支えてくれた人々をここで紹介する。バリー・リン、ラフィ・マルティナ、フランク・パスカーレ、ジョナサン・タプリン、トリスタン・ハリス、ロジャー・マクナミー、キリル・ソコロフ、ニック・ジョンソン、ロブ・ジョンソン、ジョン・バッテル、ティム・オライリー、ショシャナ・ズボフ、エルヴィール・コーゼビッチ、ルーサー・ロウ、シヴァン・ラフ、リナ・カーン、ビル・ジェーンウェイ、B・J・フォッグ、グレン・ウェイル、ルイージ・ジンガレス、マイケル・ウェッセル、アンヤ・シフリン、ジョセフ・E・スティグリッツ、デビッド・カポス、ジェームズ・マニーイカ、ジョージ・ソロス、デビッド・カークパトリック。

また、元同僚のスティーブン・レヴィとブラッド・ストーンをはじめとする、原稿を読んでいただいた方々にも感謝している。ジャロン・ラニアー、フランク・フォア、キャシー・オニール、エリック・ポズナー、ハル・ヴァリアン、カール・シャピロ、ジョナサン・ハスケル、スティアン・ウェストレイク、ティム・ウー、ソール・オマロバ、ロバート・C・ホケット、アンドリュー・マカフィー、エリック・ブリンジョルフソン、アルン・スンダラジャン、ビクター・メイヤー＝ショーンバーガー、ケネス・クキア、トーマス・ラムゲ、ニーアル・ファーガソン、ケン・オーレッタ。グーグルでは、難しい質問をするのを簡単にしてくれたコーリー・ドゥブロワと、記録に関する考えを共有する時間をつくってくれたケント・ウォーカー、そして洞察に満ちたカラン・バティアにお礼を言いたい。

そして個人的ではあるが、夫のジョン・セジウィックと二人の子供たちダリヤと（もちろん）アレックス、執筆で忙しくなった私を我慢してくれてありがとう。いつも三歩先を行くスーパースターそしてエージェントとして私を担当してくれたティナ・ベネット、信じられないほど才能があって、思慮深くて、仕事熱心な編集員のタリア・クローンにも感謝している。クローンは私の原稿を一〇倍優れたものにしてくれただけでなく、この本を完成させるために夜と週末を削って働いてくれた。事実確認係のジュリー・テイトと調査アシスタントのハナー・アサディも超一流だ。最後に、カレンシー出版のティナ・コンスタブルおよびカレンシーのチームの皆さん、（また）私を、そして本書の大切さを信じてくれて、本当にありがとう。あなた方は最高だ。あなた方に出会えたことに、心から感謝している。

類の未来』、光文社）

West, Darrell M. *The Future of Work: Robots, AI, and Automation*. Washington, D.C.: Brookings Institution Press, 2018.

Wu, Tim. *The Attention Merchants: The Epic Scramble to Get Inside Our Heads*. New York: Knopf, 2016.

———. *The Curse of Bigness: Antitrust in the New Gilded Age*. New York: Columbia Global Reports, 2018.

Zuboff, Shoshana. *The Age of Surveillance Capitalism: The Fight for a Human Future at the New Frontier of Power*. New York: Public Affairs, 2019.

出版）

McNamee, Roger. *Zucked: Waking Up to the Facebook Catastrophe.* New York: Penguin, 2019.

Olson, Mancur. *The Rise and Decline of Nations.* New Haven, Conn.: Yale University Press, 1982.

O'Neil, Cathy. *Weapons of Math Destruction: How Big Data Increases Inequality and Threatens Democracy.* New York: Crown, 2016.（『あなたを支配し、社会を破壊する、AI・ビッグデータの罠』、インターシフト）

O'Reilly, Tim. *WTF? What's the Future and Why It's Up to Us.* New York: Harper Business, 2017.（『WTF 経済 ―絶望または驚異の未来と我々の選択』、オライリージャパン）

Pasquale, Frank. *The Black Box Society: The Secret Algorithms That Control Money and Information.* Cambridge, Mass.: Harvard University Press, 2015.

Posner, Eric A., and E. Glen Weyl. *Radical Markets: Uprooting Capitalism and Democracy for a Just Society.* Princeton, N.J.: Princeton University Press, 2018.（『ラディカル・マーケット 脱・私有財産の世紀：公正な社会への資本主義と民主主義改革』、東洋経済新報社）

Ramo, Joshua Cooper. *The Seventh Sense: Power, Fortune, and Survival in the Age of Networks.* New York: Little, Brown, 2016.

Rosenblat, Alex. *Uberland: How Algorithms Are Rewriting the Rules of Work.* Oakland: University of California Press, 2018.（『Uberland ウーバーランド ― アルゴリズムはいかに働き方を変えているか』、青土社）

Sandel, Michael. *What Money Can't Buy: The Moral Limits of Markets.* New York: Farrar, Straus and Giroux, 2012.（『それをお金で買いますか 市場主義の限界』、早川書房）

Schmidt, Eric, and Jared Cohen. *The New Digital Age: Transforming Nations, Businesses, and Our Lives.* New York: Vintage Books, 2014.

Shapiro, Carl, and Hal R. Varian. *Information Rules: A Strategic Guide to the Network Economy.* Boston: Harvard Business School Press, 1999.

Stone, Brad. *The Everything Store: Jeff Bezos and the Age of Amazon.* New York: Little, Brown, 2013.（『ジェフ・ベゾス 果てなき野望 アマゾンを創った無敵の奇才経営者』、日経 BP）

Sundararajan, Arun. *The Sharing Economy: The End of Employment and the Rise of Crowd-Based Capitalism.* Cambridge, Mass.: MIT Press, 2016.（『シェアリングエコノミー』、日経 BP）

Taplin, Jonathan. *Move Fast and Break Things: How Facebook, Google, and Amazon Cornered Culture and Undermined Democracy.* New York: Little, Brown, 2017.

Tepper, Jonathan, with Denise Hearn. *The Myth of Capitalism: Monopolies and the Death of Competition.* Hoboken, N.J.: John Wiley and Sons, 2019.

Thompson, Clive. *Coders: The Making of a New Tribe and the Remaking of the World.* New York: Penguin, 2019.

Vise, David. *The Google Story: Inside the Hottest Business, Media, and Technology Success of Our Time.* New York: Bantam Dell, 2005.

Webb, Amy. *The Big Nine: How the Tech Titans and Their Thinking Machines Could Warp Humanity.* New York: Public Affairs, 2019.（『BIG NINE 巨大ハイテク企業と AI が支配する人

*New Global Underclass*. New York: Houghton Mifflin Harcourt, 2019.

Greene, Lucie. *Silicon States: The Power and Politics of Big Tech and What It Means for Our Future*. Berkeley, Calif.: Counterpoint, 2018.

Greenfield, Kent. *Corporations Are People Too (And They Should Act Like It)*. New Haven, Conn.: Yale University Press, 2018.

Grunes, Allen P., and Maurice E. Stucke. *Big Data and Competition Policy*. Oxford: Oxford University Press, 2016.

Hartley, Scott. *The Fuzzy and the Techie: Why the Liberal Arts Will Rule the Digital World*. New York: Houghton Mifflin Harcourt, 2017.

Haskel, Jonathan, and Stian Westlake. *Capitalism Without Capital: The Rise of the Intangible Economy*. Princeton, N.J.: Princeton University Press, 2018.（『無形資産が経済を支配する：資本のない資本主義の正体』、東洋経済新報社）

Herman, Arthur. *Freedom's Forge: How American Business Produced Victory in World War II*. New York: Random House, 2012.

Isaacson, Walter, *Steve Jobs*. New York: Simon & Schuster, 2011.（『スティーブ・ジョブズ I・II』、講談社）

Janeway, William H. *Doing Capitalism in the Innovation Economy*. Cambridge: Cambridge University Press, 2018.

Johnson, Nicholas L., and Alex Moazed. *Modern Monopolies: What It Takes to Dominate the 21st Century Economy*. New York: St. Martin's Press, 2016.（『プラットフォーム革命――経済を支配するビジネスモデルはどう機能し、どう作られるのか』、英治出版）

Kaye, David. *Speech Police: The Global Struggle to Govern the Internet*. New York: Columbia Global Reports, 2019.

Lanier, Jaron. *Who Owns the Future?* New York: Simon & Schuster, 2013.

———. *You Are Not a Gadget: A Manifesto*. New York: Random House, 2011. Larson, Deborah Welch, and Alexei Shevchenko. *Quest for Status: Chinese and Russian Foreign Policy*. New Haven, Conn.: Yale University Press, 2019.

Lee, Kai-Fu. *AI Superpowers: China, Silicon Valley, and the New World Order*. New York: Houghton Mifflin Harcourt, 2018.（『AI 世界秩序 米中が支配する「雇用なき未来」』、日本経済新聞出版）

Levy, Steven. *In the Plex: How Google Thinks, Works, and Shapes Our Lives*. New York: Simon & Schuster, 2011.（『グーグル ネット覇者の真実 追われる立場から追う立場へ』、CCC メディアハウス）

Lynn, Barry C. *End of the Line: The Rise and Coming Fall of the Global Corporation*. New York: Doubleday, 2005.

Mayer-Schönberger, Viktor, and Kenneth Cukier. *Big Data: A Revolution That Will Transform How We Live, Work, and Think*. Boston: Houghton Miffin Harcourt, 2013. Mayer-Schönberger, Viktor, and Thomas Ramge. *Reinventing Capitalism in the Age of Big Data*. New York: Basic Books, 2018.（『データ資本主義 ビッグデータがもたらす新しい経済』、NTT

## 参考文献


Adams, Charles Francis Jr. *Railroads: Their Origins and Problems.* 1878.

Auletta, Ken Googled: *The End of the World as We Know It.* New York: Penguin Books, 2009.

Battelle, John. *The Search: How Google and Its Rivals Rewrote the Rules of Business and Transformed Our Culture.* New York: Portfolio, 2005.

Bogost, Ian. *Persuasive Games: The Expressive Power of Videogames.* Cambridge, Mass.: MIT Press, 2010.

———. *Play Anything: The Pleasure of Limits, the Uses of Boredom, and the Secret of Games.* New York: Basic Books, 2016.

Brynjolfsson, Erik, and Andrew McAfee. *Machine Platform Crowd: Harnessing Our Digital Future.* New York: W.W. Norton, 2018.

Eckles, Dean, and B. J. Fogg, eds. *Mobile Persuasion: 20 Perspectives on the Future of Behavior Change.* Stanford, Calif.: Stanford Captology Media, 2007.

Edwards, Douglas. *I'm Feeling Lucky: The Confessions of Google Employee Number 59.* Boston: Houghton Mifflin Harcourt, 2011.

Eyal, Nir, with Ryan Hoover. *Hooked: How to Build Habit- Forming Products.* New York: Portfolio/Penguin, 2014.

Farrell, Joseph, Carl Shapiro, and Hal R. Varian. *The Economics of Information Technology.* Cambridge: Cambridge University Press, 2004.

Ferguson, Niall. *The Square and the Tower: Networks and Power, from the Freemasons to Facebook.* New York: Penguin Press, 2018.（『スクエア・アンド・タワー（上）（下）—ネットワークが創り変えた世界』、東洋経済新報社）

Fisher, Adam. *Valley of Genius: The Uncensored History of Silicon Valley (as Told by the Hackers, Founders, and Freaks Who Made It Boom).* New York: Twelve, 2018.

Foer, Franklin. *World Without Mind: The Existential Threat of Big Tech.* New York: Penguin Press, 2017.

Fogg, B. J. *Persuasive Technology: Using Computers to Change What We Think and Do.* San Francisco, Calif.: Morgan Kaufmann, 2003.

Foroohar, Rana. *Makers and Takers: How Wall Street Destroyed Main Street.* New York: Crown Business, 2016.

Galloway, Scott. *The Four: Or, How to Build a Trillion- Dollar Company.* New York: Portfolio/Penguin, 2017.（『the four GAFA 四騎士が創り変えた世界』、東洋経済新報社）

Goldfarb, Brent, and David A. Kirsch. *Bubbles and Crashes: The Boom and Bust of Technological Innovation.* Stanford, Calif.: Stanford University Press, 2019.

Goldin, Claudia, and Lawrence F. Katz. *The Race Between Education and Technology.* Cambridge, Mass.: Belknap Press of Harvard University Press, 2008.

Gray, Mary L., and Siddharth Suri. *Ghost Work: How to Stop Silicon Valley from Building a*

Man," *Financial Times*, January 20, 2019.
13. Ibid.
14. Jordan Robertson and Michael Riley, "The Big Hack: How China Used a Tiny Chip to Infiltrate U.S. Companies," *Bloomberg Businessweek*, October 4, 2018.
15. Lee の *AI Superpowers* ならびに Foroohar の *Makers and Takers* を参照。
16. Rana Foroohar, "Advantage China in the Race to Control AI?" *Financial Times*, September 21, 2018.
17. Rana Foroohar, "Fight the FAANGs, Not China," *Financial Times*, May 6, 2018.
18. Foroohar, "China's Xi Jinping Is No Davos Man."
19. Lauren Easton, "How I Got That Photo of Zuckerberg's Notes," Associated Press, April 11, 2018.
20. Louise Lucas, "Huawei Deal with AT&T to Sell Phones in US Falls Through," *Financial Times*, January 8, 2019.
21. Mike Isaac and Cecilia Kang, "Facebook Expects to Be Fined Up to $5 Billion Over Privacy Issues," *The New York Times*, April 24, 2019.
22. David Shepardson, "Facebook Confirms Data Sharing with Chinese Companies," Reuters, June 5, 2018.
23. Rana Foroohar, "Facebook's Data Sharing Shows It Is Not a US Champion," *Financial Times*, June 6, 2018.
24. Luce and Rana, "Election Manipulation Edition."
25. Robert D. Atkinson and Michael Lind, "Who Wins After U.S. Antritrust Regulators Attack? China," *Fortune*, March 29, 2018.
26. Max Ehrenfreund, "A Majority of Millennials Now Reject Capitalism, Poll Shows," *The Washington Post*, April 26, 2016.

### 第14章　邪悪にならない方法

1. Rana Foroohar, *Makers and Takers: How Wall Street Destroyed Main Street* (New York: Crown Business, 2016).
2. John Thornhill, "The Social Networks Are Publishers, Not Postmen," *Financial Times*, March 25, 2019.
3. Matt Novak, "New Zealand's Prime Minister Says Social Media Can't Be 'All Profit, No Responsibility,' " Gizmodo, March 3, 2019.
4. Open Markets Institute, "Key Judge Warns of Concentrated Power, Calls for Reviving Antitrust Tools," *Corner*, May 2, 2019.
5. Shapiro and Aneja, "Who Owns Americans' Personal Information and What Is It Worth?"
6. Ibid.
7. Cathy O'Neil, "Audit the Algorithms That Are Ruling Our Lives," *Financial Times*, July 30, 2018.
8. International Consortium of Investigative Journalists, "Explore the Panama Papers," January 31, 2017.
9. ジョセフ・E・スティグリッツとのインタビュー、2017, 2018.
10. Rana Foroohar, "The Need for a Fair Means of Digital Taxation Increases," *Financial Times*, February 27, 2018.

10. "Disinformation and 'Fake News': Final Report," United Kingdom Parliament, Digital, Culture, Media and Sport Committee, February 18, 2019.
11. Roger McNamee, "Ever Get the Feeling You're Being Watched?" *Financial Times*, February 7, 2019.
12. Rana Foroohar, "Have You Been Zucked?" *Financial Times*, February 4, 2019.
13. McNamee, "Ever Get the Feeling You're Being Watched?"
14. Amarendra Bhushan Dhiraj, "Report: Facebook's Annual Revenue from 2009 to 2018," CEO World, February 4, 2019.
15. Edward Luce and Rana Foroohar, "Election Manipulation Edition," *Financial Times*, February 19, 2018.
16. Indictment, *United States of America v. Internet Research Agency*.
17. Ryan Mac et al., "Growth at Any Cost: Top Facebook Executive Defended Data Collection in 2016 Memo—and Warned That Facebook Could Get People Killed," BuzzFeed News, March 29, 2018.
18. Osnos, "Can Mark Zuckerberg Fix Facebook Before It Breaks Democracy?"
19. Eli Pariser, "Beware Online 'Filter Bubbles,' " TED Talk, March 2011.
20. McNamee, *Zucked*, 152.
21. Sam Levin, "ACLU Finds Social Media Sites Gave Data to Company Tracking Black Protesters," *The Guardian*, October 11, 2016.
22. Shapiro and Aneja, "Who Owns Americans' Personal Information and What Is It Worth?"
23. Ibid.
24. Ibid.
25. Rana Foroohar, "Companies Are the Cops in Our Modern-Day Dystopia," *Financial Times*, May 27, 2018.
26. Sarah Brayne, "Big Data Surveillance: The Case of Policing," *American Sociological Review* 82, no. 5 (2017).
27. Aria Bendix, "Activists Say Alphabet's Planned Neighborhood in Toronto Shows All the Warning Signs of Amazon HQ2-Style Breakup," *Business Insider*, April 14, 2019.
28. Marco Chown Oved, "Google's Sidewalk Labs Plans Massive Expansion to Waterfront Vision," *Toronto Star*, February 14, 2019.
29. Anna Nicolaou, "Future Shock: Inside Google's Smart City," *Financial Times*, March 22, 2019.
30. Ryan Gallagher, "Google Dragonfly," *Intercept*, March 27, 2019.
31. Shannon Vavra, "Declassified Cable Estimates 10,000 Killed at Tiananmen Square," Axios, December 24, 2017.
32. Matt Sheehan, "How Google Took On China—and Lost," *MIT Technology Review*, December 18, 2018.
33. Mark Warner, "Warner, Colleagues Raise Concerns About Google's Reported Plan to Launch Censored Search Engine in China," press release, August 3, 2018.
34. Jack Poulson, "I Used to Work for Google. I Am a Conscientious Objector," *The New York Times*, April 23, 2019.

### 第13章　新たな世界大戦

1. Rana Foroohar, "The Global Race for 5G Supremacy Is Not Yet Won," *Financial Times*, April 21, 2019.
2. Rana Foroohar, "'Patriotic Capitalism,' " *Financial Times*, October 8, 2018.
3. Rana Foroohar, "Globalised Business Is a US Security Issue," *Financial Times*, July 15, 2018.
4. Alliance for American Manufacturing, "American-Made National Security," press release.
5. U.S. Department of Defense, "Assessing and Strengthening the Manufacturing and Defense Industrial Base and Supply Chain Resiliency of the United States: Report to President Donald J. Trump by the Interagency Task Force in Fulfillment of Executive Order 13806," September 2018.
6. Michael Brown and Pavneet Singh, "China's Technology Transfer Strategy," GovExec.com, January 2018.
7. Daniel R. Coats, "Worldwide Threat Assessment of the U.S. Intelligence Community," Office of the Director of National Intelligence, 2019.
8. Rana Foroohar, "Government Contracts Become Amazon's New Target Market," *Financial Times*, May 26, 2019.
9. Louise Lucas and Emily Feng, "Inside China's Surveillance State," *Financial Times*, July 20, 2018.
10. Javier C. Hernandez, "Why China Silenced a Clickbait Queen in Its Battle for Information Control," *The New York Times*, March 16, 2019.
11. Adrian Shahbaz, "Fake News, Data Collection, and the Challenge to Democracy," Freedom House, 2018, https://freedomhouse.org/report/freedom-net/freedom-net-2018/rise-digital-authoritarianism.
12. Rana Foroohar, "China's Xi Jinping Is No Davos

Schuster, 2011), 333.
21. Ibid., 334.
22. "Mission Creep-y," Public Citizen, November 2014.
23. Federal Trade Commission, "FTC Charges Deceptive Privacy Practices in Google's Rollout of Its Buzz Social Network," press release, March 30, 2011.
24. "Updating Our Privacy Policies and Terms of Service," Google: Official Blog, January 24, 2012, https://googleblog.blogspot.com/2012/01/updating-our-privacy-policies-and-terms.html.
25. Motion for Temporary Restraining Order and Preliminary Injunction, *Electronic Privacy Information Center v. The Federal Trade Commission*, U.S. District Court for the District of Columbia, February 8, 2012, https://epic.org/privacy/ftc/google/TRO-Motion-final.pdf.
26. "Estimated Total Conversions: New Insights for the Multi-Screen World," *Google Inside Adwords*, October 1, 2013, https://adwords.googleblog.com/2013/10/estimated-total-conversions.html.
27. Federal Trade Commission, "Google Will Pay $22.5 Million to Settle FTC Charges It Misrepresented Privacy Assurances to Users of Apple's Safari Internet Browser," press release, August 9, 2012.
28. Tiku, "How Google Influences the Conversation in Washington."
29. Yang and Easton, "Obama and Google (A Love Story)."
30. Rana Foroohar, "Why Big Tech Wants to Keep the Net Neutral," *Financial Times*, December 17, 2017.
31. Rana Foroohar, "Back to My Roots," *Financial Times*, September 17, 2018.
32. Cecilia Kang, "Net Neutrality Vote Passes House, Fulfilling Promise by Democrats," *The New York Times*, April 10, 2018.
33. Kiran Stacey, "Broadband Groups Cut Capital Expenditure Despite Net Neutrality Win," *Financial Times*, February 7, 2019.
34. "Don't Forget the 'Net Neutrality' Panic," *The Wall Street Journal*, editoral page, June 15-16, 2019.
35. Consumer Watchdog, "How Google's Backing of Backpage Protects Child Sex Trafficking," report from Consumer Watchdog, Faith and Freedom Coalition, Trafficking America Taskforce, DeliverFund, and the Rebecca Project, May 17, 2017.
36. Nicholas Kristof, "Google and Sex Traffickers Like Backpage.com," *The New York Times*, September 7, 2017.
37. Consumer Watchdog, "How Google's Backing of Backpage Protects Child Sex Trafficking."
38. Kieren McCarthy, "Google Lobbies Hard to Derail New US Privacy Laws—Using Dodgy Stats," The Register, March 26, 2018.
39. "Platform Monopolies in NAFTA—The Body Camera Monopoly—Price Discrimination in the Airline Industry," Open Market Institute, May 17, 2018.
40. Rana Foroohar, "Fear and Loathing in Silicon Valley," *Financial Times*, July 23, 2018.
41. デビッド・グリーンとのインタビュー。
42. ブリュッセルおよびワシントンでインタビューした外交官の証言。
43. Germán Gutiérrez and Thomas Philippon, "How EU Markets Became More Competitive Than U.S. Markets: A Study of Institutional Drift," NBER Working Paper 24700, June 2018, National Bureau of Economic Research.
44. John Paul Rathbone, "Google Strikes Deal to Bring Faster Web Content to Cuba," *Financial Times*, March 28, 2019.
45. Rana Foroohar, "It Is Time for a Truly Free Market," *Financial Times*, March 31, 2019.

### 第12章　2016年、すべてが変わった

1. Sean J. Miller, "Digital Ad Spending Tops Estimates," Campaign and Elections, January 4, 2017.
2. テディ・ゴフからクリントンのキャンペーン役員に渡されたメモ。https://wikileaks.org/podesta-emails/fileid/12403/3324.
3. Kreiss and McGregor, "Technology Firms Shape Political Communication."
4. Ibid., 415.
5. Evan Osnos, "Can Mark Zuckerberg Fix Facebook Before It Breaks Democracy?" *The New Yorker*, September 17, 2018.
6. Joshua Green and Sasha Issenberg, "Inside the Trump Bunker, With 12 Days to Go," Bloomberg, October 27, 2016.
7. Mueller, Robert S., III, "Report on the Investigation into Russian Interference in the 2016 Presidential Election," Homeland Security Digital Library, March 2019, https://www.hsdl.org/?abstract&did=824221.
8. Osnos, "Can Mark Zuckerberg Fix Facebook Before It Breaks Democracy?"
9. McNamee, *Zucked*, 7-8.

Ahead of Governance for Too Long," *Financial Times*, December 23, 2018.
17. Eric Schmidt and Jared Cohen, *The New Digital Age: Transforming Nations, Businesses, and Our Lives* (New York: Vintage Books, 2014), 261.
18. Rana Foroohar, "It Is Time for a Truly Free Market," *Financial Times*, March 31, 2019.
19. Rana Foroohar, "U.S. Capital Expenditure Boom Fails to Live Up to Promises," *Financial Times*, November 25, 2018.
20. Foroohar, "Tech Companies Are the New Investment Banks."
21. Rana Foroohar, "Banks Jump on the Fintech Bandwagon," *Financial Times*, September 16, 2018; Mark Bergen and Jennifer Surane, "Google and Mastercard Cut a Secret Ad Deal to Track Retail Sales," Bloomberg, August 30, 2018.
22. Stacy Mitchell and Olivia LaVecchia, "Report: Amazon's Next Frontier: Your City's Purchasing," Institute for Self-Reliance, July 10, 2018.
23. Lina M. Khan, "A Separation of Platforms and Commerce," Columbia Law Review, https://columbialawreview.org/content/the-separation-of-platforms-and-commerce/.
24. Foroohar, *Makers and Takers*, 189.
25. Saule T. Omarova, "New Tech v. New Deal: Fintech as a Systemic Phenomenon," *Yale Journal on Regulation* 36, no. 2 (August 1, 2018).
26. "IMF Warns of Giant Tech Firms' Dominance," BBC News, June 8, 2019.
27. Cathy O'Neil, *Weapons of Math Destruction: How Big Data Increases Inequality and Threatens Democracy* (New York: Crown, 2016), 143-44.
28. Agustín Carstens, "Big Tech in Finance and New Challenges for Public Policy," keynote address at the FT Banking Summit, London, December 4, 2018.
29. Rana Foroohar, "Political Ads on Facebook Recall Memories of the Banking Crisis."
30. Wolf, "Taming the Masters of the Tech Universe."

### 第11章　泥沼のなかで

1. Frank Pasquale, *The Black Box Society: The Secret Algorithms That Control Money and Information* (Cambridge, Mass.: Harvard University Press, 2015), 196.
2. Hamburger and Gold, "Google, Once Disdainful of Lobbying, Now a Master of Washington."
3. Pinar Akman, "The Theory of Abuse in Google Search: A Positive and Normative Assessment Under EU Competition Law," *Journal of Law, Technology and Policy* 2017, no. 2 (July 19, 2016): 301-74.
4. "Google Academics Inc.," Google Transparency Project, July 22, 2017, accessed May 9, 2019, https://googletransparencyproject.org/articles/google-academics-inc.
5. Brody Mullins and Jack Nicas, "Paying Professors: Inside Google's Academic Influence Campaign," *The Wall Street Journal*, July 14, 2017.
6. "Google's Silicon Tower," Campaign for Accountability Report, July 19, 2016.
7. 補佐官とのインタビュー、2017.
8. "Does America Have a Monopoly Problem?" U.S. Senate Judiciary Committee hearing, Subcommittee on Antitrust, Competition Policy, and Consumer Rights, March 5, 2019.
9. Nitasha Tiku, "How Google Influences the Conversation in Washington," *Wired*, March 13, 2019.
10. Center for Responsive Politicsが発表した数字。
11. Tiku, "How Google Influences the Conversation in Washington."
12. David McCabe and Erica Pandey, "Explore Amazon's Wide Washington Reach," Axios, March 13, 2019.
13. Beejoli Shah and Christopher Stern, "How Netflix Scaled Back U.S. Lobbying to Focus on Europe," *The Information*, May 7, 2019.
14. Nicholas Thompson and Fred Vogelstein, "15 Months of Fresh Hell Inside Facebook," *Wired*, May 2019.
15. Philipp Schindler, "The Google News Initiative: Building a Stronger Future for News," March 20, 2018, https://blog.google/outreach-initiatives/google-news-initiative/announcing-google-news-initiative/.
16. Rana Foroohar, "Travis Kalanick: With His $62.5 Billion Startup, the Uber Founder Is Changing the Nature of Work," *Time*, 2015.
17. 民主党上院議員補佐官とのインタビュー。
18. Daniel Kreiss and Shannon C. McGregor, "Technology Firms Shape Political Communication: The Work of Microsoft, Facebook, Twitter, and Google with Campaigns During the 2016 U.S. Presidential Cycle," *Journal of Political Communication* 35, no. 2 (2018).
19. Matt Warman, "Google, Caffeine, and the Future of Speech," *Telegraph*, June 10, 2010.
20. Steven Levy, *In the Plex: How Google Thinks, Works, and Shapes Our Lives* (New York: Simon &

9. Sam Moore, "Amazon Commands Nearly Half of Consumers' First Product Search," Bloomreach, October 6, 2015.
10. Khan, "Amazon's Antitrust Paradox."
11. John Koetsier, "Research Shows Amazon Echo Owners Buy 29% More from Amazon," *Forbes*, May 30, 2018.
12. Shapiro and Aneja, "Who Owns Americans' Personal Information and What Is It Worth?"
13. Rana Foroohar, "How Much Is Your Data Worth?" *Financial Times*, April 8, 2019.
14. "Secret of Googlenomics: Data-Fueled Recipe Brews Profitability," *Wired*, May 22, 2009.
15. Paul W. Dobson, "The Waterbed Effect: Where Buying and Selling Power Come Together," *Wisconsin Law Review*, January 2018.
16. Angus Loten and Adam Janofsky, "Sellers Need Amazon But at What Cost?" *The Wall Street Journal*, January 14, 2015.
17. Khan, "Amazon's Antitrust Paradox."
18. Barry C. Lynn and Lina Khan, "The Slow-Motion Collapse of American Entrepreneurship," *Washington Monthly*, July/August 2012.
19. "The Next Capitalist Revolution," *The Economist*, November 15, 2018.
20. David Carr, "How Good (or Not Evil) Is Google?" *The New York Times*, June 21, 2009.
21. Adam Candeub, "Behavioral Economics, Internet Search, and Antitrust," *ISJLP* 9, no. 407 (2014), https://digitalcommons.law.msu.edu/cgi/viewcontent.cgi?article=1506&context=facpubs.
22. David Leonhardt, "The Monopolization of America," *The New York Times*, November 25, 2018.
23. Wu, *Curse of Bigness*, 45.
24. Ibid.
25. カーンとのインタビュー、2018.
26. Foroohar, "Lina Khan."
27. "Next Capitalist Revolution," *The Economist*.
28. Foroohar, "Lina Khan."
29. Rana Foroohar, "Antitrust Policy Is Ripe for a Rethink," *Financial Times*, January 24, 2018.
30. Todd Spangler, "Cord Cutting Explodes: 22 Million U.S. Adults Will Have Canceled Cable, Satellite TV by End of 2017," *Variety*, September 13, 2017.
31. 欧州連合とGoogleの訴訟については次を参照。Wikipedia, s.v. "European Union v. Google," last modified May 31, 2019, https://en.wikipedia.org/wiki/European_Union_vs._Google; "Antitrust: Commission Fines Google €4.34 Billion for Illegal Practices Regarding Android Mobile Devices to Strengthen Dominance of Google's Search Engine," European Commission Press Release, July 18, 2018.
32. デラヒムとのインタビュー、2018.
33. インタビュー、2018.
34. McNamee, *Zucked*, 285-86.
35. Wu, *After Consumer Welfare, Now What? The "Protection of Competition" Standard Practice*, Competition Policy International, 2018, Columbia Public Law Research Paper, no. 14-608 (2018).

### 第10章　失敗するには速すぎる

1. Robert Lenzner and Stephen S. Johnson, "Seeing Things as They Really Are," *Forbes*, March 10, 1997.
2. 株式の買い戻しについては次を参照。"$407 Billion in Corporate Stock Buybacks! How Are Businesses in Your State Spending the Trump Tax Cuts?" Americans for Tax Fairness press release, May 10, 2018, https://americansfortaxfairness.org/wp-content/uploads/20180510-TTCT-Updates-Release.pdf.
3. Ibid.
4. "Risks Rising in Corporate Debt Market," OECD Report, February 25, 2019.
5. Rana Foroohar, "Apple Sows Seeds of Next Market Swing," *Financial Times*, May 13, 2018.
6. Martin Wolf, "Taming the Masters of the Tech Universe," *Financial Times*, November 14, 2017.
7. Rana Foroohar, "Tech Companies Are the New Investment Banks," *Financial Times*, February 11, 2018.
8. Edelman Trust Barometer 2018, 2019.
9. Rana Foroohar, "Political Ads on Facebook Recall Memories of the Banking Crisis," *Financial Times*, October 2, 2017.
10. Gabriel J. X. Dance et al., "As Facebook Raised a Privacy Wall, It Carved an Opening for Tech Giants," *The New York Times*, December 18, 2018.
11. Rana Foroohar, *Makers and Takers: How Wall Street Destroyed Main Street* (New York: Crown Business, 2016).
12. Martin Wolf, "We Must Rethink the Purpose of the Corporation," *Financial Times*, December 11, 2018.
13. Foroohar, *Makers and Takers*.
14. Douglas Edwards, *I'm Feeling Lucky: The Confessions of Google Employee Number 59* (Boston: Houghton Mifflin Harcourt, 2011), 291.
15. Foroohar, "How Much Is Your Data Worth?"
16. Rana Foroohar, "Facebook Has Put Growth

*Businessweek*, May 20, 2019.
7. Rana Foroohar, "Travis Kalanick: With His $62.5 Billion Startup, the Uber Founder Is Changing the Nature of Work," *Time*, 2015.
8. Theron Mohamed, "Uber Is Paying Drivers up to $40,000 Each to Celebrate Its IPO," *Markets Insider*, April 26, 2019.
9. Alex Rosenblat, *Uberland: How Algorithms Are Rewriting the Rules of Work* (Oakland: University of California Press, 2018), 5.
10. Ibid., 98, 203.
11. Rob Wile, "Here's How Much Lyft Drivers Really Make," CNN Money, July 11, 2017.
12. Josh Zumbrun, "How Estimates of the Gig Economy Went Wrong," *The Wall Street Journal*, January 7, 2019.
13. Aimee Picchi, "Inside an Amazon Warehouse: Treating Human Beings as Robots," CBS News, April 19, 2018.
14. Michael Sainato, "Accidents at Amazon: Workers Left to Suffer After Warehouse Injuries," *The Guardian*, July 30, 2018.
15. Foroohar, "Vivienne Ming."
16. Jodi Kantor, "Working Anything but 9 to 5," *The New York Times*, August 13, 2014.
17. Rosenblat, *Uberland*, 177.
18. Ibid., 110.
19. "Prediction: How AI Will Affect Business, Work, and Life," *Managing the Future of Work*, Harvard Business School podcast, May 8, 2019, https://www.hbs.edu/managing-the-future-of-work/podcast/Pages/default.aspx.
20. Claudia Goldin and Lawrence F. Katz, *The Race Between Education and Technology* (Cambridge, Mass.: Belknap Press of Harvard University Press, 2008).
21. World Trade Organization, "Impact of Technology on Labour Market Outcomes," 2017.
22. Rana Foroohar, "Gap Between Gig Economy's Winners and Losers Fuels Populists," *Financial Times*, May 2, 2017.
23. International Monetary Fund, "World Economic Outlook, April 2017: Gaining Momentum?" April 2017.
24. Rana Foroohar, "Silicon Valley 'Superstars' Risk a Populist Backlash," *Financial Times*, April 23, 2017.
25. Rana Foroohar and Edward Luce, "The Tech Effect," *Financial Times*, January 15, 2018.
26. Rana Foroohar, "U.S. Capital Expenditure Boom Fails to Live Up to Promises," *Financial Times*, November 25, 2018.
27. Rana Foroohar, "Vivienne Ming"; Pablo Illanes et al., "Retraining and Reskilling Workers in the Age of Automation," McKinsey Global Institute, January 2018.
28. Rana Foroohar, "The 'Haves and Have-Mores' in Digital America," *Financial Times*, August 6, 2017.
29. Foroohar, "Gap Between Gig Economy's Winners and Losers Fuels Populists."
30. Rana Foroohar, "The Rise of the Superstar Company," *Financial Times*, January 14, 2018.
31. Gillian Tett, "Tech Lessons from Amazon's Battle in Seattle," *Financial Times*, May 17, 2018.
32. Christina Warren, "A Brief History of Uber and Google's Very Complicated Relationship," Gizmodo, February 24, 2017.
33. Brian M. Rosenthal, "Taxi Drivers Fell Prey While Top Officials Counted the Money," *The New York Times*, May 20, 2019.
34. シュミットとのインタビュー、2015.
35. John Gapper, "Car Ownership May Peak but Traffic Is on the Rise," *Financial Times*, October 24, 2018.
36. Rana Foroohar, "Strong Unions Will Boost America's Economy," *Financial Times*, July 31, 2017.
37. Foroohar, "Travis Kalanick."

### 第9章 新しい独占企業

1. Barry C. Lynn, *End of the Line: The Rise and Coming Fall of the Global Corporation* (New York: Doubleday, 2005).
2. Kenneth P. Vogel, "Google Critic Ousted from Think Tank Funded by Tech Giant," *The New York Times*, August 30, 2017.
3. Rana Foroohar, "Lina Khan: 'This Isn't Just About Antitrust. It's About Values,' " *Financial Times*, March 29, 2019.
4. Lina M. Khan, "Amazon's Antitrust Paradox," *Yale Law Journal* 126, no. 3 (January 2017).
5. 次の文献が特に優れている。Jonathan Tepper, with Denise Hern, *The Myth of Capitalism: Monopolies and the Death of Competition* (Hoboken, N.J.: John Wiley and Sons, 2019).
6. Foroohar, "Lina Khan."
7. Brad Stone, *The Everything Store: Jeff Bezos and the Age of Amazon* (New York: Little, Brown, 2013).
8. David Streitfield, "A New Book Portrays Amazon as Bully," *The New York Times*, October 22, 2013.

*Financial Times*, September 3, 2018. Varian quote from *The Wall Street Journal*, Ibid.

13. Nitasha Tiku, "How Google Influences the Conversation in Washington," *Wired*, March 13, 2019.
14. ウォーカーとのインタビュー、January 2019.
15. Madeline Jacobson, "How Far Down the Search Engine Results Page Will Most People Go?" Leverage Marketing, 2015.
16. Wikipedia, s.v. "United States v. Terminal R.R. Ass'n," last modified May 7, 2019, https://en.wikipedia.org/wiki/United_States_v._Terminal_R.R._Ass%27n.
17. "United States v. Reading Co.," https://casetext.com/case/united-states-v-reading-co.
18. Charles Francis Adams Jr., *Railroads: Their Origins and Problems* (1878).
19. Rana Foroohar, "Big Tech Is America's New 'Railroad Problem,' " *Financial Times*, June 16, 2019.
20. ウォーカーとのインタビュー、2019.
21. Charles Duhigg, "The Case Against Google," *The New York Times*, February 20, 2018.
22. Ibid.
23. Open Letter to Commissioner Vestager from 14 European CSSs, November 22, 2018, http://www.searchneutrality.org/google/comparison-shopping-services-open-letter-to-commissioner-vestager.
24. William A. Galston and Clara Hendrickson, "A Policy at Peace with Itself: Antitrust Remedies for Our Concentrated, Uncompetitive Economy," Brookings Institution, January 5, 2018.
25. Rana Foroohar, "The Rise of the Superstar Company," *Financial Times*, January 14, 2018.
26. マッキンゼー・グローバル・インスティテュートのジェームズ・マニーイカとのインタビュー
27. Jason Furman, "Productivity, Inequality, and Economic Rents," *The Regulatory Review*, June 13, 2016.
28. David Autor et al., "The Fall of the Labor Share and the Rise of Superstar Firms," NBER Working Paper 23396, National Bureau of Economic Research, May 1, 2017.
29. McKinsey Global Institute, "A New Look at the Declining Labor Share of Income in the United States," May 2019.
30. Foroohar, "The Rise of the Superstar Company."
31. Dan Andrews et al., "Going Digital: What Determines Technology Diffusion Among Firms?" OECD background paper, Third Annual Conference of the Global Forum on Productivity, Ottawa, Canada, June 28-29, 2018.
32. James Manyika et al., " 'Superstars': The Dynamics of Firms, Sectors, and Cities Leading the Global Economy," McKinsey Global Institute, October 2018.
33. Haskel and Westlake, *Capitalism Without Capital*.
34. Rana Foroohar, "Superstar Companies Also Feel the Threat of Disruption," *Financial Times*, October 21, 2018.
35. "Autonomous Cars: Self-Driving the New Auto Industry Paradigm," Morgan Stanley Blue Paper, November 6, 2013.
36. Nicholas L. Johnson and Alex Moazed, *Modern Monopolies: What It Takes to Dominate the 21st Century Economy* (New York: St. Martin's Press, 2016).
37. Andrew Hill, "Inside Nokia: Rebuilt from Within," *Financial Times*, April 13, 2011.
38. Steven Levy, *In the Plex: How Google Thinks, Works, and Shapes Our Lives* (New York: Simon & Schuster, 2011), 117.
39. Ibid., 12.
40. Ibid., 14.
41. Ibid., 202.
42. Shoshana Zuboff, "Big Other: Surveillance Capitalism and the Prospects of an Information Civilization," *Journal of Information Technology*, April 17, 2015.
43. Ibid., 15.
44. Rana Foroohar, "The End of Privacy," *Financial Times*, October 29, 2018.
45. Rana Foroohar, "Privacy Is a Competitive Advantage," *Financial Times*, October 15, 2017.

### 第8章　あらゆるものの〝ウーバー化〟

1. Leslie Hook, "Uber: The Crisis Inside the 'Cult of Travis,' " *Financial Times*, March 9, 2017.
2. カラニックがUberのドライバーと口論する様子を映したビデオ :https://www.youtube.com/watch?v=gTEDYCkNqns.
3. Katy Steinmetz and Matt Vella, "Uber Fail: Upheaval at the World's Most Valuable Startup Is a Wake-Up Call for Silicon Valley," *Time*, June 15, 2017.
4. Sheelah Kolhatkar, "At Uber, a New CEO Shifts Gears," *The New Yorker*, March 30, 2018.
5. Hook, "Uber."
6. Eric Newcomer, Sonali Basak, and Sridhar Natarajan, "Uber's Blame Game Focuses on Morgan Stanley After Shares Drop," *Bloomberg*

13. Ibid.
14. Tristan Harris, "How Technology Is Hijacking Your Mind—from a Magician and Google Design Ethicist," Medium, May 18, 2016; Time Well Spent website, http://www.tristanharris.com/tag/time-well-spent.
15. Michael Winnick, "Putting a Finger on Our Phone Obsession," dscout blog, June 16, 2016.
16. Tiffany Hsu, "Video Game Addiction Tries to Move from Basement to Doctor's Office," *The New York Times*, June 17, 2018.
17. Betsy Morris, "How Fortnite Triggered an Unwinnable War Between Parents and Their Boys," *The Wall Street Journal*, December 21, 2018.
18. "The Impact of Media Use and Screen Time on Children, Adolescents, and Families," American College of Pediatricians, November 2016.
19. Jean M. Twenge, "Have Smartphones Destroyed a Generation?" *The Atlantic*, September 2017; Richard Freed, "The Tech Industry's War on Kids," Medium, March 12, 2018.
20. Darren Davidson, "Facebook Targets 'Insecure' to Sell Ads," *The Australian*, May 1, 2017.
21. "Over a Dozen Children's and Consumer Advocacy Organizations Request Federal Trade Commission to Investigate Facebook for Deceptive Practices," Common Sense Media, February 21, 2019.
22. Kristen Duke et al., "Having Your Smartphone Nearby Takes a Toll on Your Thinking," *Harvard Business Review*, March 20, 2018.
23. Child health data can be accessed at the Data Resource Center for Child and Adolescent Health, http://childhealthdata.org/learn-about-the-nsch/NSCH/ data.
24. Casey Schwartz, "Finding It Hard to Focus? Maybe It's Not Your Fault," *The New York Times*, August 14, 2018.
25. Nellie Bowles, "A Dark Consensus About Screens and Kids Begins to Emerge in Silicon Valley," *The New York Times*, October 26, 2018.
26. ハリスとのインタビュー、2017.
27. Rana Foroohar, "The Coming Corporate Crackdown," *Time*, June 3, 2013.
28. Wikipedia, s.v. "Marshall McLuhan," last modified May 9, 2019, https://en.wikipedia.org/wiki/Marshall_McLuhan.
29. Bianca Bosker, "The Binge Breaker," *The Atlantic*, November 2016.
30. ハリスとのインタビュー、2017, 2018.
31. Kevin Webb, "The FTC Will Investigate Whether a Multibillion-Dollar Business Model Is Getting Kids Hooked on Gambling Through Video Games," *Business Insider*, November 28, 2018.
32. Tim Bradshaw and Hannah Kuchler, "Smartphone Addiction: Big Tech's Balancing Act on Responsibility over Revenue," *Financial Times*, July 23, 2018.
33. Valentino-DeVries et al., "Your Apps Know Where You Were Last Night, and They're Not Keeping It Secret."
34. David Benoit, "iPhones and Children Are a Toxic Pair, Say Two Big Apple Investors," *The Wall Street Journal*, January 7, 2018.
35. Apple, "iOS 12 Introduces New Features to Reduce Interruptions and Manage Screen Time," June 4, 2018, https://www.apple.com/newsroom/2018/06/ios-12-introduces-new-features-to-reduce-interruptions-and-manage-screen-time/.
36. Rana Foroohar, "Big Tech's Unhealthy Obsession with Hyper-Targeted Ads," *Financial Times*, October 28, 2018.
37. シャローとのインタビュー、2018.

## 第7章　ネットワーク効果

1. Adam Satariano and Mike Isaac, "Facebook Used People's Data to Favor Certain Partners and Punish Rivals, Documents Show," *The New York Times*, December 5, 2018.
2. Ibid.
3. Jonathan Haskel and Stian Westlake, *Capitalism Without Capital: The Rise of the Intangible Economy* (Princeton, N.J.: Princeton University Press, 2018).
4. Conor Dougherty, "Inside Yelp's Six-Year Grudge Against Google," *The New York Times*, January 7, 2017.
5. ロウとのインタビュー、2017-19.
6. ロウとのインタビュー、2017-18; Charles Arthur, "Why Google's Struggles with the EC—and FTC—Matter," *Overspill*, April 7, 2015.
7. Brody Mullins, Rolfe Winkler, and Brent Kendall, "Inside the Antitrust Probe of Google," *The Wall Street Journal*, March 19, 2015.
8. Leaked FTC document, page 20. Document can be accessed here: http://graphics.wsj.com/google-ftc-report/img/ftc-ocr-watermark.pdf.
9. Ibid., fn. 12.
10. Leaked FTC document, 26.
11. Ibid.
12. Rana Foroohar, "Google Versus Orrin Hatch,"

*New Frontier of Power* (New York: Public Affairs, 2019), 101.

11. Ibid.,63.
12. 2019年のインタビューで、2006年にGoogleの主任顧問に就任したケント・ウォーカーは、同社は2008年になって始めて反トラストなどの問題を意識するようななったと語っている。
13. Rana Foroohar, "Big Tech vs. Big Pharma: The Battle Over US Patent Protection," *Financial Times*, October 16, 2017.
14. 2019年のインタビューでGoogleの主任顧問であるケント・ウォーカーはパテントトロールの話を何度も繰り返し、アメリカの特許制度の変更により、同社はより強力で、頑丈で、反発力のある特許制度に守られていると感じている、と言った。
15. B. Zorina Khan, "Trolls and Other Patent Inventions: Economic History and the Patent Controversy in the Twenty-First Century," https://papers.ssrn.com/sol3/papers.cfm?abstract_id=2344853.
16. Jaron Lanier, *You Are Not a Gadget: A Manifesto* (New York: Random House, 2011), 125.
17. Foroohar, "Big Tech vs. Big Pharma."
18. この点についてはJonathan Taplin, *Move Fast and Break Things* を参照。
19. Levy, *In the Plex*, chapter 7, section 3.
20. Ibid.,273.
21. Ibid.,350.
22. Ibid., 359.
23. Ibid., 362-63.
24. Taplin, *Move Fast and Break Things*, 260.
25. Google幹部とのインタビュー、2017.
26. タプリンとのインタビュー、2017.
27. タプリンとのインタビュー、2017; *Move Fast and Break Things* も参照。
28. Levy, *In the Plex*, 251.
29. Taplin, *Move Fast and Break Things*, 127-28.
30. Wikipedia, s.v. "Directive on Copyright in the Digital Single Market," last modified May 19, 2019, https://en.wikipedia.org/wiki/Directive_on_Copyright_in_the_Digital_Single_Market.
31. Mehreen Khan and Tobias Buck, "European Parliament Backs Overhaul of EU Copyright Rules," *Financial Times*, March 26, 2019.
32. " 'Purchased Protest' Bombshell: Germany's FAZ News Uncovers the Seamy Underbelly of Google's Article 13 Lobbying," Music Technology Policy, March 16, 2019.
33. Khan and Buck, "European Parliament Backs Overhaul of EU Copyright Rules."
34. Editorial Board, "EU Copyright Reforms Are Harsh but Necessary," *Financial Times*, March 26, 2019.
35. Pew Research Center, Newspaper Fact Sheet, June 13, 2018.
36. Rana Foroohar, "A Better US Patent System Will Spur Innovation," *Financial Times*, September 3, 2017.
37. Lance Whitney, "Apple, Google, Others Settle Antipoaching Lawsuit for $415 Million," CNET News, September 3, 2015.
38. Dan Levine, "Apple, Google Agree to Settle Lawsuit Alleging Hiring, Salary Conspiracy," *The Washington Post*, April 24, 2014.
39. ピーター・ハーターとのインタビュー、2017.
40. James Thomson, "Tech Giants Buy Start-ups to Kill Competition, Kenneth Rogoff Tells Summit," *Financial Review*, March 7, 2018.
41. Olivia Solon, "As Tech Companies Get Richer, Is It 'Game-Over' for Startups?" *The Guardian*, October 20, 2017.
42. Marc Doucette, "Visualizing Major Tech Acquisitions," Visual Capitalist, July 24, 2018.
43. "American Tech Giants Are Making Life Tough for Startups," *The Economist*, June 2, 2018.
44. Ken Auletta, *Googled: The End of the World as We Know It* (New York: Penguin Books, 2009), 110.

## 第6章　ポケットのなかのスロットマシン

1. Wesley Yin-Poole, "FIFA Player Uses GDPR to Find Out Everything EA Has on Him, Realises He's Spent over $10,000 in Two Years on Ultimate Team," Eurogamer, July 25, 2018.
2. フォッグについてはhttps://www.bjfogg.com/を参照。
3. Rana Foroohar, "Silicon Valley Has Too Much Power," *Financial Times*, May 14, 2017.
4. フォッグとのインタビュー、August 14, 2018.
5. "Slot Machine: The Crack Cocaine of Gambling Addiction," KS Problem Gaming, http://www.ksproblemgambling.org/html/slot_machine.html.
6. ハリスとのインタビュー。
7. フォッグとのインタビュー、2018.
8. Ibid.
9. Hannah Kuchler, "How Facebook Grew Too Big to Handle," *Financial Times*, March 28, 2019.
10. フォッグとのインタビュー、2017, 2018.
11. Wikipedia, s.v. "B. J. Fogg," last modified February 5, 2019, https://en.wikipedia.org/wiki/B._J._Fogg.
12. Bianca Bosker, "The Binge Breaker," *The Atlantic*, November 2016.

*Innovation Economy* (Cambridge: Cambridge University Press, 2018), 313.
22. Levy, *In the Plex*, 45.
23. Big Easy PowerPoint presentation.
24. Fisher, "'Google Was Not a Normal Place.' "
25. Levy, In the Plex, 87.
26. Ibid., 88.
27. John Battelle, *The Search: How Google and Its Rivals Rewrote the Rules of Business and Transformed Our Culture* (New York: Portfolio, 2005), 113-14.
28. David Vise, *The Google Story: Inside the Hottest Business, Media, and Technology Success of Our Time* (New York, Bantam Dell, 2005), 84-85.
29. Fisher, " 'Google Was Not a Normal Place.' "
30. Battelle, *The Search*, 125.

## 第4章　1999年のパーティ

1. Joshua Cooper Ramo, "Jeffrey Preston Bezos, 1999 Person of the Year," *Time*, December 27, 1999.
2. Wikipedia, graphic of dot-com bubble, accessed May 9, 2019, https://en.wikipedia.org/wiki/Dot-com_bubble#/media/File:Nasdaq_Composite_dot-com_bubble.svg.
3. Simon Dumenco, "Touby Prize," *New York*, July 20, 2007.
4. Rana Foroohar, "Europe's Got Net Fever," *Newsweek International*, September 5, 1999.
5. Ibid.
6. "Dotcom Darlings: Where Are They Now?" *The Telegraph*, accessed May 9, 2019, https://www.telegraph.co.uk/finance/8354329/Dotcom-darlings-where-are-they-now.html/.
7. John Casey, "Accidental Millionaires Sell First Tuesday," *The Guardian*, July 21, 2000.
8. Simon Goodley, "Betfair Buy Spells the Final Flutter," *The Daily Telegraph*, December 22, 2001.
9. Richard Fletcher, "Antfactory Is Wound Up by Shareholders," *The Daily Telegraph*, September 30, 2001.
10. Hal R. Varian, "Economic Scene: Comparing Nasdaq and Tulips Unfair to Flowers," *The New York Times*, February 8, 2001.
11. Olson, *Rise and Decline of Nations*.
12. Rana Foroohar, *Makers and Takers: How Wall Street Destroyed Main Street* (New York: Crown Business, 2016), 130.
13. Ibid.
14. Ibid.
15. Wikipedia, s.v. "Dot-com bubble," last modified May 22, 2019, https://en.wikipedia.org/wiki/Dot-com_bubble.
16. Melanie Warner, "The Beauty of Hype: A Cautionary Tale," *Fortune*, March 1, 1999.
17. Rana Foroohar, "Flight of the Dot-Coms," *Newsweek International*, July 15, 2001.
18. Rana Foroohar and Stefan Theil, "The Dot-Com Witch Hunt," *Newsweek International*, September 3, 2001.
19. Nicole Friedman and Zolan Kanno-Youngs, "Hedge Fund Investor Charles Murphy Dies in Apparent Suicide," *The Wall Street Journal*, March 28, 2017.
20. Rana Foroohar, "Money, Money, Money: Silicon Valley Speculation Recalls Dotcom Mania," *Financial Times*, July 17, 2017.
21. Pan Kwan Yuk and Shannon Bond, "Netflix Returns to Market with $2bn Junk Bond Offering," *Financial Times*, October 22, 2018.
22. Rob Copeland and Eliot Brown, "Palantir Has a $20 Billion Valuation and a Bigger Problem: It Keeps Losing Money," *The Wall Street Journal*, November 12, 2018.
23. Foroohar, "Money, Money, Money."
24. Rana Foroohar, "Another Tech Bubble Could Be About to Burst," *Financial Times*, January 27, 2019.

## 第5章　広がる暗闇

1. Walter Isaacson, *Steve Jobs* (New York: Simon & Schuster, 2011).
2. Dan Levine, "Apple, Google Settle Smartphone Patent Litigation," Reuters, May 16, 2014.
3. Shanthi Rexaline, "10 Years of Android: How the Operating System Reached 86% Market Share," MSN News, September 25, 2018.
4. Betsy Morris and Deepa Seetharaman, "The New Copycats: How Facebook Squashes Competition from Startups," *The Wall Street Journal*, August 9, 2017.
5. Josh Constine, "Facebook Pays Teens to Install VPN That Spies on Them," TechCrunch, January 29, 2019.
6. Levy、Auletta、およびIsaacsonを参照
7. Steven Levy, *In the Plex: How Google Thinks, Works, and Shapes Our Lives* (New York: Simon & Schuster, 2011), 237-38.
8. Ibid., 80-81.
9. Author interview.
10. Shoshana Zuboff, *The Age of Surveillance Capitalism: The Fight for a Human Future at the*

*Transformed Our Culture* (New York: Portfolio, 2005), 54.

5. Roger McNamee, *Zucked: Waking Up to the Facebook Catastrophe* (New York: Penguin, 2019), 144.
6. Ibid.
7. Sheera Frenkel et al., "Delay, Deny, and Deflect: How Facebook's Leaders Fought Through Crisis," *The New York Times*, November 14, 2018.
8. Tasneem Nashrulla, "A Top George Soros Aide Called for an Independent Investigation of Facebook's Lobbying and PR," BuzzFeed News, November 15, 2018.
9. Jeff Bercovici, "Peter Thiel Wants You to Get Angry About Death," *Inc.*, July 7, 2015; Tad Friend, "Silicon Valley's Quest to Live Forever," *The New Yorker*, March 27, 2017.
10. Marco della Cava et al., "Uber's Kalanick Faces Crisis over 'Baller' Culture," USA Today, February 24, 2017.
11. Jeff Bezos, "No Thank You, Mr. Pecker," Medium, February 7, 2019.
12. Daisuke Wakabayashi and Katie Benner, "How Google Protected Andy Rubin, the 'Father of Android,' " *The New York Times*, October 25, 2018.
13. Aarian Marshall, "Elon Musk Reveals His Awkward Dislike of Mass Transit," *Wired*, December 14, 2017.
14. Levy, *In the Plex*, 121.
15. Levy, *In the Plex*, 13.
16. Ken Auletta, "The Search Party," *The New Yorker*, January 6, 2008.
17. Rana Foroohar, "Echoes of Wall Street in Silicon Valley's Grip on Money and Power," *Financial Times*, July 3, 2017.
18. Rana Foroohar, "Big Tech Can No Longer Be Allowed to Police Itself," *Financial Times*, August 27, 2017.

### 第3章　広告への不満

1. Scott Shane, "These Are the Ads Russia Bought on Facebook in 2016," *The New York Times*, November 1, 2017; Cecilia Kang et al., "Russia-Financed Ad Linked Clinton and Satan," *The New York Times*, November 1, 2017.
2. Indictment, *United States of America v. Internet Research Agency*, U.S. District Court for the District of Columbia, accessed May 9, 2019, https://www.justice.gov/file/1035477/download.
3. 著者がギョーム・シャロー本人に確認。
4. Max Fisher and Amanda Taub, "On YouTube's Digital Playground, a Gate Left Wide Open for Pedophiles," *The New York Times*, June 4, 2019, page A8.
5. Rob Copeland, "YouTube Weighs Major Changes to Kids' Content Amid FTC Probe," *The Wall Street Journal*, June 19, 2019.
6. Tim Wu, "Aspen Ideas Festival: 'Is the First Amendment Obsolete?' " June 2018.
7. Zeynep Tufekci, "Russian Meddling Is a Symptom, Not the Disease," *The New York Times*, October 3, 2018.
8. Tim Wu, *The Attention Merchants: The Epic Scramble to Get Inside Our Heads* (New York: Knopf, 2016).
9. Craig Silverman, "Apps Installed on Millions of Android Phones Tracked User Behavior to Execute a Multimillion-Dollar Ad Fraud Scheme," BuzzFeed News, October 23, 2018.
10. Rana Foroohar, "Big Tech's Unhealthy Obsession with Hyper-Targeted Ads," *Financial Times*, October 28, 2018; Mark Warner to FTC on Google Digital Ad Fraud, accessed May 9, 2019, https://www.scribd.com/document/391603927/Senator-Warner-Letter-to-FTC-on-Google-Digital-Ad-Fraud.
11. Steven Levy, *In the Plex: How Google Thinks, Works, and Shapes Our Lives* (New York: Simon & Schuster, 2011), 31.
12. John F. Wasik, "Why Elon Musk Named His Electric Car Tesla," *The Seattle Times*, December 31, 2017.
13. Sergey Brin and Lawrence Page, "The Anatomy of a Large-Scale Hyper-textual Web Search Engine," Computer Science Department, Stanford University, 1998.
14. Adam Fisher, " 'Google Was Not a Normal Place': Brin, Page and Mayer on the Accidental Birth of the Company That Changed Everything," *Vanity Fair*, July 10, 2018.
15. Ibid.
16. Levy, *In the Plex*, 26.
17. Fisher, " 'Google Was Not a Normal Place.' "
18. Ken Auletta, "Searching for Trouble," *The New Yorker*, October 12, 2009.
19. Levy, *In the Plex*, 133.
20. Adam Fisher, *Valley of Genius: The Uncensored History of Silicon Valley (as Told by the Hackers, Founders, and Freaks Who Made It Boom)* (New York: Twelve, 2018).
21. William H. Janeway, *Doing Capitalism in the*

42. David Z. Morris, "Netflix Is Expected to Spend Up to $13 Billion on Original Programming This Year," *Fortune*, July 8, 2018.
43. "Amazon's Cloud Will Connect Volkswagen's Vast Factory Network," *69News*, WFMZ, March 27, 2019.
44. Angela Chen, "Amazon's Alexa Now Handles Patient Health Information," The Verge, April 4, 2019.
45. Bloomberg Billionaires Index, accessed May 9, 2019, https://www.bloomberg.com/billionaires.
46. Lance Whitney, "Apple, Google, Others Settle Antipoaching Lawsuit for $415 Million," https://www.cnet.com/news/apple-google-others-settle-anti-poaching-lawsuit-for-415-million/.
47. Leigh Buchanan, "American Entrepreneurship Is Actually Vanishing. Here's Why," *Inc.*, May 2015.
48. The Hamilton Project, "Start-up Rates Are Declining Across All Sectors," accessed May 9, 2019, http://www.hamiltonproject.org/charts/start_up_rates_are_declining_across_all_sectors.
49. Ian Hathaway and Robert E. Litan, "Declining Business Dynamism in the United States: A Look at States and Metros," Brookings Institution, May 5, 2014.
50. Derek Thompson, "America's Monopoly Problem," *The Atlantic*, October 2016.
51. Kara Swisher, "Is This the End of the Age of Apple?" *The New York Times*, January 3, 2019.
52. Lina M. Khan, "Amazon's Antitrust Paradox," *Yale Law Journal* 126, no. 3 (January 2017).
53. Robert Shapiro and Siddhartha Aneja, "Who Owns Americans' Personal Information and What Is It Worth?" Future Majority, March 8, 2019.
54. Foroohar, "Big Tech Must Pay for Access to America's 'Digital Oil.' "
55. Colby Smith, "Peak Buybacks?" *Financial Times*, November 7, 2018.
56. Nico Grant and Ian King, "Big Tech's Big Tax Ruse: Industry Splurges on Buybacks Not Jobs," Bloomberg, April 14, 2019.
57. ロビー会社 Mehlman Castagnetti が 2019 年に発表した数字。
58. Cade Metz, "Why WhatsApp Only Needs 50 Engineers for Its 900M Users," *Wired*, September 15, 2015.
59. Alistair Gray, "US Retailers Shut Up Shop as Amazon's March Continues," *Financial Times*, March 8, 2019.
60. James Manyika et al., "Jobs Lost, Jobs Gained: What the Future of Work Will Mean for Jobs, Skills, and Wages," McKinsey and Company, November 2017.
61. "Mapping Inequalities Across the On-Demand Economy," Data and Society, accessed May 9, 2019, https://datasociety.net/initiatives/future-of-labor/mapping-inequalities-across-the-on-demand-economy/.
62. Shoshana Zuboff, "Big Other: Surveillance Capitalism and the Prospects of an Information Civilization," *Journal of Information Technology*, April 17, 2015.
63. Wikipedia, s.v. "The Great Transformation," last modified March 29, 2019, https://en.wikipedia.org/wiki/The_Great_Transformation_(book).
64. Zuboff, "Big Other," 80.
65. Michael Winnick, "Putting a Finger on Our Phone Obsession," June 16, 201 6, https://blog.dscout.com/mobile-touches.
66. Nir Eyal with Ryan Hoover, *Hooked: How to Build Habit-Forming Products* (New York: Portfolio/Penguin, 2014), 1.
67. Rana Foroohar, "All I Want for Christmas Is a Digital Detox," *Financial Times*, December 22, 2017.
68. Rana Foroohar, "Vivienne Ming: 'The Professional Class Is About to Be Blindsided by AI," *Financial Times*, July 27, 2018.
69. Sam Levin, "Facebook Told Advertisers It Can Identify Teens Feeling 'Insecure' and 'Worthless,' " *The Guardian*, May 1, 2017.
70. Foroohar, "All I Want for Christmas Is a Digital Detox."
71. Emily Bary, "Apple Never Meant for You to Spend So Much Time on Your Phone, Tim Cook Says," MarketWatch, June 27, 2019.
72. Olivia Solon, "Ex-Facebook President Sean Parker: Site Made to Exploit Human 'Vulnerability,' " *The Guardian*, November 9, 2017.

### 第2章　王家の谷

1. Rana Foroohar and Edward Luce, "Privacy as a Competitive Advantage," *Financial Times*, October 16, 2017.
2. Search Engine Market Share, Statcounter, accessed May 9, 2019, http://gs.statcounter.com/search-engine-market-share/all/worldwide/2009.
3. Rana Foroohar, "Facebook Has Put Growth Ahead of Governance for Too Long," *Financial Times*, December 23, 2018.
4. John Battelle, *The Search: How Google and Its Rivals Rewrote the Rules of Business and*

Travels Faster than True Stories," MIT News, March 8, 2018.
10. Federica Cocco, "Most US Manufacturing Jobs Lost to Technology, Not Trade," *Financial Times*, December 2, 2016.
11. "Populist Insurrections: Causes, Consequences, and Policy Reactions," G30 Occasional Lecture, YouTube, April 26, 2017.
12. McKinsey Global Institute, "'Superstars': The Dynamics of Firms, Sectors, and Cities Leading the Global Economy," October 2018.
13. Alex Shephard, "Facebook Has a Genocide Problem," *The New Republic*, March 15, 2018.
14. Edelman Trust Barometer, ibid.
15. Rana Foroohar, "The Dangers of Digital Democracy," *Financial Times*, January 28, 2018.
16. George Soros, "Remarks Delivered at the World Economic Forum," January 24, 2019, https://www.georgesoros.com/2019/01/24/remarks-delivered-at-the-world-economic-forum-2/.
17. Rana Foroohar, "Facebook's Data Sharing Shows It Is Not a US Champion," *Financial Times*, June 6, 2018.
18. Kate Conger and Daisuke Wakabayashi, "Google Employees Protest Secret Work on Censored Search Engine for China," *The New York Times*, August 16, 2018.
19. Foroohar, "Facebook's Data Sharing Shows It Is Not a US Champion."
20. Ahmed Al Omran, "Netflix Pulls Episode of Comedy Show in Saudi Arabia," *Financial Times*, January 1, 2019.
21. Issie Lapowsky, "How the LAPD Uses Data to Predict Crime," *Wired*, May 22, 2018, https://www.wired.com/story/los-angeles-police-department-predictive-policing/.
22. Mark Harris, "If You Drive in Los Angeles, the Cops Can Track Your Every Move," *Wired*, November 13, 2018.
23. Richard Waters, Shannon Bond, and Hannah Murphy, "Global Regulators' Net Tightens Around Big Tech," *Financial Times*, June 6, 2019, page 14.
24. Frenkel et al., "Delay, Deny, and Deflect."
25. Jia Lynn Yang and Nina Easton, "Obama and Google (A Love Story)," *Fortune*, October 26, 2009; Robert Epstein, "How Google Could Rig the 2016 Election," *Politico Magazine*, August 19, 2015; Google Analytics Solutions, "Obama for America Uses Google Analytics to Democratize Rapid, Data-Driven Decision Making," accessed May 9, 2019, https://analytics.googleblog.com/.
26. Epstein, "How Google Could Rig the 2016 Election."
27. Sean Gallagher, "Amazon Pitched Its Facial Recognition to ICE, Released Emails Show," Ars Technia, October 24, 2018; Andrea Peterson and Jake Laperruque, "Amazon Pushes ICE to Buy Its Face Recognition Surveillance Tech," Daily Beast, October 23, 2018.
28. Rana Foroohar, "Release Big Tech's Grip on Power," *Financial Times*, June 18, 2017.
29. Ibid.
30. Steven Levy, *In the Plex: How Google Thinks, Works, and Shapes Our Lives* (New York: Simon & Schuster, 2011), 363.
31. ALA News, "Libraries Applaud Dismissal of Google Book Search Case," American Library Association, November 14, 2013.
32. Brody Mullins and Jack Nicas, "Paying Professors: Inside Google's Academic Influence Campaign," *The Wall Street Journal*, July 14, 2017, https://www.wsj.com/articles/paying-professors-inside-googles-academic-influence-campaign-1499785286.
33. Ryan Nakashima, "Google Tracks Your Movements, Like It or Not," Associated Press, August 13, 2018; Sean Illing, "Cambridge Analytica, the Shady Data Firm That Might Be a Key Trump-Russia Link, Explained," Vox, April 4, 2018.
34. Matthew Rosenberg, Nicholas Confessore, and Carole Caldwalladr, "How Trump Consultants Exploited the Facebook Data of Millions," *The New York Times*, March 17, 2018.
35. Camila Domonoske, "Google Announces It Will Stop Allowing Ads for Payday Lenders," NPR, May 11, 2016.
36. Rana Foroohar, "Dangers of Digital Democracy," *Financial Times*, January 28, 2018.
37. Rana Foroohar, "Big Tech Must Pay for Access to America's 'Digital Oil,' " *Financial Times*, April 7, 2019.
38. Jennifer Valentino-DeVries et al., "Your Apps Know Where You Were Last Night, and They're Not Keeping It Secret," *The New York Times*, December 10, 2018.
39. Ben Casselman and Conor Dougherty, "As Investors Flip Housing Markets, Home Buyers Are Reeling," *The New York Times*, June 21, 2019.
40. Terje, "AI Could Add $6 Trillion to the Global Economy," Feelingstream, May 29, 2018.
41. Tim Wu, "In the Grip of the New Monopolists," *The Wall Street Journal*, November 13, 2010.

# 注釈


## まえがき

1. McKinsey Global Institute calculations, Rana Foroohar, "Superstar Companies Also Feel the Threat of Disruption," *Financial Times*, October 21, 2018.
2. Jeff Desjardins, "How Google Retains More than 90% of Market Share," *Business Insider*, April 23, 2018.
3. "Facebook by the Numbers: Stats, Demographics, and Fun Facts," Omnicore, January 6, 2019.
4. Celie O'Neil-Hart, "The Latest Video Trends: Where Your Audience Is Watching," Think with Google, April 2016.
5. Sarah Sluis, "Digital Ad Market Soars to $88 Billion, Facebook and Google Contribute 90% of Growth," AdExchanger, May 10, 2018; James Vincent, "99.6 Percent of New Smartphones Run Android or iOS," *Verge*, February 16, 2017.
6. Mark Jamison, "When Did Making Customers Happy Become a Reason for Regulation or Breakup?" AEIdeas, June 8, 2018.
7. "The Regulatory Case Against Platform Monopolies," 13D Research, December 4, 2017.
8. Henry Taylor, "If Social Networks Were Countries, Which Would They Be?" WeForum, April 28, 2016.
9. Michael J. Mauboussin et al., "The Incredible Shrinking Universe of Stocks," Credit Suisse, March 22, 2017.
10. Ian Hathaway and Robert E. Litan, "Declining Business Dynamism in the United States: A Look at States and Metros," Brookings Institution, May 5, 2014.
11. Zoltan Pozsar, "Gobal Money Notes #11," Credit Suisse, January 29, 2018.
12. Mancur Olson, *The Rise and Decline of Nations* (New Haven, Connecticut: Yale University Press, 1982).
13. Rana Foroohar, "Why You Can Thank the Government for Your iPhone," *Time*, October 27, 2015.
14. Author interview with John Battelle in 2017.
15. Rana Foroohar, "Echoes of Wall Street in Silicon Valley's Grip on Money and Power," *Financial Times*, July 3, 2017.
16. Tom Hamburger and Matea Gold, "Google, Once Disdainful of Lobbying, Now a Master of Washington," *The Washington Post*, April 12, 2014.
17. Rana Foroohar, "Silicon Valley Has Too Much Power," *Financial Times*, May 14, 2017; Foroohar, "Echoes of Wall Street in Silicon Valley's Grip."
18. Shoshana Zuboff, *The Age of Surveillance Capitalism: The Fight for a Human Future at the New Frontier of Power* (New York: Public Affairs, 2019), introductory page.
19. Shoshana Zuboff, "Big Other: Surveillance Capitalism and the Prospects of an Information Civilization," *Journal of Information Technology*, April 17, 2015.
20. Niall Ferguson, *The Square and the Tower: Networks and Power, from the Freemasons to Facebook* (New York: Penguin, 2018).

## 第 1 章　概説

1. Daisuke Wakabayashi, "Eric Schmidt to Leave Alphabet Board, Ending an Era That Defined Google," *The New York Times*, April 30, 2019.
2. Viktor Mayer-Schönberger and Thomas Ramge, *Reinventing Capitalism in the Age of Big Data* (New York: Basic Books, 2018); Viktor Mayer-Schönberger and Kenneth Cukier, *Big Data: A Revolution That Will Transform How We Live, Work, and Think* (Boston: Houghton Mifflin Harcourt, 2013).
3. 当時の様子について私は記事を書かなかったが、この会合を題材にさまざまな記事が書かれた。ここでは２つだけ例を挙げる。Hannah Clark, "The Google Guys In Davos," *Forbes*, January 26, 2007; Andrew Edgecliffe-Johnson, "The Exaggerated Reports of the Death of the Newspaper," *Financial Times*, March 30, 2007.
4. Sheila Dang, "Google, Facebook Have Tight Grip on Growing US Online Ad Market," Reuters, June 5, 2019.
5. Keach Hagey, Lukas I. Alpert, and Yaryna Serkez, "In News Industry, a Stark Divide Between Haves and Have-Nots," *The Wall Street Journal*, May 4, 2019.
6. Judge Richard Leon, memorandum opinion in *United States of America v. AT&T Inc.*, U.S. District Court for the District of Columbia, June 12, 2018.
7. Sheera Frenkel et al., "Delay, Deny, and Deflect: How Facebook's Leaders Fought Through Crisis," *The New York Times*, November 14, 2018.
8. Edelman Trust Barometer, 2018, https://www.edelman.com/trust-barometer.
9. Peter Dizikes, "Study: On Twitter, False News

■著者

## ラナ・フォルーハー（Rana Foroohar）

ニューヨークを拠点に、『フィナンシャル・タイムズ』紙でグローバル・ビジネス・コラムニストおよび共同編集者を務める。また、CNNのグローバル経済アナリストとしても活躍している。前作『Makers and Takers: How Wall Street Destroyed Main Street』では、資本市場がビジネスをサポートしなくなった背景について論じ、『フィナンシャル・タイムズ』の2016年マッキンゼー・ブック・オブ・ザ・イヤーにノミネートされた。2018年にはビジネス編集者記者協会（SABEW）から、テクノロジーおよび政策問題に関する執筆活動を称えて、ベスト・イン・ビジネス賞が授与された。

『フィナンシャル・タイムズ』とCNNに参加する前、フォルーハーは6年にわたり、『タイム』誌でアシスタント・マネジング・エディターおよび経済コラムニストとして活動していた。それ以前は13年間『ニューズウィーク』誌で経済および外国問題担当の編集者、あるいはヨーロッパおよび中東担当の特派員を務めていた。この時期に、太平洋を股にかけた報道に対して、ドイツ・マーシャル基金のペーター・ヴァイツ賞を受賞している。そのほか、ジョンズ・ホプキンス大学高等国際問題研究大学院やイースト・ウエスト・センターなどからも賞やフェローシップを受賞している。外交問題評議会の終身会員であり、オープン・マーケッツの顧問委員にも名を連ねている。

1992年にコロンビア大学バーナード校を卒業。作家である夫のジョン・セジウィック、および2人の子ダリヤとアレックスとともに、ブルックリンで暮らしている。

■訳者

## 長谷川圭（はせがわ けい）

高知大学卒業後、ドイツのイエナ大学でドイツ語と英語の文法理論を専攻し、1999年に修士号取得。同大学での講師職を経たあと、翻訳家および日本語教師として独立。

訳書に、『フォルクスワーゲンの闇　世界制覇の野望が招いた自動車帝国の陥穽』（共訳、日経BP）、『10%起業　1割の時間で成功をつかむ方法』（日経BP）、『ポール・ゲティの大富豪になる方法』（パンローリング）などがある。

# 邪悪に堕ちたGAFA

## ビッグテックは素晴らしい理念と私たちを裏切った

2020年7月20日　第1版第1刷発行

著　者　　ラナ・フォルーハー
訳　者　　長谷川 圭
発行者　　村上 広樹
発　行　　日経BP
発　売　　日経BPマーケティング
〒105-8308　東京都港区虎ノ門4-3-12
装　丁　　小口 翔平＋岩永 香穂（tobufune）
制　作　　岩井 康子（アーティザンカンパニー）
編　集　　田島 篤
翻訳協力　リベル
印刷・製本　中央精版印刷株式会社




本書籍に関する問い合わせ、ご連絡は下記にて承ります。
https://nkbp.jp/booksQA

ISBN978-4-8222-8878-5
Printed in Japan